Mittelstufe Deutsch

Kursbuch B1 plus

mit Audios zum Download

von

Ute Koithan

Helen Schmitz

Tanja Sieber

Ralf Sonntag

Filmseiten von Ulrike Moritz und Nana Ochmann
und den Aspekte-Autoren

Ernst Klett Sprachen

Stuttgart

Von: Ute Koithan, Helen Schmitz, Tanja Sieber, Ralf Sonntag
Filmseiten von: Ulrike Moritz, Nana Ochmann und den Aspekte-Autoren

Redaktion: Annerose Remus und Cornelia Rademacher
Layout: Andrea Pfeifer
Zeichnungen: Daniela Kohl
Umschlaggestaltung: Studio Schübel, München (Foto Steinbock: Lorraine Logan – shutterstock.com, Foto Jagdhorn: spaxiax – shutterstock.com)

Verlag und Autoren danken Andy Bayer, Melanie Kerner und Militsa Uzunova für die Begutachtung sowie allen Kolleginnen und Kollegen, die *Aspekte | junior* erprobt und mit wertvollen Anregungen zur Entwicklung des Lehrwerks beigetragen haben.

Aspekte | junior B1plus – Materialien	
Kursbuch mit Audios zum Download	605250
Übungsbuch mit Audios zum Download	605251
Medienpaket (3 Audio-CDs und Video-DVD)	605253
Lehrerhandbuch	605252
Aspekte junior digital mit interaktiven Tafelbildern	605262

www.klett-sprachen.de/aspekte-junior

Symbole im Kursbuch

1.2 Hört Track 1-2.

▶ Ü 1 Hierzu gibt es eine Übung im gleichen Modul im Übungsbuch.

 Rechercheaufgabe

 Hierzu gibt es ein interaktives Tafelbild.

Die Audios zum Kursbuch findet ihr als mp3-Download unter
www.klett-sprachen.de/aspekte-junior/medienB1plus
Der Zugangscode lautet: aJmc82#

In einigen Ländern ist es nicht erlaubt, in das Kursbuch hineinzuschreiben. Wir weisen darauf hin, dass die in den Arbeitsanweisungen formulierten Schreibaufforderungen immer auch im separaten Schulheft erledigt werden können.

1. Auflage 1 [6] [5] | 2021 20

Satz und Repro: Satzkasten, Stuttgart
Druck und Bindung: Print Consult GmbH, München

ISBN 978-3-12-605250-4

Inhalt

Leute heute 1

Wohnwelten 2

Inhalt

Wie geht's denn so? 3

Viel Spaß! 4

Inhalt

Zusammen 7

Kaufen, kaufen, kaufen 8

Endlich Ferien 9

Natürlich Natur! 10

Leute heute

A Zu Hause sprechen wir nur Arabisch. Allerdings bin ich in Deutschland geboren und habe so eigentlich zwei Muttersprachen. In der Schule lerne ich noch Englisch und seit diesem Jahr auch Französisch. Mehrere Sprachen zu können, ist toll. Und ...

Sharif

Lilli

B In zwei Jahren bin ich mit der Schule fertig. Dann will ich eine Ausbildung machen, am liebsten etwas mit Chemie. Die Ausbildung dauert drei Jahre. Ich stelle mir die Arbeit interessant vor und gute Karrierechancen gibt es auch. Aber ...

Ihr lernt

Modul 1 | Einen Text über Lebensträume verschiedener Personen verstehen
Modul 2 | Einen Radiobeitrag über Freundschaft verstehen
Modul 3 | Eine besondere Person präsentieren
Modul 4 | Über Glück diskutieren
Modul 4 | In einer E-Mail Freude ausdrücken und gratulieren

Grammatik

Modul 1 | Tempusformen: Über Vergangenes sprechen
Modul 3 | Verben und Ergänzungen

Laura

C Meine Eltern sind geschieden. Mein Bruder und ich wohnen seit zwei Jahren allein mit unserer Mutter. Jedes zweite Wochenende verbringen wir mit unserem Vater. Manchmal ...

▶ ÜB Wortschatz

E Ich bin Berlinerin, ganz klar. Hier leben Menschen aus allen Ecken der Welt und das lässt alle Lebensstile zu. Hier fühle ich mich einfach wohl, das ist meine Heimat. Wenn ich woanders bin, vermisse ich Berlin immer. Trotzdem ...

Max

D Ich bin in einer Kleinstadt in Norddeutschland geboren. Als ich 14 war, sind wir nach Frankfurt gezogen. Das war am Anfang natürlich nicht so toll. Ich musste mich von meinen Freunden verabschieden und kannte niemanden in der neuen Stadt. Jetzt fühle ich mich aber hier sehr wohl und kenne eine ganze Menge Leute. Und unsere neue Wohnung ist auch schön. Vielleicht ...

Emilia

Marie

F Im Sommer gehe ich gern schwimmen, im Winter spiele ich oft mit Freunden Eishockey auf einem kleinen See bei uns um die Ecke. Aber am wichtigsten ist für mich Fußball. Ich bin großer Fan von Borussia Dortmund. Ich gehe so oft wie möglich ins Stadion. Das ist einfach ein tolles Erlebnis. Wenn ...

1a Lest die Kurztexte. Über welche Themen sprechen die Jugendlichen? Notiert sie.

Sharif: Sprachen
Lilli: ...

b Arbeitet in Gruppen. Jede Gruppe wählt einen Text aus, schreibt ihn zu Ende und stellt „ihre Person" vor.

2 Sagt zu jedem Thema aus 1a einige Sätze über euch selbst.

Gelebte Träume

1 **Was bedeutet dieser Spruch? Erklärt ihn mit einem Beispiel. Diskutiert in der Klasse: Ist das immer möglich?**

Träume nicht dein Leben – Lebe deinen Traum!

2 **Seht euch die Fotos an. Um welche Träume könnte es hier gehen?**

▶ Ü 1

3a **Lest den Artikel. Macht eine Tabelle wie auf der nächsten Seite und notiert Stichpunkte.**

Gelebte Träume

Der eine hat einen großen Traum, der nächste vielleicht mehrere kleine. Die Träume der Menschen sind so unterschiedlich wie die Menschen selbst. Manche sind realistisch und manche scheinen vielleicht völlig unerreichbar. Es gibt Menschen, die trotzdem nicht aufgeben. Und plötzlich ist der Lebenstraum ganz nah …

Erfolgreich sein als Sängerin, einmal die Nummer eins in den Charts und Millionen Klicks für den eigenen Musikclip im Internet – davon träumte die 19-jährige Leonie Walter schon, nachdem sie als Kind bei einem Sommerfest aufgetreten war. Als Teenager nahm sie Gesangs- und Tanzunterricht und vor ein paar Jahren sah es aus, als würde sich ihr Traum auch erfüllen. Leonie nahm an einer Castingshow teil und kam in die vom Fernsehsender zusammengestellte Band. Auf einmal war sie berühmt. Die Band brachte ein Album heraus und die drei jungen Sängerinnen galten als neue Stars am deutschen Pophimmel. Doch der Anfangseuphorie folgte bald die Ernüchterung: Das zweite Album verkaufte sich nur noch mäßig, die Auftritte wurden immer weniger, schließlich trennte sich die Band. Im Moment jobbt Leonie in einem Coffee Shop. „Meinen Traum habe ich aber trotzdem noch nicht aufgegeben. Ich bin schon einmal nach ganz oben gekommen, ich versuche es einfach wieder. Eine neue Band habe ich auch schon", sagt sie.

Die 21-jährige Nina Puchmann wuchs in einem kleinen Dorf bei Hannover auf. Schon von klein auf sah sie sich am liebsten Dokumentationen über andere Länder an und träumte davon, all diese fernen Orte eines Tages zu besuchen. Nach dem Abitur wollte sie diesem Traum ein bisschen näher kommen. Mit einem Work and Travel-Visum reiste sie nach Neuseeland und blieb ein Jahr. Mit verschiedenen Jobs finanzierte sie ihren Aufenthalt am anderen Ende der Welt, zum Erkunden des Landes blieb trotzdem genug Zeit. Im Anschluss verbrachte sie noch einen Monat in Vietnam. Wieder zurück in Deutschland wollte sie ihre Leidenschaft zum Beruf machen und studiert jetzt Tourismusmanagement. „Ich plane permanent die nächste Reise – mal sind es nahe und mal ferne Ziele", erzählt Nina Puchmann.

Profifußballer – das wollte der 24-jährige Jonas Holzner immer werden. Als Kind und Jugendlicher verbrachte er jede freie Minute auf dem Fußballplatz. Er trainierte und trainierte. Und tatsächlich konnte er mit 16 Jahren zu einem großen Verein wechseln. Für ein paar Jahre lief alles wie geplant. Aber ein Nachmittag änderte alles: Nachdem sich Jonas schwer am Knie verletzt hatte, musste er den Traum von der Profikarriere schweren Herzens aufgeben. „Das war eine schwierige Zeit, aber mit der Unterstützung meiner Familie habe ich meinen Weg gefunden." Jonas machte eine Ausbildung zum Physiotherapeuten und arbeitet heute in einer großen Praxis. „Aber die Liebe zum Fußball habe ich nicht verloren. In meiner Freizeit trainiere ich eine Kindermannschaft und samstags gehe ich ins Stadion, um meinen alten Verein anzufeuern."

Wer?	Traum?	Situation früher?	Situation jetzt?
Leonie		*nahm Gesangs- und Tanzunterricht*	

STRATEGIE
Stichpunkte notieren
Schreibt keine ganzen Sätze. Lasst Artikel und Personalpronomen weg.

b **Arbeitet zu dritt und vergleicht eure Stichpunkte. Dann stellt jede/r eine Person vor.**

c **Welche Person findet ihr am interessantesten? Warum?**

4a Mit den folgenden Zeitformen kann man Vergangenes ausdrücken. Notiert zu jeder Zeitform einen weiteren Beispielsatz aus dem Artikel und markiert die Zeitformen.

Perfekt: *Aber die Liebe zum Fußball habe ich nicht verloren.*
Präteritum: *Als Kind und Jugendlicher verbrachte er jede freie Minute auf dem Fußballplatz.*
Plusquamperfekt: *Nachdem sich Jonas schwer am Knie verletzt hatte, musste er den Traum von der Profikarriere schweren Herzens aufgeben.*

b **Welche Verben sind regelmäßig, welche unregelmäßig? Ordnet sie und notiert die Zeitformen. Vergleicht dann zu zweit.**

STRATEGIE
Tempusformen
Legt eine Liste mit unregelmäßigen Verben und ihren Zeitformen an und ergänzt neue Verben aus Texten, die ihr lest. Wiederholt immer wieder die „alten" Verben.

~~sehen~~ bleiben ~~träumen~~ nehmen kommen planen verkaufen aufwachsen finanzieren arbeiten reisen finden auftreten

regelmäßig				*unregelmäßig*			
Infinitiv	*Präsens*	*Präteritum*	*Perfekt*	*Infinitiv*	*Präsens*	*Präteritum*	*Perfekt*
träumen	*er träumt*	*träumte*	*hat geträumt*	*sehen*	*er sieht*	*sah*	*hat gesehen*

c **Wann verwendet man welche Zeitform der Vergangenheit? Ergänzt die Regel im Heft.**

G

Über Vergangenes berichten

1. mündlich berichten: meistens ___
2. schriftlich berichten:
   z. B. in E-Mails/Briefen: meistens *Perfekt*
   z. B. in Zeitungsartikeln/Romanen: meistens ___
3. *haben* und *sein* / Modalverben: meistens ___
4. Von einem Ereignis berichten, das vor einem anderen Ereignis in der Vergangenheit passiert ist: ___

▶ Ü 2–4

5 Arbeitet zu zweit und interviewt euch gegenseitig. Berichtet anschließend in der Klasse über euren Partner / eure Partnerin.

- Welche Träume hattet ihr mit 10 Jahren?
- Was ist jetzt euer großer Traum?
- Wie könnt ihr ihn verwirklichen?
- Welchen Traum habt ihr euch schon erfüllt?

Ismail hat schon als Kind davon geträumt, einmal eine Weltreise zu machen. Er wollte schon immer …
Tina möchte unbedingt …
Paolas großer Traum ist …

In aller Freundschaft

1a Welche Aussage passt für euch am besten zum Thema „Freundschaft"? Warum?

A Richtig gute Freunde hat man nur zwei oder drei.

B Das Internet ist super, um neue Freunde zu finden und mit alten in Kontakt zu bleiben.

C Gute Freunde erkennt man in schwierigen Zeiten.

D Bei guten Freunden muss man sich nicht jeden Tag melden.

E Gemeinsame Hobbys sind in einer Freundschaft wichtig.

Ich kenne viele Leute, aber ich habe nur zwei richtig enge Freunde, denen ich wirklich alles erzählen kann. Deshalb …

▶ Ü 1

b Welche Eigenschaften sind euch bei einem Freund / einer Freundin wichtig und warum? Wählt fünf Eigenschaften und erzählt in der Klasse.

zuverlässig witzig ehrlich großzügig tolerant cool verständnisvoll
hilfsbereit verantwortungsbewusst offen verschwiegen höflich sportlich
ehrgeizig treu gut aussehend klug aktiv neugierig

Für mich ist es wichtig, dass meine Freunde zuverlässig sind. Als ich einmal die Hilfe von einer Freundin gebraucht habe, hat sie …

Meine Freunde müssen witzig sein. Ohne Humor ist alles …

▶ Ü 2

1.2

2a Hört den ersten Abschnitt eines Radiobeitrags. In welcher Reihenfolge wird über die folgenden Themen gesprochen?

A Freunde für bestimmte Phasen oder Aktivitäten
B Warum Freunde wichtig sind
C Freunde in Online-Netzwerken
D Unterscheidung Freunde und Bekannte

b Wählt ein Thema aus 2a und schreibt einen kurzen Text über eure Erfahrungen.

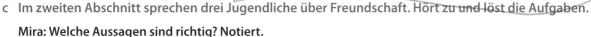

Freunde in Online-Netzwerken
Ich habe viele Freunde im Netz, aber natürlich sind das nicht alles wirkliche Freunde. Viele kenne ich ja noch nicht mal persönlich. Trotzdem finde ich es gut, dass …

1.3-5

c Im zweiten Abschnitt sprechen drei Jugendliche über Freundschaft. Hört zu und löst die Aufgaben.

Mira: Welche Aussagen sind richtig? Notiert.
1. Mira hat ihre beste Freundin beim Tennis kennengelernt.
2. Mit ihrer besten Freundin kann Mira über alles sprechen.
3. In einer guten Freundschaft sollte man nicht streiten.
4. Mira und Laura können sich nicht oft sehen.

Felix: Beantwortet die Fragen.
5. Warum ist für Felix das Internet wichtig?
6. Wo hat Felix seine drei engsten Freunde kennengelernt?
7. Worauf kommt es ihm in einer Freundschaft an?

Julia: Notiert die passenden Nomen.
8. Für Julia sind in einer Freundschaft *Respekt*, ___, ___ und ___ besonders wichtig.

SPRACHE IM ALLTAG
ein Freund / **eine** Freundin **von mir**
mein Freund / **meine** Freundin

3a Die eigene Meinung sagen. Wählt drei Formulierungen, schreibt sie auf Karten und verwendet diese bei der Diskussion in 3b.

MEINUNGEN AUSDRÜCKEN	
Ich denke, dass …	Ich bin der Ansicht, dass …
Ich finde, dass …	Meiner Meinung nach …
Ich glaube, dass …	Ich stehe auf dem Standpunkt, dass …
Ich bin der Meinung, dass …	

b Diskutiert in Gruppen.

- Welche Rolle spielt Freundschaft für euch?
- Was kann in Freundschaften zu Problemen führen?
- Liebe – Freundschaft – Familie – Schule: Was steht für euch an erster Stelle und warum?

4 Arbeitet in Gruppen. Recherchiert Sprichwörter, Redewendungen oder Reime zum Thema „Freundschaft" und gestaltet ein Plakat.

▶ Ü 3

Heldenhaft

1a **Was versteht ihr unter einem Helden? Wen würdet ihr als Held bezeichnen? Warum?**

1

2

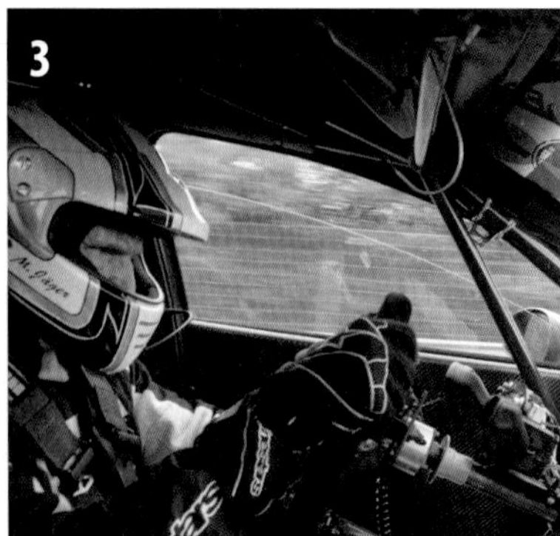
3

Ein Held ist für mich ein Mensch, der versucht, anderen Menschen zu helfen, auch wenn er dabei sein eigenes Leben riskiert. …

▶ Ü 1

1.6–8

b **Hört eine Umfrage. Notiert, wen die drei Befragten als Held bezeichnen und warum.**

Person	Ein Held ist für mich …	Gründe
1.		

▶ Ü 2

2a **Lest die Texte. Warum können die Personen als „Helden im Alltag" bezeichnet werden?**

„Ich war mit dem Rad zu meinem Freund Oleg unterwegs", berichtet Erkan Gül, „als ich auf der anderen Straßenseite Rauch sah, der aus einem Balkonfenster in der ersten Etage kam. Als ich genauer hinsah, erblickte ich auf dem Balkon einen kleinen Jungen, der weinte." Sofort trat Erkan fester in die Pedale und traf dabei auf Oleg, zeigte auf das Fenster und schrie ganz laut: „Feuer!" Oleg verstand sofort die Situation, blieb stehen, griff zu seinem Handy und rief die Feuerwehr. Erkan fuhr an das Haus heran, kletterte auf den Balkon, nahm den Jungen und reichte ihn Oleg nach unten. Der kleine Junge war gerettet. Der Einsatz der beiden Jugendlichen ist beispiellos. Polizei und Feuerwehr lobten die beiden für ihr Handeln und freuen sich, dass Erkan Feuerwehrmann werden will. In ihrer Siedlung sind die beiden jetzt Helden. Sogar die Zeitungen berichteten über ihre Rettungsaktion.

Erkan und Oleg

Tobias Streitferdt

„Wer reisen will, muss gesund sein", denken viele Menschen. Doch Tobias Streitferdt, der selbst an einer Erbkrankheit leidet und an den Rollstuhl gefesselt ist, wollte seinen Urlaub nicht zu Hause verbringen. Er hat als Rollstuhlfahrer bereits alle Kontinente der Welt bereist und festgestellt, dass man trotz Behinderung sehr gut seinen Urlaub im Ausland verbringen kann, wenn einem engagierte Menschen helfen und wenn eine geeignete Infrastruktur vorhanden ist. Darum wollte er anderen Menschen mit Behinderung Mut machen, in ihrem Urlaub zu verreisen und sich die Welt anzusehen. So entstand der Verein „Reisen mit Rollstuhl", dessen Ziel es ist, eine Webseite aufzubauen, auf der man Informationen über Unterkünfte, Restaurants und Aktivitäten für Rollstuhlreisende austauschen kann. Außerdem schlägt der Verein Hotels und Restaurants vor, wie sie durch einfache Umbaumaßnahmen ihr Angebot barrierefrei gestalten können.

Seit ca. 15 Jahren bin ich ehrenamtlich in der Bahnhofsmission tätig. Ich helfe zum Beispiel kranken und behinderten Reisenden beim Umsteigen. Viele sind sehr dankbar, wenn man ihnen ihre weitere Reiseverbindung erklärt, sich nach ihren Anschlüssen erkundigt und sie zu ihrem Zug begleitet. In der Bahnhofsmission kochen wir auch Kaffee und Tee und machen belegte Brote. Die Leute, die zu uns kommen, freuen sich gerade im Winter über einen warmen Ort und jemanden, der ihnen zuhört. Mir gefällt die Arbeit in der Bahnhofsmission, weil sie so abwechslungsreich ist. Man trifft verschiedene Leute mit ganz unterschiedlichen Biografien. Ich interessiere mich für meine Mitmenschen und setze mich gerne für sie ein.

Angelika Fischer

b Verben und Ergänzungen. Lest die Beispiele und sammelt aus den Texten für jede Gruppe weitere Verben.

Verben und Ergänzungen

	Beispielsatz	**Verben**
1. Verb + Nominativ	*Die beiden Jungen sind jetzt Helden.*	*sein, …*
2. Verb + Akkusativ	*Oleg rief die Feuerwehr.*	*rufen, …*
3. Verb + Dativ	*Ich helfe kranken und behinderten Reisenden.*	*helfen, …*
4. Verb + Dativ + Akkusativ	*Ich erkläre ihnen ihre weitere Reiseverbindung.*	*erklären, …*
5. Verb + Präposition + Akkusativ	*Ich interessiere mich für meine Mitmenschen.*	*sich interessieren für, …*
6. Verb + Präposition + Dativ	*Ich erkundige mich nach ihren Anschlüssen.*	*sich erkundigen nach, …*

▶ Ü 3–9

c Macht Plakate für jede Verbgruppe. Sammelt dafür weitere Verben mit Beispielsatz. Ergänzt die Plakate regelmäßig im Unterricht.

Verben + Dativ
gehören: Das Buch gehört mir.
schmecken: Das Essen schmeckt mir.

3a Schreibt einen Text über eine Person, die man eurer Meinung nach als Held bezeichnen könnte.

HERKUNFT/BIOGRAFISCHES	LEISTUNGEN
Ich möchte gern … vorstellen.	Er/Sie wurde bekannt, weil …
Er/Sie kommt aus … und wurde … geboren.	Er/Sie entdeckte/erforschte/erfand …
Er/Sie lebt in …	Er/Sie rettete/hilft/unterstützt …
Von Beruf ist er/sie …	Er/Sie arbeitet freiwillig …
Seine/Ihre Eltern sind …	Er/Sie setzt sich für … ein.
Er/Sie kommt aus einer … Familie.	Er/Sie engagiert sich für …
	Er/Sie kämpft für/gegen …

b Hängt die Texte in der Klasse aus. Welche Person findet ihr am interessantesten?

Vom Glücklichsein

1a Welche Symbole bedeuten für euch Glück, welche Unglück? Wählt aus.

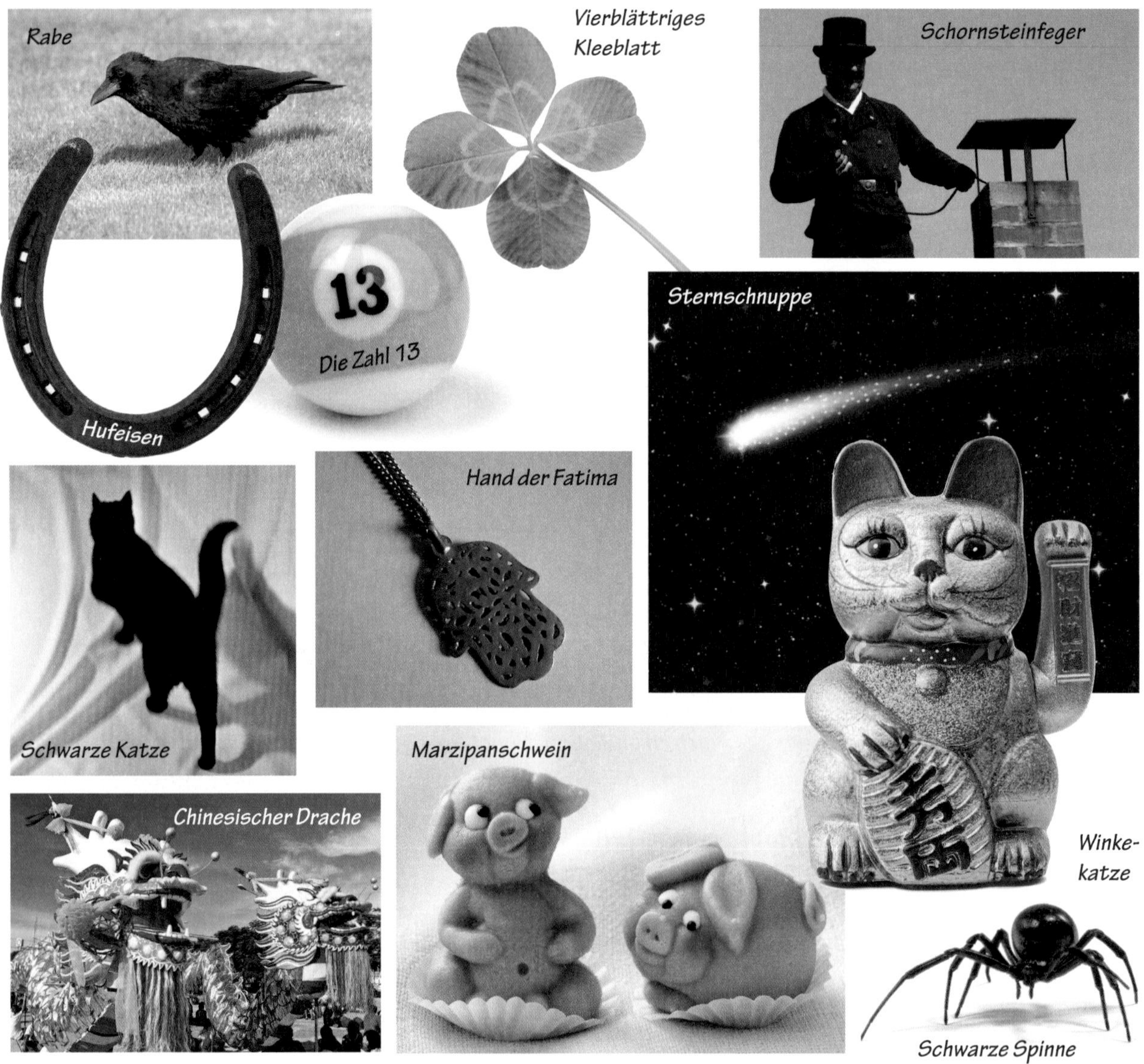

▶ Ü 1 **b Welche Symbole, Zahlen, Buchstaben sind in eurem Land Glücks- oder Unglückssymbole?**

2a Wählt fünf Wörter, die für euch zum Begriff „Glück" gehören. Welche Wörter würdet ihr noch ergänzen?

Reichtum Harmonie Freunde Natur Schönheit Familie Karriere
Berühmtheit Frieden Freiheit Hobbys Ruhe Entspannung

b Begründet eure Auswahl und vergleicht in der Klasse.

Am wichtigsten sind für mich Freunde. Wenn ich keine Freunde hätte, wäre mein Leben langweilig.

Für mich ist die Familie das wichtigste, denn ohne meine Familie wäre ich sehr einsam.

1.9–12

3a Hört die Aussagen von vier Personen zum Thema „Bist du zurzeit glücklich?". Entscheidet beim Hören, welche Aussage (A, B oder C) zu welcher Person passt. Lest zunächst die Aufgaben A, B und C.

Welche Aussage passt zu welcher Person?
A Die Person ist glücklich.
B Die Person ist nicht glücklich.
C Die Person weiß nicht genau, ob sie glücklich ist.

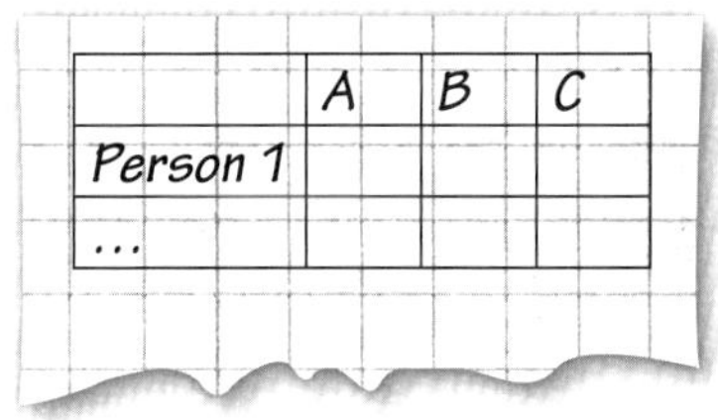

	A	B	C
Person 1			
...			

b Hört dieselben Aussagen der vier Personen ein zweites Mal. Entscheidet beim Hören, welche der Aussagen A–F zu welcher Person passt. Zwei Aussagen bleiben übrig. Lest zunächst die Aussagen A–F.

A Durch die Arbeit kann ich vielleicht bessere Noten bekommen.
B Ich lerne vor Klausuren immer ganz viel.
C Mich interessiert das Theoretische weniger, die Praxis mag ich viel mehr.
D Ich kann manche Dinge ohne Mühe auswendig lernen.
E In Naturwissenschaften wie Mathe und Chemie war ich immer sehr gut.
F Einige Leute sind glücklich, wenn sie in der Schule erfolgreich sind.

4a Ordnet die Überschriften den Redemitteln zu.

widersprechen — zweifeln — Meinung äußern — zustimmen

1.	2.
Ich bin der Meinung/Ansicht, dass ...	Der Meinung bin ich auch.
Ich stehe auf dem Standpunkt, dass ...	Ich bin ganz deiner Meinung.
Ich denke/meine/glaube/finde, dass ...	Das stimmt. / Das ist richtig. / Ja, genau.
Ich bin davon überzeugt, dass ...	Da hast du völlig recht.
3.	**4.**
Das stimmt meiner Meinung nach nicht.	Also, ich weiß nicht ...
Das ist nicht richtig.	Ich habe da so meine Zweifel.
Ich sehe das anders.	Ob das wirklich so ist?
Da muss ich dir aber widersprechen.	Stimmt das wirklich?

b Diskutiert die Aussagen in Gruppen und verwendet die Redemittel aus 4a.

A Die große Liebe – das ist für mich das größte Glück.

B Für mich ist Glück, erfolgreich zu sein.

C Ich bin glücklich, wenn ich mit meinen Freunden Zeit verbringen kann.

D Glück ist für mich, wenn die Dinge besser werden, als ich es erwartet habe.

E Viel Geld zu verdienen – das wäre mein größtes Glück.

Vom Glücklichsein

5a Lest die E-Mail. Über welchen besonderen Tag schreibt Markus?

Hallo Ben,

es ist zwar schon spät, aber ich muss dir unbedingt noch erzählen, was mir heute passiert ist. Eigentlich bin ich ja überhaupt kein abergläubischer Mensch. Deswegen hatte ich auch absolut keine Ahnung, was für ein Tag heute ist. Ich dachte, es wird halt ein Freitag wie immer. Na ja, fast wie immer, denn ich hatte am Nachmittag praktische Führerscheinprüfung.

Aber der Tag war alles andere als normal. Eigentlich gab es nur voll das Chaos!

Ich wachte von einem lauten Knall auf. Mein Bruder machte seine Zimmertür mal wieder besonders leise zu. ☹ Ich schaute auf die Uhr und sprang aus dem Bett. Ich hatte verschlafen! Mist! Ich hätte meiner Mutter sagen sollen, dass ich eine Stunde früher aufstehen muss, weil ich noch mal alle Verkehrsschilder wiederholen wollte. Da musste ich nachmittags eben auf gut Glück zur Prüfung fahren.

Im Bad dachte ich: Was ist das denn für eine Frisur? Wo ist die Tube mit dem Haargel? Natürlich alle! Mein Bruder hatte sie leer gemacht. Na, vielen Dank auch! Pullover und Jeans hatte ich an, doch wo waren meine Socken? Meine Mutter deutete auf meine Frage hin nur wortlos auf den Balkon. Oh nein, sie waren in der Wäsche und trockneten auf dem Balkon. Gegen nasse Socken hilft nur ein Föhn ...

Dann nahm ich meinen Rucksack und meine Jacke und rannte zum Bus. Zu spät! Ich schaffte es nicht mehr pünktlich zur ersten Stunde, was Frau Schmidt, meine Mathelehrerin, ganz schön sauer machte. Außerdem wollte sie die Hausaufgaben einsammeln und die lagen natürlich noch auf meinem Schreibtisch zu Hause. Ich hatte vergessen, sie einzupacken.

So langsam vermutete ich, dass aus meinem Führerschein vielleicht auch nichts wird.

Das Beste kam in der sechsten Stunde: Sport bei Herrn Richter. Beim Volleyball traf mich der Ball so blöd am Kopf, dass meine Brille das nicht überlebte. Wie sollte ich denn jetzt Auto fahren? Also musste ich nach Hause, um meine Kontaktlinsen zu holen.

Dann ab in die Fahrschule. Wieder war ich zu spät. Zwar nur fünf Minuten, aber der Prüfer schaute mich so böse an, dass ich dachte, der lässt mich durchfallen. Ich setzte mich tierisch aufgeregt ins Auto und hoffte: „Bitte lass mich zuerst auf die Bundesstraße, dann in den Stadtverkehr mit Wenden und Einparken." Aber es kam natürlich genau andersrum. Als mich der Prüfer schon nach 20 Minuten bat zurückzufahren, ahnte ich, dass er gleich sagt: „Leider haben Sie die Prüfung nicht bestanden!" In der Fahrschule angekommen meinte der Prüfer: „So, ..." (Ich dachte, jetzt kommt's!) „Sie fahren ja schon, als hätten Sie zwanzig Jahre den Führerschein. Herzlichen Glückwunsch!" Zuerst dachte ich, der macht Witze. Aber als der Fahrlehrer mir dann auch gratulierte, freute ich mich riesig. Er klopfte mir auf die Schultern und lachte. Ich war total froh, aber auch fix und fertig. Mann, und sowas am Freitag, den 13.! Verrückt, oder?

LG Markus

b Welche Missgeschicke passieren Markus? Wie endet sein Tag? Sprecht zu zweit.

c Ordnet den Ausdrücken 1–5 die passenden Erklärungen A–E zu.

1. abergläubisch sein
2. keine Ahnung haben
3. eine Prüfung bestehen
4. auf gut Glück
5. fix und fertig sein

A kaputt sein, erschöpft sein
B eine gute Note bekommen
C ohne Gewissheit, dass man Erfolg haben wird
D etw. nicht wissen
E an Dinge glauben, die Glück bringen oder schaden

d Welcher Tag ist in eurem Land ein Unglückstag? Was sollte man an diesem Tag nicht tun?

1.13

6a Hört die Nachricht von Markus. Macht Notizen zu den folgenden Punkten.

Grund für die Nachricht — Tag und Uhrzeit — Ort — Gäste — Essen und Trinken

b Reagiert auf die E-Mail und auf die Nachricht von Markus. Ordnet zuerst die Redemittel in eine Tabelle.

Herzlichen Glückwunsch zur bestandenen Prüfung! — Ich bin sehr froh, dass … — Ich freue mich sehr/riesig für dich. — Viel Glück und immer gute Fahrt! — Alles Gute! — Das ist eine tolle Nachricht! — Ich wünsche dir immer freie Straßen! — Es freut mich, dass …

GUTE WÜNSCHE AUSSPRECHEN / GRATULIEREN	FREUDE AUSDRÜCKEN

c Schreibt eine Antwort an Markus. Schreibt etwas zu den folgenden Punkten. Überlegt euch eine passende Reihenfolge.

- Schreibt, wie ihr den Prüfungstag von Markus findet.
- Bedankt euch für die E-Mail und gratuliert Markus zum Führerschein.
- Teilt Markus mit, ob ihr zur Party kommt.
- Schreibt, ob ihr schon den Führerschein habt oder wann ihr ihn machen wollt.

7a Lest die Gedichte zum Thema „Glück“. Welches gefällt euch? Warum?

Auf der Suche nach dem Glück

Für viele Menschen
hängt ihr Glück
von tausend Dingen ab.
So fehlt ihnen
logischerweise
immer irgendetwas
zum Glücklichsein.

Wenn sie ihr Glück
allein von der Liebe
abhängig machen würden,
könnten sie ihr Glück
in tausend Dingen
entdecken.

Ernst Ferstl

GEFÜHL
ZUFALL
FREUNDE
LEBEN
GEMEINSCHAFT
GLÜCKSSTRÄHNE

Glück,
dein Gesicht
in meinen Händen,
mehr brauche ich nicht.
Liebe …

b Schreibt ähnliche Gedichte zum Thema „Glück“ und stellt sie in der Klasse vor.

Porträt

Cro Musiker

*(*31. Januar 1990)*

Cro, bürgerlich Carlo Waibel, gehört zu den bekanntesten deutschen Musikern seiner Generation. Seine Musik bezeichnet er selbst als „Raop" – eine Mischung zwischen Rap und Pop. Sein Markenzeichen ist eine Pandamaske, die er immer bei Konzerten oder anderen öffentlichen Auftritten trägt. Diese Maske bedeutet für Cro Schutz, denn ohne Maske kann er sich unerkannt in der Öffentlichkeit bewegen und trotz seiner Bekanntheit ein normales Leben führen. „Ich laufe durch die Straßen und werde (ohne Maske) null erkannt, einmal im Monat vielleicht. Das ist gut für meinen Charakter. Hätte ich die Maske nicht, wäre ich, glaube ich, anders zu fremden Menschen. Dann hätte ich wahrscheinlich Starallüren", so Cro in einem Interview.
Cro begann bereits im Alter von 10 Jahren Musik zu machen, er lernte Gitarre und Klavier spielen. Nach dem Abschluss der Realschule machte er zunächst eine Ausbildung zum Mediengestalter und arbeitete als Cartoonzeichner für eine Zeitung.
Als 2011 sein Video zu dem Song „Easy" erschien, erregte es viel Aufmerksamkeit. Der Musiker Jan Delay verlinkte es auf seiner Facebook-Seite, weil er in Cro „die Zukunft von Deutschrap" sah. Das Jahr 2012 war der große Durchbruch für Cro: Im Sommer erschien sein Debütalbum „Raop", Cro ging auf Tour und erhielt mehrere Auszeichnungen. In den folgenden Jahren stiegen mehrere Singles von Cro auf Platz 1 der Charts.
Zu seinen bekanntesten Liedern gehören „Einmal um die Welt", „Melodie" und „Bye bye". Cro designt außerdem T-Shirts für sein eigenes Kleidungslabel Vio Vio.

Auftritt von Cro beim Openair Frauenfeld in der Schweiz

Was ist Ihr größtes Talent?

Selbstlosigkeit – aber die zu erwähnen ist ja schon wieder gar nicht selbstlos. Sonst natürlich meine musikalischen Fähigkeiten. Ich mach' ja alles selber.

Was ist Ihre größte Schwäche?

Ich kann echt nicht lange auf was warten.

Womit kann man Ihnen eine Freude machen?

Ich feiere es, wenn Menschen aufmerksam sind und eine Kleinigkeit mitbringen. Über ganz normale Menschen freue ich mich auch. Wenn es nicht immer nur um den Erfolg geht und man auch mal übers Wetter quatscht.

Was ist Ihr bestes Smalltalk-Thema?

Mache ich nicht gerne. Aber eine gute Frage ist immer: Was war das Wichtigste, was du heute gelernt hast? Da kommt immer eine ziemlich coole Antwort.

Wo haben Sie Ihren schönsten Urlaub verbracht?

Auf den Seychellen. Das war das Krasseste, was ich in meinem Leben gesehen habe.

Wo verbringen Sie Ihren nächsten Urlaub?

Es wird Zeit, in die USA zu reisen, ich war noch nie dort.

www  Mehr Informationen zu Cro.

Sammelt Informationen über Persönlichkeiten aus dem In- und Ausland, die für das Thema „Leute heute" interessant sind, und stellt sie in der Klasse vor. Ihr könnt dazu die Vorlage „Porträt" im Anhang verwenden.

Beispiele aus dem deutschsprachigen Bereich: Die fantastischen Vier – Andreas Gabalier – Manuel Neuer – Faber – Joel Basmann – Stefanie Heinzmann

1 Tempusformen: Über Vergangenes berichten

Bildung

<table>
<tr><th>Präteritum</th><th>Perfekt</th><th>Plusquamperfekt</th></tr>
<tr><td rowspan="2">regelmäßige Verben:
Verbstamm + -t- + Endung:
ich träumte   wir träumten
du träumtest   ihr träumtet
er/es/sie träumte   sie/Sie träumten

unregelmäßige Verben:
Präteritumstamm + Endung:
ich kam*   wir kamen
du kamst   ihr kamt
er/es/sie kam*   sie/Sie kamen

* keine Endung bei 1. und 3. Person Singular</td><td>haben/sein im Präsens +
Partizip II:
er hat gesagt, er ist gekommen</td><td>haben/sein im Präteritum +
Partizip II:
er hatte gesagt, er war gekommen</td></tr>
<tr><td colspan="2">Partizip II
regelmäßige Verben:
ohne Präfix: sagen – gesagt
trennbares Verb: aufhören – aufgehört
untrennbares Verb: verdienen – verdient
Verben auf -ieren: faszinieren – fasziniert

unregelmäßige Verben:
ohne Präfix: nehmen – genommen
trennbares Verb: aufgeben – aufgegeben
untrennbares Verb: verstehen – verstanden</td></tr>
</table>

Ausnahmen: *kennen – kannte – habe gekannt* *bringen – brachte – habe gebracht*
denken – dachte – habe gedacht *wissen – wusste – habe gewusst*

Funktion

Präteritum	**Perfekt**	**Plusquamperfekt**
• von Ereignissen schriftlich berichten, z. B. in Zeitungsartikeln, Romanen • mit Hilfs- und Modalverben berichten	von Ereignissen mündlich oder schriftlich berichten, z. B. in E-Mails, Briefen	von Ereignissen berichten, die vor einem anderen Ereignis in der Vergangenheit passiert sind

2 Verben und Ergänzungen

Das Verb bestimmt, wie viele Ergänzungen in einem Satz stehen müssen und welchen Kasus sie haben.

Verb + Nominativ:	Die beiden Jungen sind jetzt Helden.
Verb + Akkusativ:	Oleg rief die Feuerwehr.
Verb + Dativ:	Ich helfe kranken und behinderten Reisenden.
Verb + Dativ + Akkusativ:	Ich erkläre ihnen ihre weitere Reiseverbindung.
Verb + Präposition + Akkusativ:	Ich interessiere mich für meine Mitmenschen.
Verb + Präposition + Dativ:	Ich erkundige mich nach ihren Anschlüssen.

Die Reihenfolge der Objekte im Satz ist von der Wortart der Objekte abhängig:

Die Objekte sind:	**Beispiele**	**Reihenfolge**
Nomen	*Ich erkläre den Reisenden ihre Verbindung.*	erst Dativ, dann Akkusativ
Nomen und Pronomen	*Ich erkläre ihnen ihre Verbindung.*	erst Pronomen, dann Nomen
	Ich erkläre sie den Reisenden.	
Pronomen	*Ich erkläre sie ihnen.*	erst Akkusativ, dann Dativ

Eine Übersicht über Verben mit Ergänzungen findet ihr im Anhang des Übungsbuchs.

Deutschlandlabor: Mentalität

1 „Mentalität" – Was ist das? Lest die Erklärung aus dem Wörterbuch und findet weitere Beispiele.

Men·ta·li·tät *die*; -, -en; das, was typisch für das Denken e-r Person od. e-r Gruppe ist ≈ Denkweise: *die M. der Leute an der Küste, der Bauern*

2a Was denkt ihr über die Deutschen? Sammelt zu zweit vier Adjektive, die euch spontan einfallen. Vergleicht dann in der Klasse.

1

b Lest die Adjektive im Kasten. Seht dann die erste Filmsequenz und notiert Adjektive, die im Film zur Beschreibung der Deutschen genannt werden.

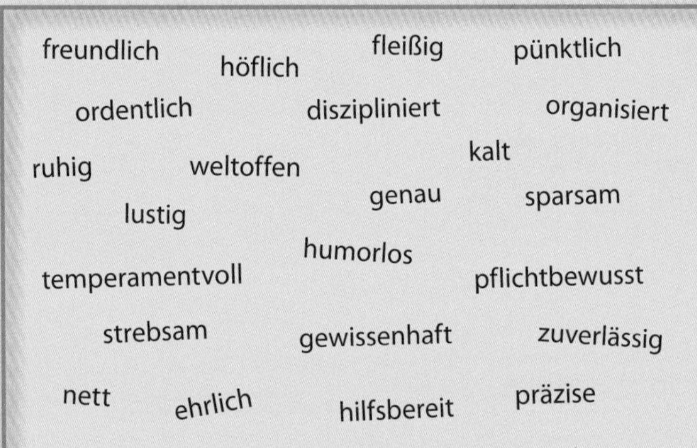

freundlich, höflich, fleißig, pünktlich, ordentlich, diszipliniert, organisiert, ruhig, weltoffen, kalt, lustig, genau, sparsam, humorlos, temperamentvoll, pflichtbewusst, strebsam, gewissenhaft, zuverlässig, nett, ehrlich, hilfsbereit, präzise

c Vergleicht eure Sammlung aus 2a mit den Adjektiven aus 2b. Welche Unterschiede gibt es? Woher stammt eure Meinung von den Deutschen?

2

3 Seht die zweite Filmsequenz mit dem Kommunikationsexperten Wolfgang Jockusch. Ergänzt die Aussagen. Vergleicht dann zu zweit.

1. Herr Jockusch berät …
2. Die Kommunikation der Deutschen ist …
3. Die deutsche Kultur orientiert sich an …

4a Regeln in Deutschland. Was darf man hier (nicht)? Erklärt den Gartenzwergen die Regeln in eigenen Worten.

unter 18 Jahren
haben keinen

Öffentlicher
Spielplatz

Betreten der

nur für Hotelgäste!

Unberechtigt geparkte Fahrzeuge
werden kostenpflichtig abgeschleppt

Mit harten Bällen ist
das Spielen auf dem
Schulhof untersagt!
5

3

b Neue Regeln für die Gartenzwerge. Klärt die Begriffe. Seht dann die dritte Filmsequenz und notiert die Regeln.

intolerant gegenüber jdm. sein	Gedicht rezitieren	lachen	singen	genießen
essen	etwas ruhiger angehen	weiße Socken tragen	freundlich sein	

c Vergleicht zu zweit und ergänzt eure Notizen aus 4b.

d Sprecht in Gruppen. Welche beiden Regeln gefallen euch am besten? Warum?

e Regeln für Gartenzwerge in eurem Land. Was sollten sie mehr/immer/nie tun, wenn ...? Schreibt zu zweit drei Regeln. Hängt die Regeln auf und vergleicht in der Klasse.

4

5 Am Ende fasst David wichtige Aussagen aus dem Film zusammen. Lest die Zusammenfassung und seht die letzte Filmsequenz. Welche Aussagen stimmen nicht? Korrigiert.

> *Die Ausländer sagen über die Deutschen, dass sie ordentlich, diszipliniert und geizig sind. Sie haben viele Regeln und sind oft sehr direkt, wenn sie ihre Wünsche durchsetzen wollen.*

6 Lest die Aussagen. Welche davon wäre(n) in eurer Heimat zu direkt oder unhöflich?

- Ich habe 4.000 Euro auf meinem Sparkonto.
- Du hast ein bisschen zugenommen.
- Das Kleid steht dir leider gar nicht.
- Ich mag deine Freundin nicht.

Wohnwelten

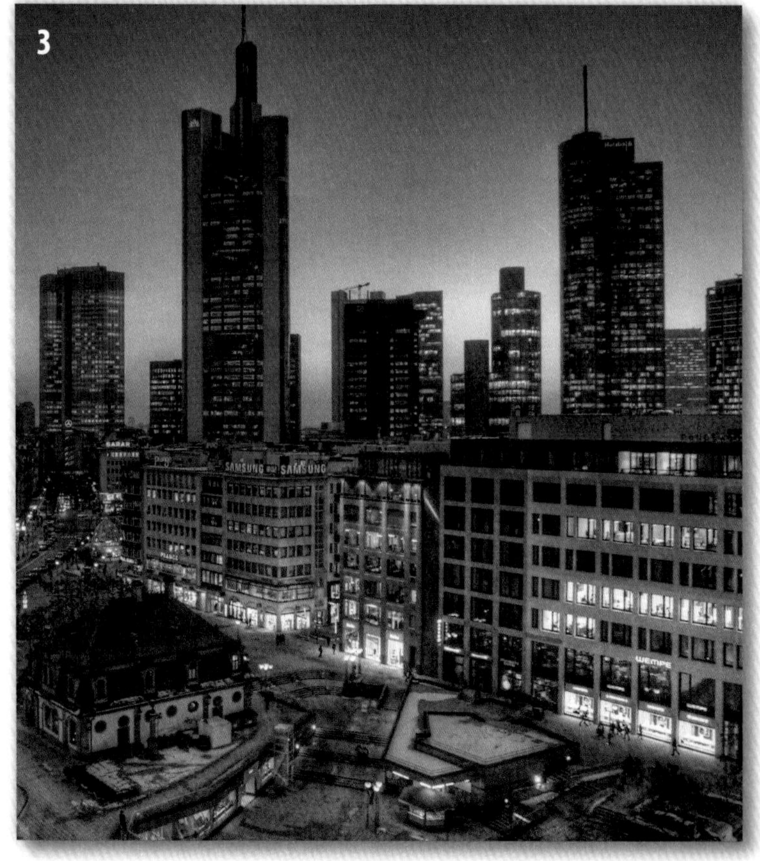

Ihr lernt

Modul 1 | Über die „Stadt der Zukunft“ sprechen

Modul 2 | Informationen aus einem Interview über Obdachlosigkeit und einem Bericht über Streetworker zusammenfassen

Modul 3 | Wichtige Informationen aus einem Text über außergewöhnliche Hotels verstehen

Modul 4 | Aus einem Artikel Argumente für und gegen das Wohnen bei den Eltern sammeln

Modul 4 | Eine Meinung äußern und Ratschläge geben (in einer E-Mail und in Gesprächen)

Grammatik

Modul 1 | Lokale Präpositionen (mit Wechselpräpositionen)

Modul 3 | Deklination der Nomen: n-Deklination

▶ ÜB Wortschatz

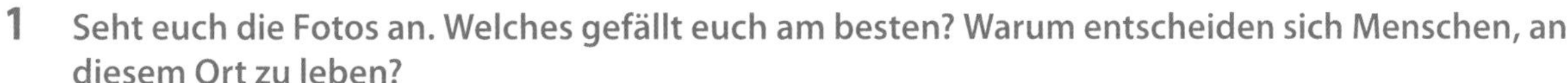

1 **Seht euch die Fotos an. Welches gefällt euch am besten? Warum entscheiden sich Menschen, an diesem Ort zu leben?**

2a **Welcher „Wohntyp“ bist du? Entdeckt eure Vorlieben. Welche Aussagen treffen auf euch zu?**

A Ich find's super, wenn ich am See liegen oder im Wald joggen kann.
C Um mich wohlzufühlen, brauche ich coole Geschäfte und Cafés in meiner Nähe.
B Die Großstadt finde ich zu hektisch, aber auf dem Land ist es mir zu langweilig.
A Es ist schön, wenn man alle Leute im Ort von klein auf kennt.
B Ab und zu gehe ich gern ins Kino, aber jeden Abend ausgehen ist nichts für mich.
C Ich dekoriere mein Zimmer gerne neu. Dafür gebe ich auch mein Taschengeld aus.
C Ich sehe immer die neuesten Filme und gehe auch gerne zu Konzerten.
B Ich hab' keinen Bock auf lange Wege. Am besten komme ich in zwei Minuten überall hin.
A Ich brauche viel Platz und einen großen Garten, weil ich gern einen Hund hätte.
C Ich will machen können, was ich will, ohne dass unsere Nachbarn darüber sprechen.
A Wenn ich nichts zu tun habe, mache ich es mir gerne auf dem Sofa gemütlich.
B Wenn ich durch die Stadt gehe, freue ich mich immer, wenn ich zufällig Freunde treffe.
B Es ist schrecklich, wenn man jeden Tag in vollen U-Bahnen und Bussen fahren muss.
A Zur Schule oder zu meinen Freunden muss ich weit fahren, aber das stört mich nicht.
C Ich fahre am liebsten überall mit dem Fahrrad oder mit der U-Bahn hin.

b **Welchen Buchstaben habt ihr am häufigsten gewählt? Lest die Auswertung auf Seite 187. Trifft die Beschreibung wirklich auf euch zu?**

Wie wohnen wir morgen?

1a Großstädte heute: zu wenige Wohnungen, zu viele Autos, wenige Grünflächen. Was denkt ihr: Wie sehen Großstädte in fünfzehn Jahren aus? Sammelt Ideen.

Wohnen: …
Mobilität: …
Lernen und Arbeit: …
…

1.14

b Hört den Beginn eines Interviews und macht Notizen zu den Fragen.

1. Was ist das Motto des Wettbewerbs?
2. Was haben die Teilnehmer am Computer gemacht?
3. Wie viele Teams gab es und wie viele Jugendliche waren in Lukas' Team?
4. An welchem Thema hat Lukas' Team gearbeitet?

1.15

c Lest die Aussagen und hört dann das Interview zu Ende. Welche Aussagen sind richtig?

1. Die Klassenzimmer in der Schule sind klein.
2. Ältere Schüler und Schülerinnen unterrichten die jüngeren.
3. Es ist nicht für alle einfach, in die Schule zu kommen.
4. Es gibt viele Möglichkeiten, auf den Pausenhof zu gelangen.
5. In den Klassenzimmern werden Experimente und Forschungen durchgeführt.
6. Auf den Dächern der Schule befinden sich Solarzellen.
7. Man kann nur mit der Schwebebahn in die Schule fahren.
8. Das Team von Lukas hat nur eine Schule gebaut.

die Schwebebahn
das Windrad
die Solarzelle

d Hört den zweiten Teil noch einmal und korrigiert die falschen Aussagen in 1c. Vergleicht dann zu zweit.

▶ Ü 1

2a Seht euch die Wechselpräpositionen in den Sätzen in 1c an. Nach welcher Frage folgt der Dativ, nach welcher der Akkusativ?

G

Wechselpräpositionen

Wo? **Präposition** + ____
*Er steht **vor** ____ Schule.*

Wohin? **Präposition** + ____
*Er geht **in** ____ Schule.*

Die lokalen Präpositionen *an, auf, hinter, in, neben, über, unter, vor* und *zwischen* werden mit Dativ oder Akkusativ verwendet. Man nennt sie Wechselpräpositionen.

b Spielt zu zweit. Ihr braucht eine Münze und neun Zettel mit je einer Wechselpräposition. A beginnt und zieht einen Zettel. B wirft die Münze: Bei Kopf stellt er/sie eine Frage mit *Wo?*, bei Zahl eine Frage mit *Wohin?*. A antwortet mit der Präposition auf dem Zettel und achtet auf den richtigen Kasus. Dann stellt A eine Frage mit dem anderen Fragewort und B antwortet. Danach zieht B einen neuen Zettel usw.

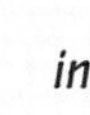

Wohin gehst du?

Ich gehe in die Cafeteria.

▶ Ü 2

3a Macht eine Tabelle und ordnet die lokalen Präpositionen zu.

~~von der Haltestelle~~ ~~durch den Flur~~ **bei** der Schule **entlang** der Schwebebahn **um** die Ecke **jenseits** der Stadtteile **nach** der Kreuzung **außerhalb** unseres Stadtteils **aus** dem Klassenzimmer **gegen** die Wand **zu** allen Räumen **bis** zur Wiese **ab** der Haustür **um** die Eingänge **herum** **gegenüber** der Schule ~~innerhalb der Stadt~~ **an** den Radwegen **entlang** **von** jedem Klassenzimmer **aus**

G

lokale Präpositionen (Wo? Wohin? Woher?)

mit Akkusativ	mit Dativ	mit Genitiv
durch den Flur, …	*von der Haltestelle, …*	*innerhalb der Stadt, …*

b Arbeitet zu zweit. Jede/r hat fünf Minuten Zeit und schreibt möglichst viele Sätze mit lokalen Präpositionen. Tauscht und korrigiert gemeinsam. ▶ Ü 3

4a Was ist für euch in der Stadt der Zukunft am wichtigsten? Was würdet ihr gerne sofort ändern? Ordnet die Ausdrücke den Bildern zu und sammelt weitere Ideen in der Klasse.

fliegende Autos energiesparende Häuser Autos mit Solartechnik Roboter im Haushalt begrünte Hochhäuser Schwebebahnen …

3

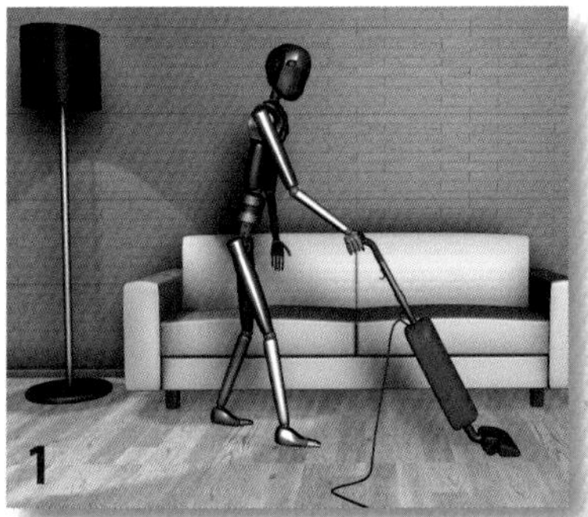

1

2

4

5

b Arbeitet in Gruppen und überlegt euch drei bis vier Besonderheiten in eurer Stadt der Zukunft. Stellt dann die Ergebnisse in der Klasse vor.

In unserer Stadt gibt es sehr viel Grün und Platz zum Fußball spielen, Klettern, Radfahren und Skaten. Wir haben für die Autos Tunnel geplant …

▶ Ü 4

Ohne Dach

1a Seht die Fotos an. Was bedeutet „Obdachlosigkeit"?

b **Welche Gründe für Obdachlosigkeit kann es geben? Sammelt in der Klasse.**

2a **Die folgenden Wörter haben oft mit dem Begriff „Obdachlosigkeit" zu tun. Ordnet sie in eine Tabelle. Es gibt mehrere Möglichkeiten.**

die Frustration das Sozialamt die Einsamkeit die Krankheit die Erfolglosigkeit die Armut ~~die Arbeitslosigkeit~~ der Alkohol das Wohnheim die Suppenküche die Scheidung die Angst die Hoffnung die Familie die Notunterkunft die Schulden die Freunde die Schulprobleme der Verlust

Ursachen	Gefühle	Hilfsangebote
die Arbeitslosigkeit		

b **Wählt drei Begriffe und schreibt je einen Satz zum Thema „Obdachlosigkeit".**

Ich glaube, dass viele Obdachlose an der Einsamkeit auf der Straße leiden.
Arbeitslosigkeit ist oft ein Problem. ...

1.16

3a Hört nun ein Radiointerview mit Lena Storm und Andreas Huber, die das Leben auf der Straße kennen. Welche drei Aspekte werden angesprochen?

b Hört das Interview noch einmal und macht Notizen.

- Warum sind Lena und Andreas obdachlos geworden?
- Wie ist ihre momentane Situation?
- Welche Ziele haben sie?

Stichworte notieren

Wenn ihr beim Hören oder Lesen Stichworte notiert, dann möglichst gleich in thematischen Gruppen. Häufige Themengruppen sind z. B. Gründe, Beschreibung der Situation, Ziele …

c Vergleicht eure Notizen aus 3b. Welche Gemeinsamkeiten und welche Unterschiede stellt ihr bei Lena und Andreas fest?

4a Arbeitet zu dritt und teilt die Themen unter euch auf. Lest dann den Bericht über den Streetworker Thorsten Heck in einem Schülermagazin. Jede/r macht Notizen zu seinen Themen.

- Aufgabe eines Streetworkers
- Probleme und Wünsche eines Streetworkers
- Tagesablauf eines Streetworkers
- Gründe für Berufswahl
- Ausbildung
- Kontakt zu Jugendlichen

Streetworker gehen auf Jugendliche zu

Kleve/Köln. Beratungsangebote gibt es viele. Aber Jugendliche mit Problemen scheuen sich, Hilfe anzunehmen. Deshalb sind Streetworker auf der Straße unterwegs.

In fast jeder Stadt gibt es Streetworker: Menschen, die versuchen, andere Menschen zu erreichen, die Hilfe benötigen und bisher keine erhalten. Streetworker gehen auf Jugendliche zu. Wenn der Kontakt dann geknüpft wurde, stehen die Streetworker ihren Schützlingen bei, beraten sie und planen auch mit ihnen gemeinsam Veranstaltungen.

Thorsten Heck ist 44 Jahre alt und Streetworker in Köln-Porz. Er arbeitet nun seit knapp drei Jahren zusammen mit seiner Kollegin Sabine Grundmann beim Haus der offen Tür Porz e.V., einem Jugendhilfeträger. Streetworker ist eigentlich schon immer sein Berufswunsch gewesen, erzählt er. Er findet es toll, ständig unterwegs zu sein und neue Leute kennenzulernen. Freunde und Familie respektieren das, was er macht, und helfen ihm, wenn er schwierige Situationen nicht aus dem Kopf bekommt.

Wissen, was im Viertel passiert

Streetworker ist ein pädagogischer Beruf. Thorsten Heck erzählt, dass die meisten Streetworker den Abschluss eines Diplom-Sozialarbeiters oder ähnliche Abschlüsse haben, einige wenige sind aber auch Erzieher.

Thorsten Heck und seine Kollegin sind in Köln-Porz für Jugendliche im Einsatz.

Thorsten Heck erzählt von seinem Alltag. Der beginnt oft im Büro mit Telefonaten, die er für die Jugendlichen erledigt. „Danach sind wir meistens draußen unterwegs und bewegen uns in den Stadtteilen, für die wir zuständig sind. Sehr häufig nehmen wir auch an Arbeitskreisen teil und besuchen Schulen oder andere Einrichtungen, um immer zu wissen, was gerade im Viertel passiert." Er sagt, dass die Streetworker Ansprechpartner für jeden sind, dass sie sich aber speziell um Jugendliche und junge Erwachsene kümmern.

Thorsten Heck mag tatsächlich alles an seinem Beruf, er bedauert nur, dass es in Köln nicht mehr Streetworker gibt.

Finja Swenne, Klasse 8a, Gymnasium Goch, Zeus-Reporter

b Sprecht in der Gruppe über den Bericht und informiert euch gegenseitig über eure Themen.

5 Recherchiert ein Hilfsangebot für Obdachlose und schreibt einen Text für die Schülerzeitung. ▶ Ü 1

Wie man sich bettet, ...

1 Übernachten im Hotel: Was ist daran schön? Sammelt in der Klasse.

Man muss nicht saubermachen. *In den Ferien war ich schon mal ...*

▶ Ü 1 **2a Lest den Artikel. Was ist das Besondere an den Hotels? Macht Notizen.**

Was für eine Nacht!

Die meisten Menschen möchten sich in einem Hotel wie zu Hause fühlen. Mit weichen Betten und viel Komfort schaffen die Besitzer für den zahlenden Gast eine angenehme Umgebung. Aber nicht jedem Menschen gefällt diese Gemütlichkeit. Darum gibt es auch Angebote für jene, die sogar in einem Hotel das Besondere oder das Abenteuer suchen: Die Branche bietet die verrücktesten Übernachtungen für den neugierigen Kunden an. Habt ihr auch Lust auf etwas Neues? Hier einige Vorschläge:

Schwimmt und taucht ihr gerne? Dann übernachtet doch mal unter Wasser – das kann man in der „Jules' Undersea Lodge" in Key Largo, Florida. Den Namen gab man dem Hotel nach Jules Verne, dem Autor des Abenteuerromans „20.000 Meilen unter dem Meer". Das Hotel ist ein ehemaliges Forschungslabor und hat nur drei Zimmer. Um es zu betreten, müssen die Gäste hinabtauchen, allerdings keine 20.000 Meilen, sondern nur 6,5 Meter. Dafür könnt ihr dann zu Hause eurem Nachbarn erzählen, dass ihr vom Bett aus bunte Fische sehen konntet.

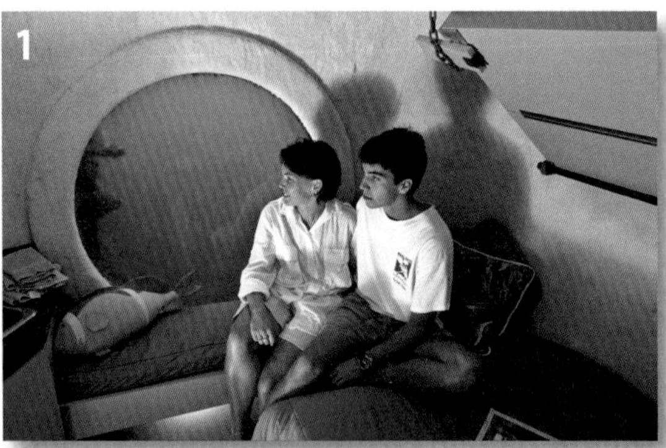

Oder darf es etwas lauter sein? Wie wäre es mit einem Schlafplatz im Zirkus? Ihr übernachtet in einem Zirkuswagen mit allem Komfort und lebt Tür an Tür mit einem Elefanten, einem Löwen, den Clowns oder einem Dompteur. Am Tag lernt ihr den Alltag in der Manege kennen, ihr riecht Popcorn und Sägespäne, ihr hört die Musik, das Lachen und den Applaus des Publikums. Ihr könnt auch eine Woche mit auf Tournee durch die Schweiz gehen und das Leben eines Artisten kennenlernen: Viel harte Arbeit, aber auch viel Spaß und Leidenschaft für den Beruf.

Vielleicht interessiert ihr euch aber mehr für Technik? Dann ist vielleicht eine Nacht im Flugzeug das Richtige für euch. Einst flog es als Maschine eines Präsidenten, jetzt gibt es keinen Piloten mehr. Das alte Flugzeug wurde in Holland zum Hotel umfunktioniert. Fast eine halbe Million Euro wurde investiert, um das Flugzeug vom Typ IL-18 umzubauen und mit Whirlpool, Sauna und Teeküche auszustatten. Die Maschine hat eine bewegende Geschichte. Erst war sie für die Fluggesellschaft Interflug unterwegs, dann wurde sie als Kneipe genutzt. Nun erlebt sie seit einigen Jahren wieder glanzvollere Zeiten als Luxusherberge.

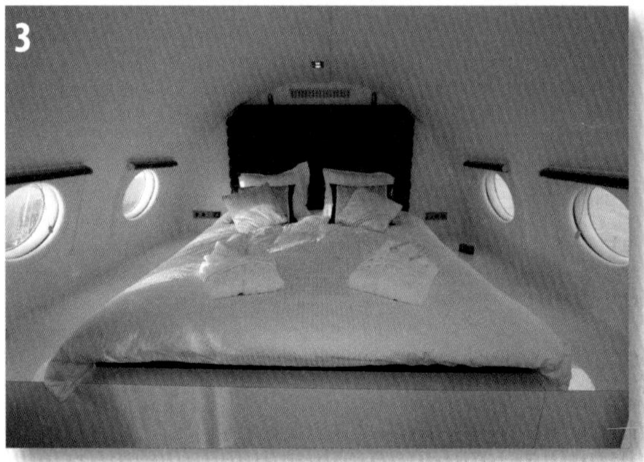

b In welchem Hotel würdet ihr gerne / auf keinen Fall übernachten? Warum (nicht)?

3a **Vergleicht die markierten Nomen in den Sätzen. Welche Nomen ändern sich? Welche Unterschiede findet ihr?**

1. A Der Gast hat gut geschlafen.
   B Mit viel Komfort schaffen die Besitzer für den zahlenden Gast eine angenehme Umgebung.
2. A Der Kunde war mit dem Hotel sehr zufrieden.
   B Die Branche bietet die verrücktesten Übernachtungen für den neugierigen Kunden an.
3. A Der Mensch mag es gemütlich.
   B Aber nicht jedem Menschen gefällt diese Gemütlichkeit.

b **Seht die Tabelle an. Welches Nomen aus 3a gehört auch zur n-Deklination? Ergänzt die Formen.**

maskuline Nomen

	Singular		Plural	
		n-Deklination		**n-Deklination**
Nominativ	der Beruf	der Kunde	die Berufe	die Kunden
Akkusativ	den Beruf	den Kunde**n**	die Berufe	die Kunden
Dativ	dem Beruf	dem Kunde**n**	den Berufe**n**	den Kunden
Genitiv	des Beruf**s**	des Kunde**n**	der Berufe	der Kunden

n-Deklination
Singular:
Nominativ: der ...
Akkusativ:

c **Welche Nomen aus dem Artikel gehören zur n-Deklination? Notiert.**

der Alltag (Z. 27) — der Artist (Z. 31) — der Beruf (Z. 33) — das Bett (Z. 2)
der Besitzer (Z. 3) — der Elefant (Z. 26) — der Fisch (Z. 21) — der Gast (Z. 4)
das Hotel (Z. 1–2) — der Kunde (Z. 9) — der Löwe (Z. 26) — der Mensch (Z. 5)
der Meter (Z. 20) — der Nachbar (Z. 21) — die Nacht (Z. 35) — der Name (Z. 14)
der Pilot (Z. 37) — der Präsident (Z. 36) — der Schlafplatz (Z. 24) — der Zirkus (Z. 24)

d **Nennt einem Partner / einer Partnerin vier Nomen aus 3c. Er/Sie schreibt eine kurze Geschichte und liest sie vor.**

▶ Ü 2–3

4 **Verrückte Hotels: Sammelt Ideen und überzeugt einen Partner / eine Partnerin von einer Nacht im ...-Hotel. Was ist dort besonders/toll/faszinierend/...?**

Hamster-Hotel

Baumzelt-Hotel

Kapsel-Hotel

Hotel Mama

1a Was denkt ihr? Was bedeutet der Begriff „Nesthocker"?

Das ist …
A jemand, dem eine gemütliche, warme Wohnung sehr wichtig ist.
B ein junger Mensch, der ungewöhnlich lange bei seinen Eltern wohnt.
C eine Person, die am liebsten zu Hause bleibt und selten ausgeht.

b Gibt es in eurer Sprache ein ähnliches Wort?

▶ Ü 1 **c Was fällt euch zum Begriff „Nesthocker" ein? Sammelt in der Klasse.**

2a Lest den Artikel und ordnet die Überschriften 1–5 den Textabschnitten A–E zu.

1. Moderne Familie 2. Ursachen und Gründe 3. Typologie der Nesthocker
4. Der Trend in Zahlen 5. Frauen verlassen das Elternhaus schneller

Bei Mama ist's am schönsten

Ein voller Kühlschrank, frische Wäsche, ein geputztes Bad – bei dem Begriff „Hotel Mama" denken viele an einen Betrieb, der hält, was ein gutes Hotel verspricht.

A Neben reiner Bequemlichkeit sind finanzielle und psychologische Gründe dafür verantwortlich, dass Jugendliche in Deutschland immer länger zu Hause wohnen bleiben. Viele Untersuchungen nennen Geldprobleme und längere Ausbildungszeiten als wichtige Ursachen für die gestiegene Zahl von „Nesthockern". Damit eine gute Ausbildung bezahlt werden kann, bleiben viele Jugendliche länger zu Hause. Aber nicht nur mit der eigenen Wohnung, sondern auch mit Heirat und der Planung einer eigenen Familie warten die jungen Leute immer länger.

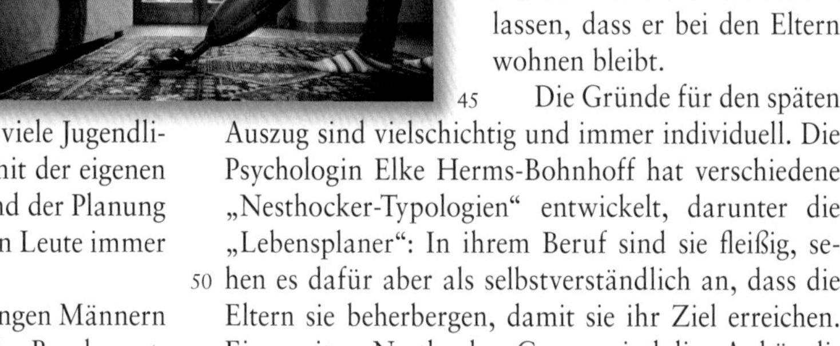

B „Hotel Mama vor allem bei jungen Männern beliebt", meldet das Statistische Bundesamt. Fast die Hälfte (46 %) aller 24-jährigen Männer lebt noch bei den Eltern. Mit 30 Jahren sind es noch 14 % und mit 40 Jahren immerhin noch 4 % der Männer. Von den jungen Frauen wohnt dagegen bereits mit 22 Jahren deutlich weniger als die Hälfte (42 %) bei den Eltern, bei den 24-jährigen Frauen sind es nur noch 27 %. Mit 30 Jahren leben lediglich 5 % und mit 40 Jahren nur noch 1 % der Frauen im elterlichen Haushalt. Die Zahlen beweisen: Der Trend ist eindeutig.

C Frauen sind meistens schneller unabhängig, weil sie eher ins Berufsleben eintreten und sich oft früher binden. Im Durchschnitt heiraten Frauen mit 27 Jahren, Männer mit über 29 Jahren.

D In Deutschland ist der „typische Nesthocker" wissenschaftlich identifiziert: männlich, ledig, gebildet und Sohn gut verdienender Eltern. Dieser Typ hat festgestellt, dass sich seine lange Ausbildungszeit und seine hohen finanziellen Ansprüche besonders komfortabel dadurch verbinden lassen, dass er bei den Eltern wohnen bleibt.

Die Gründe für den späten Auszug sind vielschichtig und immer individuell. Die Psychologin Elke Herms-Bohnhoff hat verschiedene „Nesthocker-Typologien" entwickelt, darunter die „Lebensplaner": In ihrem Beruf sind sie fleißig, sehen es dafür aber als selbstverständlich an, dass die Eltern sie beherbergen, damit sie ihr Ziel erreichen. Eine weitere Nesthocker-Gruppe sind die „Anhänglichen", die gemeinsame Fernseh- oder Spielabende mit der Familie lieben.

E Überhaupt hat sich die Eltern-Kind-Beziehung geändert, ist ausgeglichener und partnerschaftlicher geworden: Fast 90 % der 12- bis 25-Jährigen geben an, mit ihren Eltern gut klarzukommen. Eine räumliche Trennung gehört auch wegen liberalerer Erziehungsmethoden daher nicht mehr selbstverständlich zum Ablösungsprozess von den Eltern.

b Arbeitet zu zweit. Jede/r schreibt zwei W-Fragen zum Artikel (Wer? Wo? Wann? Wie viele? Warum? …) auf einen Zettel und die Antworten auf einen anderen Zettel. Tauscht dann eure Fragen, beantwortet sie und vergleicht die Antworten mit euren Notizen.

c **Was heißt …? Wählt die passende Bedeutung aus. Der Artikel in 2a hilft.**

1. ins Berufsleben eintreten (Z. 32)	A das erste Mal in einem Beruf arbeiten B eine neue Arbeitsstelle finden
2. sich ablösen (Z. 61)	A sich bei Problemen von der Familie trennen B selbstständig werden, nicht mehr von der Familie abhängig sein
3. anhänglich (Z. 52–53)	A immer wieder den Kontakt suchen B Freunde nur zu Hause treffen
4. sich binden (Z. 33)	A sich selbstständig machen B eine Partnerschaft eingehen
5. ein Ziel erreichen (Z. 51)	A schaffen, was man geplant hat B einen Plan erstellen
6. selbstverständlich (Z. 50)	A absolut logisch B so, wie man es selbst versteht

d **Welche Gründe werden im Artikel für den Trend zum „Hotel Mama" genannt? Notiert und sammelt weitere Pro-Argumente.**

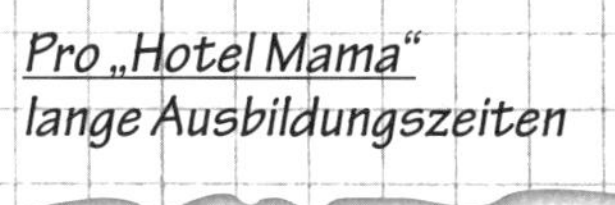

e **Was spricht eurer Meinung nach gegen das „Hotel Mama"? Ergänzt eure Liste aus 2d mit Contra-Argumenten. Diskutiert dann zu zweit und vergleicht in der Klasse.**

Contra „Hotel Mama"
auf eigenen Beinen stehen

▶ Ü 2

1.17-19

3a Hört drei Aussagen und notiert Informationen zu den Fragen: Wo wohnen die Personen und warum? Wie unterscheiden sie sich von den „typischen Nesthockern" aus dem Artikel?

Konstantin, 22

Isabell, 21

Tobi, 24

	Konstantin	Isabell	Tobi
Wo?			
Warum?			
Unterschiede?			

b Welche jungen Leute kennt ihr, die schon von zu Hause ausgezogen sind? Was waren ihre Gründe? Sprecht in Gruppen und vergleicht dann in der Klasse.

c Was kann und muss man alles machen, wenn man nicht mehr zu Hause wohnt? Erstellt eine Liste in der Klasse.

selbst einkaufen
Wohnung selbst dekorieren
...

SPRACHE IM ALLTAG 

Wenn man selbstständig wird:

sich abnabeln
auf eigenen Beinen stehen
nicht mehr am Rockzipfel hängen
flügge werden
eigene Wege gehen
sich etw. Eigenes aufbauen

4a Ihr bekommt von einem deutschen Freund eine E-Mail. Überfliegt den Text und fasst das Problem von Sebastian in einem Satz zusammen.

Hallo ...,
wie geht es dir und deiner Familie? Tut mir leid, dass ich mich so lange nicht gemeldet habe. Aber wie du weißt, habe ich gerade meine Ausbildung zum Krankenpfleger begonnen und musste mich erst mal so richtig einarbeiten. Jetzt ist der erste Stress vorbei und ich überlege, ob ich von zu Hause ausziehen soll. Ich verstehe mich zwar ganz gut mit meinen Eltern und meiner Schwester, aber mein Zimmer wird mir langsam doch zu eng. Das Geld wäre zwar knapp, denn während der Ausbildung verdiene ich natürlich nicht so viel, aber ich hätte endlich meine eigenen vier Wände. Andererseits müsste ich dann auch alles alleine machen, was wahrscheinlich auch ganz schön anstrengend ist, wenn man abends müde von der Arbeit kommt. Was würdest du denn an meiner Stelle tun?
Lass dir nicht so viel Zeit wie ich und melde dich bald mal!

Viele Grüße
Sebastian

b Sebastian möchte Ratschläge. Ordnet die Redemittel zu und sammelt weitere in der Klasse.

Ich freue mich auf eine Nachricht von dir. ~~Ich denke, dass ...~~ Mach's gut und bis bald! Du solltest ... ~~Danke für deine E-Mail.~~ Du könntest ... Mach dir noch eine schöne Woche und alles Gute. Auf keinen Fall solltest du ... Am besten ... Schön, von dir zu hören ... Meiner Meinung nach solltest du ... Wenn du mich fragst, dann ... Ich habe mich sehr über deine E-Mail gefreut. An deiner Stelle würde ich ...

EINLEITUNG	RATSCHLÄGE GEBEN	SCHLUSS
Danke für deine E-Mail.	*Ich denke, dass ...*	

c Beantwortet die E-Mail von Sebastian. Schreibt etwas zu allen vier Punkten. Überlegt euch dabei eine passende Reihenfolge. Denkt auch an Anrede, Grußformel, Einleitung und Schluss.

- Wie sieht deine momentane Wohn- und Lebenssituation aus?
- Wie wohnen junge Leute in deinem Land?
- Was sind die Vor- und Nachteile eines Auszugs aus deiner Sicht?
- Was würdest du an Sebastians Stelle tun?

▶ Ü 3–4

5 Partnerarbeit – Rollenspiel: Entscheidet euch für eine der drei Situationen und übernehmt eine Rolle.

Jakob, 20 Jahre
(Automechaniker)
Du hast gerade eine wirklich gute Anstellung gefunden. Du verdienst zwar genug, um von zu Hause auszuziehen, bist dir aber noch nicht ganz sicher.

Wanda, 22 Jahre
(Verkäuferin)
Du kennst Jakob sehr gut. Seit drei Jahren lebst du schon in einer eigenen Wohnung und versuchst, Jakob auch zu diesem Schritt zu ermutigen.

Endlich habe ich … Ja, aber ich bin mir noch nicht sicher. … Ich befürchte nur, …	Dann kannst du ja jetzt … Du kommst schon damit klar … Es ist höchste Zeit, …

Johann, 19 Jahre
(Schüler)
Du bist fast mit der Schule fertig. Nach deinem Abschluss willst du unbedingt von zu Hause ausziehen. Deine Eltern sind nicht davon begeistert, weil du noch kein eigenes Geld verdienst und sie alles zahlen müssten.

Carlo, 23 Jahre
(Student)
Du verstehst, dass Johann seine Freiheit wichtig ist. Geldprobleme kennst du leider sehr gut und versuchst, Johann dazu zu bewegen, erst einmal die Finanzierung zu klären.

Ich möchte endlich mal … Ich finde, ich bin alt genug, um … Ich versuche einfach, …	Überleg dir das gut. … … solltest du nicht unterschätzen. Da kannst du dir Zeit lassen. …

Franz, 48 Jahre
(Anwalt)
Deine Tochter hat gerade Abitur gemacht und beginnt bald ihr Studium. Du möchtest, dass sie zu Hause wohnt, weil es noch viel zu früh ist, um allein zu wohnen. Sophia ist ja gerade erst volljährig geworden!

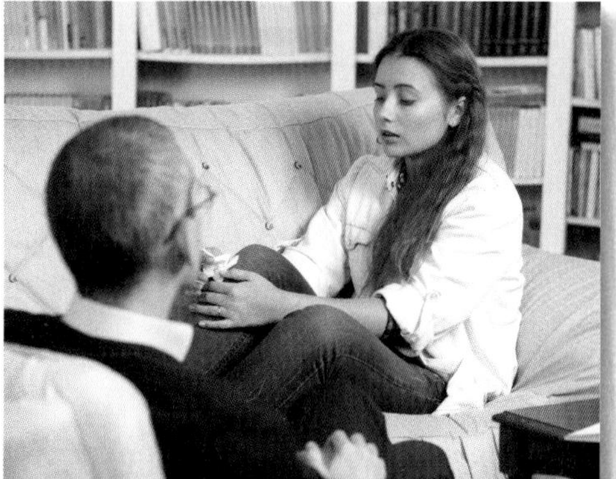

Sophia, 18 Jahre
(Abiturientin)
Du hast eine Zusage von einer Universität in deiner Stadt. Zur Uni fährst du aber eine Stunde. Du möchtest gerne ins Studentenwohnheim ziehen, das auf dem Campus ist, um Zeit zu sparen.

Ich denke, dass es besser wäre, wenn … Versteh mich nicht falsch, aber … Ich habe kein gutes Gefühl, wenn du …	Wie meinst du das? … Für mich ist es praktischer, wenn … Bei Problemen kann ich doch immer …

Porträt

König Ludwig II. *(1845–1886)*

Märchenkönig und Technikfreak

Sein ungewöhnliches Leben in den Schlössern

Über den „bayerischen Märchenkönig" gibt es viele Geschichten und Gerüchte. Man beschreibt ihn als verträumt und menschenscheu. Er war ein König mit extremen Ideen und einem ganz eigenen Stil. Er zog sich gerne zurück: in die Natur, die Kunst, die Musik und in die Traumwelt seiner Schlösser. In den Alpen fand er die ideale Kulisse für seine architektonischen Visionen. Hier ließ er die Schlösser *Neuschwanstein, Linderhof, Herrenchiemsee* und viele „kleinere" Königshäuser bauen.

Das Königsschloss Neuschwanstein in Hohenschwangau

Mit größter Neugierde verfolgte der König den technischen Fortschritt. Er brauchte die modernste Technik, um seine Fantasien zu verwirklichen. Seine größte Leidenschaft waren Farb-, Licht- und Klangeffekte. In einem seiner Schlafzimmer schien ein Mond von einem künstlichen Sternenhimmel auf sein Bett. Eine weitere Attraktion versteckt sich in Ludwigs Speisezimmer: Das „Tischlein-deck-dich", ein versenkbarer Tisch, an dem der König speisen konnte, ohne dass sein Personal ihn störte. Ein Stockwerk tiefer befand sich die Küche. Dort deckte man den Tisch. Eine Art Aufzug brachte ihn durch den Fußboden direkt nach oben ins Speisezimmer. Meistens leisteten dem König Mitglieder des französischen Hofes Gesellschaft: sein Vorbild Ludwig XIV. und andere. Natürlich gab es diese Gäste nur in seiner Fantasie, aber er führte mit ihnen lebhafte Gespräche und prostete ihnen zu.

„Tischlein-deck-dich" im Schloss Herrenchiemsee

Wohnen im Märchenschloss – auch im 21. Jahrhundert?

Wohnen in Neuschwanstein: Meine Adresse? Wolkenkuckucksheim!

Markus Richter kennt das Gefühl, von vielen Menschen umringt zu sein. Viele Jahre hat er die Touristen durch den Königspalast geführt. Innerhalb von 30 Minuten wird jede Gruppe durch 30 Räume geschleust. Insgesamt 1,34 Millionen Besucher waren es im Jahr 2010 im Schloss Neuschwanstein. Kein anderes deutsches Bauwerk wird so sehr mit Sehnsüchten und Romantik verknüpft. Markus Richter ist Kastellan in Neuschwanstein. Er sagt: „Neuschwanstein hat zwei Gesichter, es gibt den Trubel am Tag und die Ruhe am Abend." Und dann sagt er einen Satz, den ein Kastellan eigentlich nicht sagen sollte: „Erst ohne Publikum entfaltet das Schloss seine ganze Schönheit." Wenn die letzten Gäste gegangen sind und er das große Eingangstor abschließt, legt sich eine erschöpfte Stille über die Burg. Wenn keine Fotoapparate mehr klicken. Wenn kein Laut mehr durch meterdicke Mauern dringt. Wenn von der Pöllatschlucht ein Wind heraufzieht und mit einem sanften Heulen durch den Schlosshof streift – „dann ist man weit weg von der Wirklichkeit", sagt Richter, „dann ist das ein wirklich magischer Ort."

www  Mehr Informationen zu König Ludwig II. und seinen Schlössern.

Sammelt Informationen über Persönlichkeiten oder Institutionen aus dem In- und Ausland, die für das Thema „Wohnen" interessant sind, und stellt sie in der Klasse vor. Ihr könnt dazu die Vorlage „Porträt" im Anhang verwenden.

Beispiele aus dem deutschsprachigen Bereich: Friedensreich Hundertwasser – Hotel Adlon – Regine Leibinger – Annette Gigon – Gangway e.V. – Walter Gropius

1 Lokale Präpositionen

Wechselpräpositionen
an, auf, hinter, in, neben, über, unter, vor, zwischen

Wo?	***Wohin?***
Präposition + Dativ ○ ***Wo*** *ist Leon?* ● ***In*** *der Schule.*	Präposition mit Akkusativ ○ ***Wohin*** *geht Leon?* ● ***In*** *die Schule.*

Präpositionen mit festem Kasus

	Wo?	Wohin?	Woher?
mit Akkusativ	*entlang*, um … herum*	*bis, durch, gegen, um*	
mit Dativ	*ab, an … entlang, bei, gegenüber, von … aus*	*nach, zu*	*aus, von*
mit Genitiv	*außerhalb, entlang*, innerhalb, jenseits*		

* *Wir gehen die Straße entlang.* nachgestellt mit Akkusativ
Wir gehen entlang der Straße. vorangestellt mit Genitiv

2 Deklination der Nomen: n-Deklination

Zur n-Deklination gehören:

- nur maskuline Nomen mit folgenden Endungen:
  -e: der Junge, der Name
  -and: der Doktorand
  -soph: der Philosoph
  -ent: der Student
  -ant: der Praktikant
  -it: der Bandit
  -ot: der Pilot
  -loge: der Psychologe
  -graf: der Fotograf
  -at: der Soldat
  -ist: der Polizist
  -agoge: der Pädagoge
- einige maskuline Nomen ohne Endung: *der Mensch, der Herr, der Nachbar, der Held, der Bauer …*

Deklination der Nomen:

	Maskulinum			**Neutrum**	**Femininum**
Singular		**n-Deklination**			
Nominativ	der Traum	der Kunde	der Mensch	das Haus	die Unterkunft
Akkusativ	den Traum	den Kunden	den Menschen	das Haus	die Unterkunft
Dativ	dem Traum	dem Kunden	dem Menschen	dem Haus	der Unterkunft
Genitiv	des Traumes*	des Kunden	des Menschen	des Hauses*	der Unterkunft
Plural					
Nominativ	die Träume	die Kunden	die Menschen	die Häuser	die Unterkünfte
Akkusativ	die Träume	die Kunden	die Menschen	die Häuser	die Unterkünfte
Dativ	den Träumen**	den Kunden	den Menschen	den Häusern**	den Unterkünften**
Genitiv	der Träume	der Kunden	der Menschen	der Häuser	der Unterkünfte

* Im Genitiv Singular enden Nomen im Maskulinum und Neutrum meist auf *-(e)s*. Ausnahmen: Nomen der n-Deklination und Adjektive als Nomen (z. B. *das Gute – des Guten*).
** Im Dativ Plural enden die meisten Nomen auf *-n*. Ausnahme: Plural auf *-s* (*die Autos – den Autos*).

Einige Nomen haben im Genitiv Singular die Endung *-ns* (Mischformen):
der Name, des Namens — *der Glaube, des Glaubens* — ***das*** *Herz, des Herzens*
der Buchstabe, des Buchstabens — *der Wille, des Willens*

Radfahrer gegen Autofahrer

1 a Seht die Grafik zum Thema „Verkehrsmittel“ an. Was fällt euch besonders auf?

Bei der oberen/unteren Grafik fällt mir auf, dass …
Auffällig ist, dass …
…

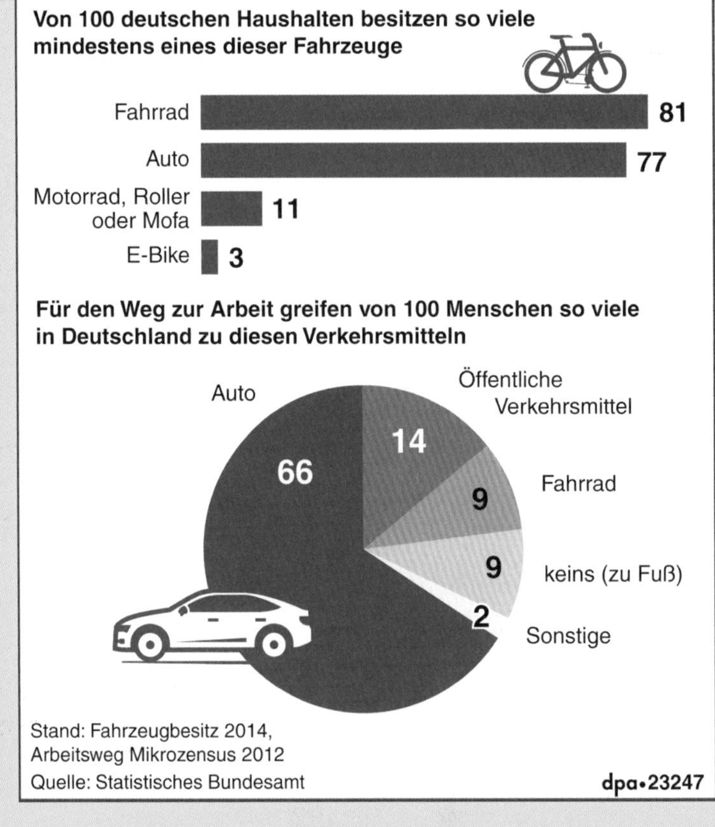

b Macht ähnliche Statistiken für eure Klasse. Wer hat ein Fahrrad? Wozu und wie oft benutzt ihr das Fahrrad? Wie kommt ihr zur Schule?

c Gibt es Dinge, die euch beim Radfahren stören (an den anderen Verkehrsteilnehmern, am Fahrradfahren selbst, an den Umständen)? Sprecht in der Klasse.

Bei uns gibt es fast keine Fahrradwege.

Bei uns ist es oft windig und der Wind kommt immer von vorne. Das nervt!

2 a Seht jetzt den Film und macht Notizen zu den folgenden Fragen.

1. Warum treffen sich die Radfahrer in Berlin?
2. Wie oft treffen sie sich?
3. Wie wird das Treffen organisiert?

b Vergleicht eure Antworten mit einem Partner / einer Partnerin und seht den Film dann noch einmal zur Kontrolle.

c Was bedeuten die Ausdrücke aus dem Film? Ordnet zu.

1. jdm. von der Pelle bleiben
2. jdn. im Gepäck haben
3. sich ausgebremst fühlen
4. die Stimmung ist geladen

A von jdm. oder etw. behindert/gestört werden
B die Situation ist angespannt
C jdn. dabei haben
D jdm. nicht zu nah kommen

d Lest die Aussage des Fahrers der Limousine. Warum ist er verärgert? Warum ist das Verhalten der Radfahrer dennoch legal?

Was wollt ihr denn? Ihr fahrt bei Rot! Jungs, ich muss Geld verdienen, ihr habt Langeweile. Ich weiß nicht, ob das hier angemeldet sein soll. Angeblich ist hier alles legal, aber wenn alle bei Rot fahren, find' ich's irgendwie nicht legal so.

3a Im Film ist von der „Critical mass" die Rede. Lest die Definition und beschreibt in ein bis zwei Sätzen die Bedeutung des Begriffs.

Critical mass (engl., dt. *kritische Masse*) ist eine Bewegung, bei der sich viele Radfahrer wie zufällig treffen, um zusammen durch Innenstädte zu fahren und auf den Radverkehr aufmerksam zu machen. Sie fordern mehr Rechte für Radfahrer und zum Beispiel bessere Radwege und Ampeln. Die erste „Critical mass"-Aktion fand 1992 in San Francisco statt. Da die Treffen spontan sind und es keinen Hauptverantwortlichen gibt, müssen sie nicht wie eine Demonstration angemeldet werden.

b Seht den Film noch einmal. Welche Argumente werden von den Radfahrern und welche von den Autofahrern genannt? Macht Notizen.

c Vergleicht eure Notizen und ergänzt dann eigene Argumente. Wie findet ihr die gesamte Situation und den Film darüber?

4 Die perfekte Stadt für Rad- und Autofahrer. Arbeitet in Gruppen und sammelt Ideen, wie so eine Stadt aussehen könnte. Präsentiert dann eure Ideen in der Klasse.

Wie geht's denn so?

Papa anrufen
wegen Wochenende
Wo bist du? Zahnarzttermin!!!
Mama.
5:00

Ihr lernt

Modul 1 | Informationen aus Texten über Schokolade auswerten

Modul 2 | Forumsbeiträge verstehen und kommentieren

Modul 3 | Informationen über das Lachen mithilfe von Notizen geben

Modul 4 | Über den Tagesrhythmus sprechen

Modul 4 | Tipps gegen Stress geben (in Gesprächen und in einem Forum)

Grammatik

Modul 1 | Pluralbildung der Nomen

Modul 3 | Deklination der Adjektive

▶ ÜB Wortschatz

1 a Was für ein Chaos! Seht die Fotos an. Was mögt ihr? Was ist gesund? Was macht gute Laune? … Sammelt zu dritt so viele Wörter wie möglich und sortiert sie in Themen.

b Wer hat die meisten Wörter gesammelt? Vergleicht in der Klasse.

2 Was macht schlechte Laune? Was findet ihr dazu in der Collage?

3 „Wie geht's denn so?" Was braucht ihr, damit ihr „Sehr gut!" antworten könnt? Sammelt in Gruppen und vergleicht in der Klasse.

Eine süße Versuchung

1a **Welche Süßigkeit oder Süßspeise mögt ihr am liebsten? Macht eine Umfrage in der Klasse. Notiert die fünf beliebtesten.**

Schokolade, Tiramisu ...

b **Vergleicht eure Ergebnisse mit der Umfrage rechts. Welche Gemeinsamkeiten und Unterschiede gibt es?**

Bei uns isst man mehr/weniger / (überhaupt) kein ...
In ... gibt es andere Süßigkeiten: ...
Hier ist ... genauso beliebt, aber ...

Top 5
der beliebtesten Süßigkeiten in Deutschland

1. Schokolade
2. Kaugummi
3. Schokoriegel
4. Waffeln und Kekse
5. Fruchtgummi

c **Welche Adjektive passen zu den Süßigkeiten aus der Umfrage?**

süßlich sauer bitter scharf gewürzt sahnig fruchtig säuerlich herb gepfeffert köstlich aromatisch zuckersüß zartbitter cremig leicht

2a **Wissenswertes rund um die Schokolade. Lest die Texte und formuliert für jeden Text eine Überschrift.**

1

Die Hauptbestandteile der Schokolade sind schnell verraten: Neben Kakao enthalten alle Tafeln Vollmilchschokolade etwa 30 Prozent Fett und bis zu 50 Prozent Zucker. Kein Wunder also, dass in 100 Gramm des süßen Vergnügens viele Kalorien stecken. In fast jede Schokolade werden Geschmacksverbesserer gegeben. Milch- oder Sahnepulver machen das Ganze schön cremig. Nüsse und Nougat, Karamell und Marzipan sorgen für zusätzliche Geschmacksvarianten. Das bitter-herbe Aroma von Bitterschokolade entsteht dadurch, dass sie mindestens 60 Prozent Kakao enthält.

2

Die Mayas in Mittelamerika zählten zu den größten Schokoladenfans. Ethnologen entdeckten in einem 1500 Jahre alten Gefäß Kakao. Schon 600 Jahre vor Christus heilten Indianer in ihren Dörfern mithilfe eines Getränks aus Kakao Fieber und Husten. Später entwickelten die Azteken, die auf dem Gebiet des heutigen Mexikos lebten, die Traditionen weiter. Sie mischten Kakaopulver mit Wasser. Die mit Honig gesüßte Variante dürfte dem heutigen Kakao am nächsten stehen.

3

Schokolade ist Nervennahrung. Sie enthält ein ganzes Paket von Substanzen, die unsere Psyche beeinflussen, z. B. Koffein. Viel größere Einflüsse auf die menschliche Psyche hat der hohe Zuckergehalt. Durch das Naschen der süßen Köstlichkeiten wird das Glückshormon Serotonin produziert.

4

Schokoliebhaber gibt es überall auf der Welt. Spitzenreiter im Schokoladenessen sind die Schweizer: 12,4 Kilo isst jeder Schweizer pro Jahr. Danach folgen die Deutschen (11,4 kg), die Engländer (10,4 kg), die Belgier (10,1 kg), die Norweger (9,7 kg) und die Österreicher (8,2 kg). In Deutschland steigt die Zahl der feinen Schokoladenläden. Für Kinder gibt es eine ganze Reihe spezieller Produkte wie zum Beispiel das berühmte Kinderüberraschungsei.

▶ Ü 1

b Welche Information aus den Texten ist für euch am interessantesten?

Mich hat total überrascht, dass …
Erstaunlich finde ich …
Besonders interessant finde ich …
Für mich war neu, …

3 An welchen Fest- und Feiertagen verschenkt man in eurem Land Schokolade?

Hier verschenkt man zu Ostern …
Bei uns bekommen Mütter am Muttertag …
Zum Geburtstag …

4a Nomen im Plural. Seht euch die Regeln an und ordnet die Wörter zu. Bildet dann den Plural.

G

	Nomen	Pluralendung
1.	– maskuline Nomen auf *-en/-er/-el* – neutrale Nomen auf *-chen/-lein*	*-(")Ø*
2.	– fast alle femininen Nomen (ca. 96 %) – maskuline Nomen auf *-or* – alle Nomen der n-Deklination	*-(e)n*
3.	– die meisten maskulinen und neutralen Nomen (ca. 70 %)	*-(")e*
4.	– einsilbige neutrale Nomen – Nomen auf *-tum*	*-(")er*
5.	– viele Fremdwörter – Abkürzungen – Nomen mit *-a/-i/-o/-u* am Wortende	*-s*

der Bestandteil das Dorf
der Einfluss das Kind
~~der Laden~~ der Norweger
der Fan die Tafel
die Tradition

1. der Laden – die Läden

b Rund ums Essen: Arbeitet zu dritt und bildet den Plural.

der Kuchen – die Torte – die Zutat – das Restaurant – der Löffel – der Feinschmecker – der Kaugummi – das Kaffeehaus – der Konsument – das Glas – die Mahlzeit – das Getränk – der Gast – der Ernährungstipp – das Gericht – die Nachspeise – der Koch – die Süßigkeit – der Konditor

▶ Ü 2–4

5a Recherchiert und notiert das Rezept für eure Lieblingsspeise. Gestaltet es auch mit Fotos oder Zeichnungen.

b Stellt einem Partner / einer Partnerin euer Rezept vor.

Das isst man an/zu …
Dafür braucht man …
Das schmeckt nach …
Das macht man aus …

c Ordnet die Rezepte sinnvoll und sammelt sie in einem Rezeptheft.

Knüppelkuchen

1 kg Mehl
125 g Zucker
5 Eier
1 Pck. Backpulver
1 Pck. Vanillezucker
Wasser

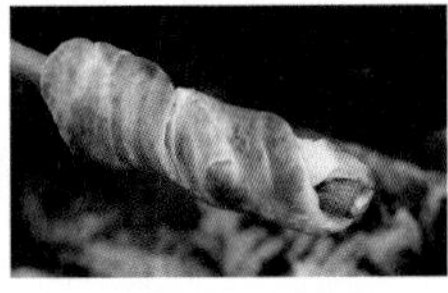

Alle Zutaten in eine Schüssel geben, gut durchkneten. Den Teig 20 Min. ruhen lassen. Den Teig in handgroße Stücke teilen und auf einen Holzstab wickeln. Im Feuer rösten.

Frisch auf den Tisch?!

1a **Lest die Aussagen. Notiert eure Vermutungen im Heft und vergleicht mit einem Partner / einer Partnerin.**

In Deutschland ...

1. ... kauft man in Supermärkten ein:
A Immer. **B** Meistens. **C** Selten.

2. ... sind günstige Preise bei Lebensmitteln für viele ...
A wichtig. **B** weniger wichtig. **C** unwichtig.

3. ... kaufen immer mehr Menschen Bioprodukte.
A Stimmt. **B** Stimmt nicht.

4. ... macht man einmal pro Woche einen Großeinkauf.
A Stimmt. **B** Stimmt nicht.

5. ... werden viele Tiefkühlprodukte und Fertiggerichte gekauft.
A Stimmt. **B** Stimmt nicht.

6. ... werden die Etiketten auf den Produkten gelesen.
A Stimmt. **B** Stimmt nicht.

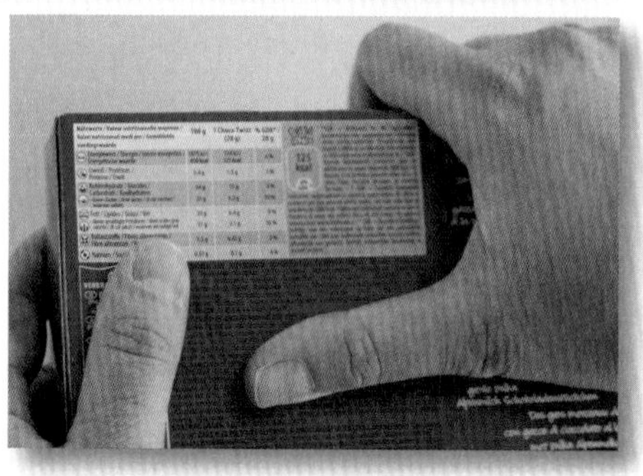

7. ... wissen ... was wie viele Kalorien hat.
A wenige **B** einige **C** die meisten

8. ... wirft jede/r ... Lebensmittel pro Woche weg.
A 500 g **B** 1 kg **C** mehr als 1 kg

b **Rund um das Thema „Konsum". Was passt zusammen? Ordnet zu.**

1. investieren
2. das Fertiggericht
3. zu etw. greifen
4. das Etikett
5. im Müll landen
6. das Tiefkühlprodukt

A kleines Schild, das den Inhalt eines Produkts beschreibt
B Lebensmittel, das gefroren ist
C weggeworfen werden
D ein Essen, das schon fast fertig gekauft wird
E sich für etw. entscheiden
F für etw. Geld ausgeben

▶ Ü 1

1.20

c **Hört den Radiobeitrag zum Thema „Rundum gesund". Waren eure Vermutungen in 1a richtig?**

d **Welche Informationen aus dem Beitrag waren neu für euch? Sprecht in der Klasse.**

e **Arbeitet in zwei Gruppen. Beantwortet für euer Land die Aussagen aus 1a. Notiert die Antworten eurer Gruppe und stellt drei interessante Informationen (Unterschiede, Gemeinsamkeiten ...) in der Klasse vor. Vergleicht eure Aussagen mit den Aussagen der anderen Gruppe. Was ist gleich/anders?**

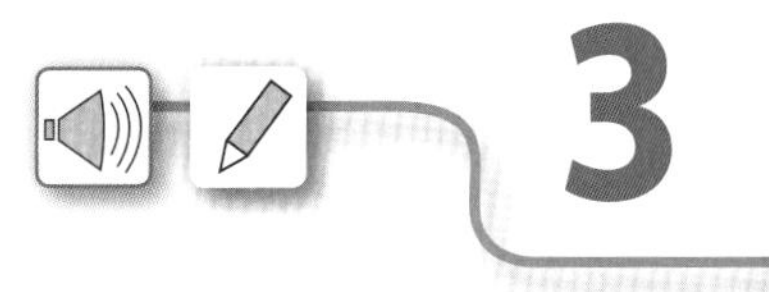

2a **Seht das Foto an. Wofür wirbt diese Aktion?**

1.21

b **Thorsten hat sich im Internet über die Aktion „Zu gut für die Tonne" informiert. Er erzählt seinem Mitbewohner Hannes davon. Ihr hört nun ein Gespräch. Ihr hört das Gespräch einmal. Dazu löst ihr sieben Aufgaben. Wählt: Sind die Aussagen richtig oder falsch?**

1. Die Aktion wird von einem Verein durchgeführt.
2. Ein Viertel der Lebensmittel landet im Müll.
3. Auf der Homepage werden Rezepte angeboten.
4. Die Aktion schlägt vor, weniger einzukaufen.
5. Es gibt Tipps, wie man frische Lebensmittel schnell verbraucht.
6. Alle Informationen gibt es im Internet und als App.
7. Bekannte Persönlichkeiten unterstützen die Aktion.

3a **Lest die Nachrichten und Kommentare im Forum zur Aktion „Teller statt Tonne". Welche Meinung teilt ihr (nicht)? Warum?**

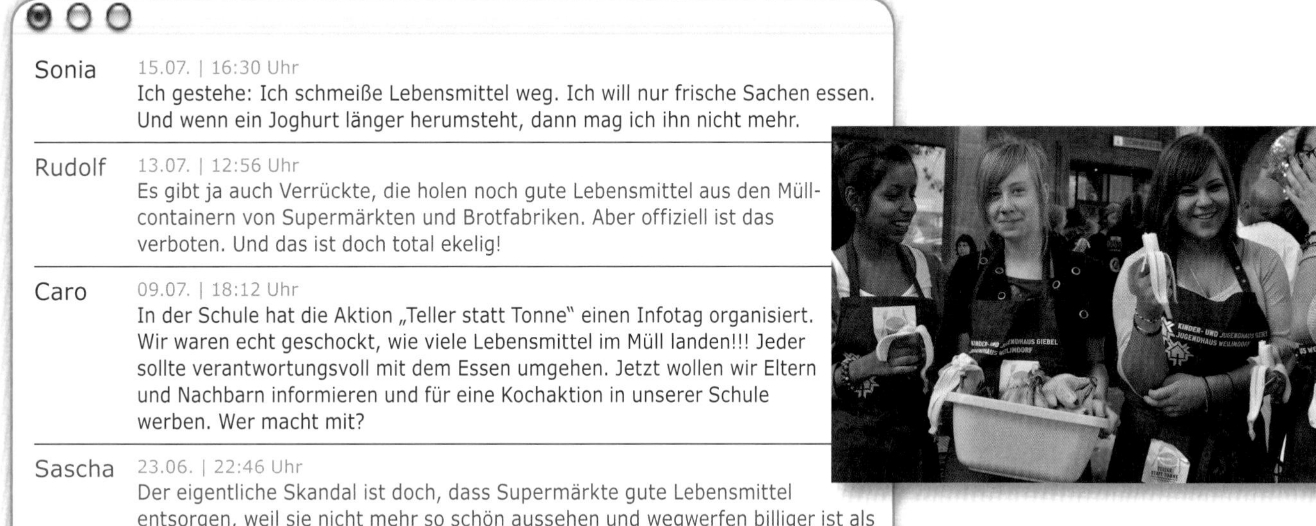

Sonia — 15.07. | 16:30 Uhr
Ich gestehe: Ich schmeiße Lebensmittel weg. Ich will nur frische Sachen essen. Und wenn ein Joghurt länger herumsteht, dann mag ich ihn nicht mehr.

Rudolf — 13.07. | 12:56 Uhr
Es gibt ja auch Verrückte, die holen noch gute Lebensmittel aus den Müllcontainern von Supermärkten und Brotfabriken. Aber offiziell ist das verboten. Und das ist doch total ekelig!

Caro — 09.07. | 18:12 Uhr
In der Schule hat die Aktion „Teller statt Tonne" einen Infotag organisiert. Wir waren echt geschockt, wie viele Lebensmittel im Müll landen!!! Jeder sollte verantwortungsvoll mit dem Essen umgehen. Jetzt wollen wir Eltern und Nachbarn informieren und für eine Kochaktion in unserer Schule werben. Wer macht mit?

Sascha — 23.06. | 22:46 Uhr
Der eigentliche Skandal ist doch, dass Supermärkte gute Lebensmittel entsorgen, weil sie nicht mehr so schön aussehen und wegwerfen billiger ist als lagern. Das sollten die lieber an Leute, die wenig Geld haben, spenden.

▶ Ü 2

b **Wählt eine Nachricht und schreibt eine Antwort.**

Hallo Sascha, ich finde es auch nicht richtig, dass …
Liebe Caro, die Aktion finde ich gut, aber es sollte doch jeder …
Hallo Rudolf, vielleicht findest du die Sache ja verrückt. Trotzdem …

c **Tauscht euch in Gruppen aus. Wer vertritt die gleiche Meinung?**

d **Welche Tipps könnt ihr gegen Lebensmittelverschwendung geben? Sammelt in der Klasse.** ▶ Ü 3

Lachen ist gesund

1 **Wie oft lacht ihr am Tag? Wann habt ihr das letzte Mal richtig gelacht? Worüber?**

2a **Lest den Zeitungsartikel. Wählt für jeden Abschnitt eine passende Überschrift.**

1. Anwendung des Wissens in Kursen
2. Eine neue Wissenschaft
3. Längeres Leben durch Lachen
4. Anmeldung zum Lach-Yoga
5. Auswirkungen des Lachens auf den Körper
6. Lachen in deutschen Sprichwörtern

Lachen ist gesund

A Der Volksmund vermutete schon immer: „Lachen ist gesund.“ Deswegen sagt man in Deutschland „Lachen ist die beste Medizin.“, in Indien „Der beste Doktor ist das Lachen.“ und in Italien „Lachen macht gutes Blut.“ Für diese Volksweisheiten gibt es längst wissenschaftliche Beweise und ein neues Fachgebiet, die Lachforschung (Gelotologie). Sie untersucht die positiven Auswirkungen des Lachens auf den menschlichen Körper.

B Lachen aktiviert im Körper eine große Anzahl von Prozessen, die Körper und Psyche positiv beeinflussen: So werden beim Lachen wertvolle Hormone für die Gesundheit gebildet. Diese Hormone wirken gegen Depressionen und stärken das Immunsystem. Außerdem wird Stress abgebaut. Wenn beim Lachen dann auch noch Tränen fließen, ist das ein perfekter Herzschutz, denn durch die Bewegung der Muskeln verbessert sich auch die Durchblutung. Intensives Lachen verbraucht außerdem bis zu 50 Kilokalorien in zehn Minuten und kann eine Hilfe beim mühevollen Abnehmen sein.

C Während Kinder bis zu 400 Mal am Tag lachen, tun Erwachsende das im Durchschnitt nur noch 15 Mal. Doch wer lacht, lebt nicht nur gesünder, sondern auch länger. Beim Lachen bewegt man nicht nur die meisten der 21 Gesichtsmuskeln, sondern insgesamt bis zu 300 Muskeln im ganzen Körper. Bei welchem anderen Sport passiert so etwas? Für diese kurze Zeit des Lachens gerät der Körper in einen positiven Stresszustand, der unser Leben erfrischt und verlängert.

D Um die gesunde und therapeutische Wirkung des heftigen Lachens intensiver zu nutzen, hat der indische Arzt Madan Kataria vor einiger Zeit das sogenannte Lach-Yoga entwickelt. Beim Lach-Yoga soll der Mensch über die motorische Ebene zum Lachen kommen: Ein anfänglich künstliches Lachen soll in ein echtes Lachen übergehen. Die Lach-Yogaübungen sind eine Kombination aus Klatsch-, Dehn- und Atemübungen, verbunden mit pantomimischen Übungen, die zum Lachen anregen. Praktiziert werden sie in Lachclubs. Dort kann jeder mitmachen, Jung und Alt.

▶ Ü 1

b **Notiert aus dem Artikel, welche Auswirkungen Lachen haben kann.**

Hormone werden gebildet, …

c **Arbeitet zu zweit. Erklärt euch gegenseitig, warum Lachen gesund ist. Verwendet eure Notizen aus 2b.**

3a Welches Adjektiv passt wo? Notiert Artikel, Adjektiv und Nomen im Heft.

indische	schädlichen	menschlichen	perfekter	wissenschaftliche	~~neues~~
kurze	gesunde	therapeutische	beste	positiven	

Die Gelotologie ist ein (1) ▒ Fachgebiet, das sich mit den Auswirkungen des Lachens auf den (2) ▒ Körper beschäftigt. Ende der 60er-Jahre begannen Experten, (3) ▒ Beweise zu suchen, dass Lachen die (4) ▒ Medizin ist. Lachen verringert nicht nur die Menge der (5) ▒ Stresshormone im Körper, sondern ist auch ein (6) ▒ Herzschutz. Außerdem gerät unser Körper für (7) ▒ Zeit in einen (8) ▒ Stresszustand, weil beim Lachen bis zu 300 Muskeln bewegt werden. Der (9) ▒ Arzt Madan Kataria hat das Lach-Yoga entwickelt, um die (10) ▒ und (11) ▒ Wirkung des Lachens intensiver zu nutzen.

1. ein neues Fachgebiet

b Deklination der Adjektive. Ordnet die Adjektive mit den Nomen aus 3a in eine Tabelle. G

	Typ I: mit bestimmtem Artikel	**Typ II: mit unbestimmtem Artikel**	**Typ III: ohne Artikel**
Singular		*ein neues Fachgebiet*	
Plural			

4 Erstellt in drei Gruppen Lernplakate mit den Adjektivendungen im Singular und Plural. Jede Gruppe übernimmt einen Typ.

STRATEGIE

Mit Plakaten lernen

Mit einem Lernplakat kann man komplexen Lernstoff visuell darstellen. Mit Zeichen, Farben, Symbolen usw. kann man Zusammenhänge vereinfachen und hervorheben.

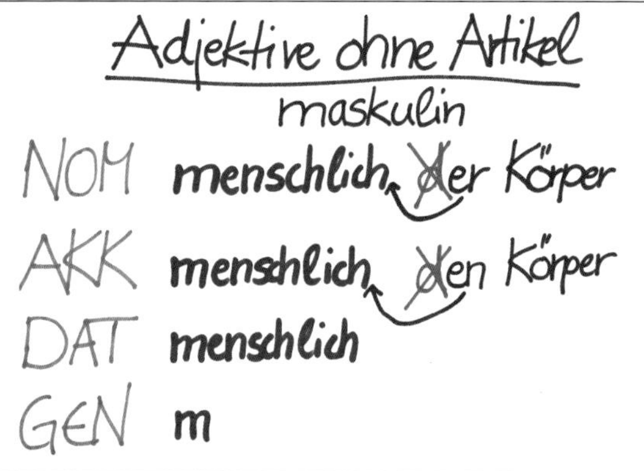

▶ Ü 2–6

5 Schreibt eine kurze E-Mail an einen Freund / eine Freundin. Informiert ihn/sie über den Zeitungsartikel aus 2a. Benutzt möglichst viele Adjektive. Schreibt zu den folgenden Fragen:

- Über welches Thema berichtet der Artikel?
- Warum findet ihr den Artikel interessant?
- Welche Erkenntnisse sind für euch neu?
- Würdet ihr einen Lach-Yogakurs besuchen? Warum (nicht)?

THEMA NENNEN	INTERESSANTES AUFZÄHLEN	NEUE ERKENNTNISSE NENNEN
In dem Zeitungsartikel geht es um …	Für mich war spannend, dass …	Für mich war (ganz) neu, dass …
Das Thema des Artikels ist/lautet: …	… hat mich sehr interessiert.	Ich habe nicht gewusst, dass …
	Ich fand interessant, dass …	Wusstest du, dass …?

Bloß kein Stress!

1a **Seid ihr Frühaufsteher oder Nachtmenschen? Fällt euch das Aufstehen schwer oder springt ihr morgens fröhlich aus dem Bett? Berichtet.**

b **Wie sieht ein typischer Tag bei euch aus? Notiert Stichpunkte.**

morgens	*mittags*	*nachmittags*	*abends*
6 Uhr aufstehen, duschen, mit S-Bahn zur Schule			

c **Vergleicht mit einem Partner / einer Partnerin. Erzählt dann in der Klasse: Was ist gleich? Wo sind Unterschiede?**

ETWAS VERGLEICHEN	
Über Ähnlichkeiten sprechen	**Über Unterschiede sprechen**
Bei uns ist … ähnlich / fast gleich.	Im Gegensatz zu … mache/bin ich am Nachmittag/ Abend immer …
Wir beide gehen um 8:30 Uhr …	Bei uns ist das (ganz) anders/unterschiedlich, denn …
Unsere Nachmittage/Abende sind auch vergleichbar, weil …	Während er/sie morgens/abends …, mache ich …
Genau wie … gehe/esse/liege/… ich um …	

d **Wann könnt ihr am besten konzentriert lernen bzw. arbeiten? Wann seid ihr besonders müde?**

2 **Lest den Text und fasst die vier Hauptaussagen mündlich zusammen.**

Was ist eigentlich ein „Biorhythmus"? Ganz einfach: Früher bestimmten Tag und Nacht, also Licht und Dunkelheit das Leben der Menschen. Am Tag waren die Menschen sehr aktiv, sie hatten ein Leistungshoch. In der Nacht haben die Menschen geschlafen und sich ausgeruht, sie hatten ein Leistungstief. Heute ist das anders: Alles hat mit der Erfindung der Glühbirne angefangen. Jetzt kann der Mensch immer aktiv sein. Wir machen die Nacht zum Tag. Unser Biorhythmus hat sich aber nicht geändert und so leben wir immer mehr gegen unsere sogenannte innere Uhr. Und die lässt sich nicht einfach verstellen. Die Folge sind zu wenig Schlaf und Müdigkeit und immer mehr Fehler, Unfälle und Krankheiten.

3 **Arbeitet zu zweit. Jede/r wählt drei Nomen und erklärt sie dem/der anderen.**

die Auszeit	der Frühaufsteher	die Höchstform
die Lernphase	das Kurzzeitgedächtnis	die Kopfarbeit
die Höchstleistung	der Nachtmensch	das Leistungshoch

STRATEGIE
Wörter verstehen
Versucht, zusammengesetzte Wörter in Teile zu zerlegen (z. B. *früh* + *Aufsteher*) und dann zu verstehen (z. B. *Höchstleistung: höchst* → *hoch*). Nur wenn ihr gar keine Idee habt, schlagt im Wörterbuch nach.

Höchstleistung: Das ist sicher eine besonders hohe, also gute Leistung.

▶ Ü 1

1.22

4a **„Ticken Sie richtig?" Ihr hört gleich ein Interview mit Frau Dr. Bahrens zum Thema „Biorhythmus". Lest jetzt die Aufgaben (1–7). Ihr habt dafür zwei Minuten Zeit. Notiert beim Hören bei jeder Aufgabe die richtige Lösung (a, b oder c). Ihr hört das Interview einmal.**

Frau Dr. Bahrens

1. Nach der eigenen „inneren Uhr" zu leben ist wichtig, um …
   a) Stressphasen in der Schule zu erkennen.
   b) fit und mit wenig Stress zu leben.
   c) die körperliche Energie durch mehr Bewegung zu steigern.

2. In dem Interview geht es konkret um …
   a) Tipps speziell für Frühaufsteher oder Nachtmenschen.
   b) Ratschläge für Personen, die eher körperlich arbeiten.
   c) hilfreiche Hinweise für den Alltag von Schülern und Studenten.

3. Frau Dr. Bahrens sagt, dass hohe körperliche Leistungen …
   a) morgens erst nach einer Stunde möglich sind.
   b) idealerweise am frühen Abend erreicht werden.
   c) am Anfang des Tages besser vermieden werden.

4. Man sollte den Tag beginnen mit …
   a) Arbeiten, die das Kurzzeitgedächtnis fordern.
   b) Arbeiten, die keine hohen Anforderungen stellen.
   c) Arbeiten, bei denen man sehr konzentriert sein muss.

5. Frau Dr. Bahrens meint, dass …
   a) es sich nachmittags problemlos lernen lässt, wenn man die Mittagszeit mit leichten Aufgaben verbringt.
   b) man mit einer Auszeit gegen Mittag für den Nachmittag gestärkt ist.
   c) ein längerer Spaziergang wichtiger als ein leichtes Essen ist.

6. Am Nachmittag …
   a) gehen Inhalte aus dem Langzeitgedächtnis am schnellsten verloren.
   b) sollte man von 15 bis 16 Uhr eine längere Pause machen.
   c) hat man die meiste Energie zum Üben und Wiederholen von Lernstoff.

7. Wenn der Tag zu Ende geht, …
   a) sollte man etwa zwei Stunden Sport treiben.
   b) müssen die Muskeln trainiert werden.
   c) sollte man gegen 18 Uhr das Lernen endgültig beenden.

b **Was macht man wann am besten? Hört noch einmal und sammelt Informationen aus dem Interview.**

9 bis 12 Uhr: volle Aufmerksamkeit für Kopfarbeit: …

c **Was haltet ihr von den Empfehlungen? Vergleicht mit eurem Tagesablauf.**

▶ Ü 2

Bloß kein Stress!

5a **Seht die Fotos an und lest. In welcher Situation wärt ihr besonders gestresst? Beschreibt andere Situationen, in denen ihr sehr gestresst wart oder immer wieder seid.**

Es ist 20 Uhr und Clemens hat morgen um 9 Uhr eine wichtige Prüfung. Er hat aber erst die Hälfte des Prüfungsstoffs gelernt.

2

Heute ist Finjas erster Tag an der neuen Schule. Sie kennt die anderen Schüler noch nicht und auch die Stundenpläne und Aktivitäten an der Schule sind neu für sie.

3

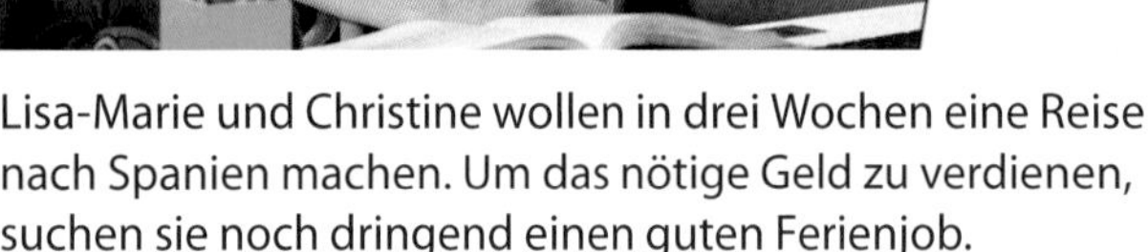

Lisa-Marie und Christine wollen in drei Wochen eine Reise nach Spanien machen. Um das nötige Geld zu verdienen, suchen sie noch dringend einen guten Ferienjob.

Gestern hatte Niklas zu Hause sturmfreie Bude. Die hat er für eine spontane Party genutzt. Seine Eltern kommen in zwei Stunden wieder nach Hause und es ist noch nichts aufgeräumt.

b **Arbeitet in Gruppen und wählt zwei Situationen aus. Was könnten die Personen tun? Vergleicht eure Lösungsvorschläge in der Klasse.**

Finja sollte zuerst mit den Schülern sprechen und …
Lisa-Marie und Christine könnten bei der Agentur für Arbeit …

6 **Wie kann man sich in Stresssituationen entspannen? Formuliert zu zweit drei Tipps.**

Schöne Musik hilft beim Einschlafen.
Sich Tipps bei Freunden zu holen, hilft gegen Stress.

7a Lest den Beitrag im Stress-Forum. Welche Probleme hat Laura?

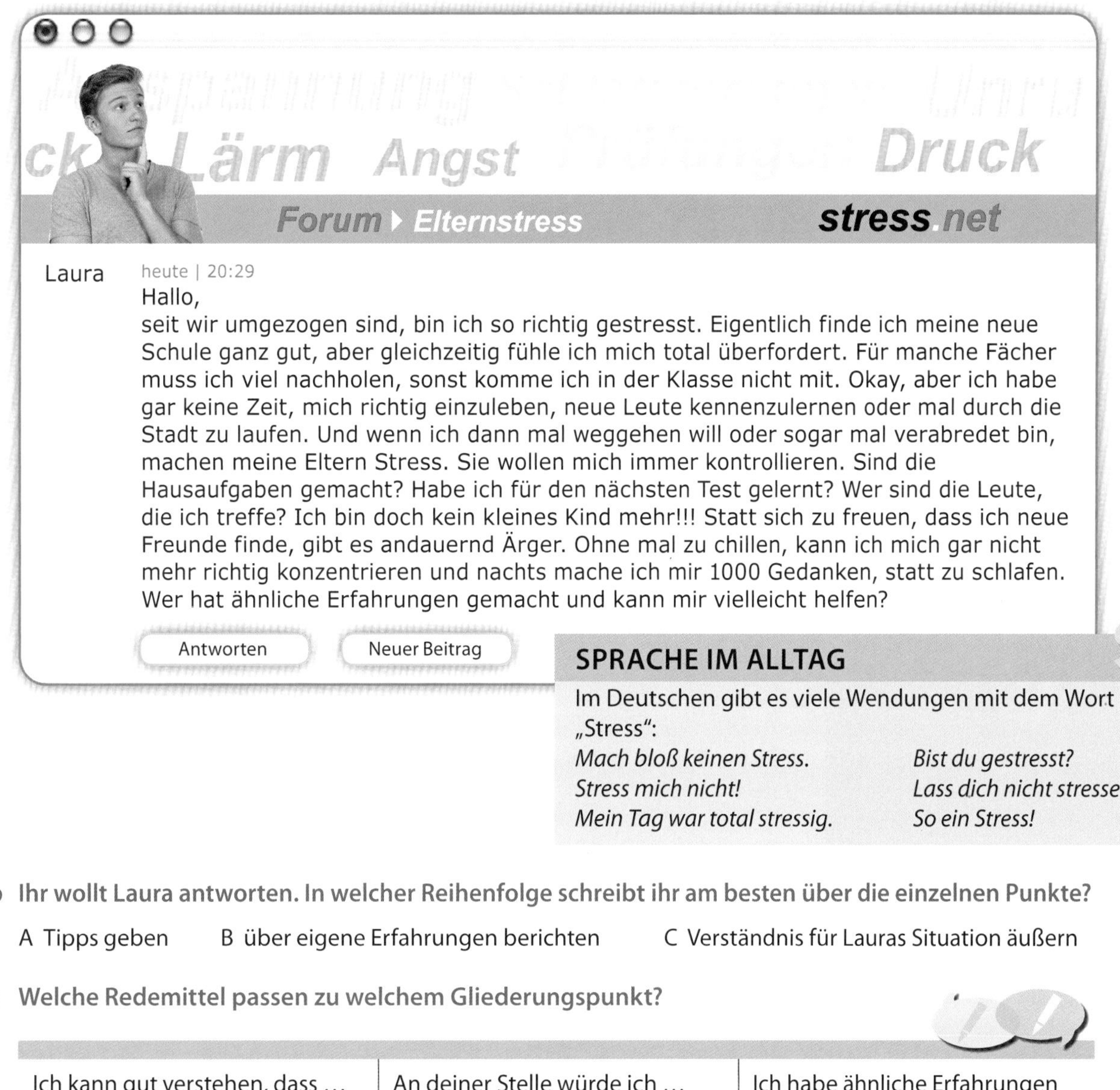

Laura heute | 20:29

Hallo,
seit wir umgezogen sind, bin ich so richtig gestresst. Eigentlich finde ich meine neue Schule ganz gut, aber gleichzeitig fühle ich mich total überfordert. Für manche Fächer muss ich viel nachholen, sonst komme ich in der Klasse nicht mit. Okay, aber ich habe gar keine Zeit, mich richtig einzuleben, neue Leute kennenzulernen oder mal durch die Stadt zu laufen. Und wenn ich dann mal weggehen will oder sogar mal verabredet bin, machen meine Eltern Stress. Sie wollen mich immer kontrollieren. Sind die Hausaufgaben gemacht? Habe ich für den nächsten Test gelernt? Wer sind die Leute, die ich treffe? Ich bin doch kein kleines Kind mehr!!! Statt sich zu freuen, dass ich neue Freunde finde, gibt es andauernd Ärger. Ohne mal zu chillen, kann ich mich gar nicht mehr richtig konzentrieren und nachts mache ich mir 1000 Gedanken, statt zu schlafen. Wer hat ähnliche Erfahrungen gemacht und kann mir vielleicht helfen?

Antworten | Neuer Beitrag

SPRACHE IM ALLTAG

Im Deutschen gibt es viele Wendungen mit dem Wort „Stress“:

Mach bloß keinen Stress.
Stress mich nicht!
Mein Tag war total stressig.
Bist du gestresst?
Lass dich nicht stressen.
So ein Stress!

b Ihr wollt Laura antworten. In welcher Reihenfolge schreibt ihr am besten über die einzelnen Punkte?

A Tipps geben B über eigene Erfahrungen berichten C Verständnis für Lauras Situation äußern

c Welche Redemittel passen zu welchem Gliederungspunkt?

Ich kann gut verstehen, dass …	An deiner Stelle würde ich …	Ich habe ähnliche Erfahrungen gemacht, als …
Es ist ganz natürlich, dass …	Mir hat … sehr geholfen.	Mir ging es ganz ähnlich, denn …
Es ist verständlich, dass …	Ich würde dir raten, …	Bei mir war das damals so: …

d Was wollt ihr schreiben? Notiert Stichpunkte.

eigene Erfahrungen	*Tipps*
Start in der neuen Schule/Stadt	*mit neuen Freunden sprechen*
wenig Zeit für viel Lernstoff	…
…	

e Formuliert euren Beitrag. Hängt dann alle Beiträge unter den Beitrag von Laura, sodass ein richtiges Forum entsteht. Wählt einen weiteren Beitrag aus, auf den ihr antwortet.

▶ Ü 3

Lindt & Sprüngli

Eine Erfolgsgeschichte

Im Jahr 1845 beschlossen der Konditor David Sprüngli-Schwarz und sein Sohn Rudolf Sprüngli-Ammann, in ihrer kleinen Konditorei in Zürich Schokolade in fester Form herzustellen. Bis dahin konnte man in der deutschsprachigen Schweiz Schokolade nur trinken.

Rodolphe Lindt

Die neue Köstlichkeit fand rasch den Zuspruch der feinen Züricher Gesellschaft, sodass man nach zwei Jahren die Schokoladenfabrikation in eine kleine Fabrik verlagerte und kurz darauf eine weitere große Konditorei eröffnete.

Als sich Rudolf Sprüngli-Ammann 1892 aus dem Berufsleben zurückzog, war er für die Qualität seiner Produkte bekannt und als Fachmann hoch angesehen. Seine Geschäfte teilte er unter den beiden Söhnen auf. Der jüngere David Robert erhielt die beiden Confiserien, die unter ihm und seinen Nachfolgern weltweit bekannt wurden. Dem älteren der Brüder, Johann Rudolf Sprüngli-Schifferli sprach der Vater die Schokoladenfabrik zu.

Der weitsichtige und risikofreudige Unternehmer vergrößerte zunächst die Fabrikanlagen und brachte sie auf den neuesten Stand der Technik. 1899 erbaute er eine neue Fabrik und erwarb die zwar kleine, aber berühmte Schokoladenmanufaktur von Rodolphe Lindt in Bern. Durch diesen Schritt gingen nicht nur die Anlagen, sondern auch die Fabrikationsgeheimnisse und die Marke von Rodolphe Lindt auf die junge Firma über. Lindt war der wohl berühmteste Schokoladenfabrikant seiner Zeit. Seine „Schmelzschokolade" wurde rasch berühmt und trug wesentlich zum weltweiten Ruf der Schweizer Schokolade bei. 1905 schieden Rodolphe Lindt und seine Verwandten aus der Firma aus.

Anfang des 20. Jahrhunderts stieg die Schokoladenproduktion enorm, besonders für den Export. An diesem Aufschwung hatte Lindt & Sprüngli kräftig Anteil. Allerdings führten die Wirtschaftskrisen der 20er- und 30er-Jahre nach und nach zu einem Rückgang des Absatzes im Ausland. Der Zweite Weltkrieg hatte zur Folge, dass Zucker und Kakao knapp waren. Lindt & Sprüngli überstand die Krisenzeiten.

Rudolf Sprüngli-Amman

Nach dem Krieg stieg die Nachfrage im In- und Ausland sofort wieder. Heute verfügt die Gruppe über Gesellschaften mit eigener Produktion in vielen Teilen der Welt. Lindt & Sprüngli ist seit 1986 an der Schweizer Börse gelistet. Die Anteile befinden sich überwiegend in schweizerischem Besitz.

www Mehr Informationen zu Lindt & Sprüngli.

Sammelt Informationen über Persönlichkeiten aus dem In- und Ausland, die zum Thema „Gesundheit" interessant sind, und stellt sie in der Klasse vor. Ihr könnt dazu die Vorlage „Porträt" im Anhang verwenden.

Beispiele aus dem deutschsprachigen Bereich: Hans Riegel – Steffen Henssler – Sarah Wiener – Hans Selye – mymuesli

1 Pluralbildung der Nomen

	Nomen	Plural-endung	Beispiele
1.	– maskuline Nomen auf *-en/-er/-el* – neutrale Nomen auf *-chen/-lein*	-(")Ø	*der Norweger – die Norweger* *der Laden – die Läden*
2.	– fast alle femininen Nomen (ca. 96 %) – maskuline Nomen auf *-or* – alle Nomen der n-Deklination	-(e)n	*die Tafel – die Tafeln* *die Tradition – die Traditionen*
3.	– die meisten maskulinen und neutralen Nomen (ca. 70 %)	-(")e	*der Bestandteil – die Bestandteile* *der Einfluss – die Einflüsse*
4.	– einsilbige neutrale Nomen – Nomen auf *-tum*	-(")er	*das Kind – die Kinder* *das Dorf – die Dörfer*
5.	– viele Fremdwörter – Abkürzungen – Nomen mit *-a/-i/-o/-u* am Wortende	-s	*der Fan – die Fans* *die CD – die CDs* *der Lolli – die Lollis*

2 Deklination der Adjektive

Typ I: mit bestimmtem Artikel

	der Körper	das Fachgebiet	die Wirkung	Körper (Pl.)
N	der menschlich**e**	das neu**e**	die therapeutisch**e**	die menschlich**en**
A	den menschlich**en**	das neu**e**	die therapeutisch**e**	die menschlich**en**
D	dem menschlich**en**	dem neu**en**	der therapeutisch**en**	den menschlich**en**
G	des menschlich**en**	des neu**en**	der therapeutisch**en**	der menschlich**en**

auch nach Fragewörtern: *welcher, welches, welche*; Demonstrativartikeln: *dieser, dieses, diese; jener, jenes, jene*; Indefinitartikeln: *jeder, jedes, jede; alle* (Pl.), Negationsartikeln und Possessivartikeln im Plural: *keine* (Pl.), *meine* (Pl.)

Typ II: mit unbestimmtem Artikel

	der Körper	das Fachgebiet	die Wirkung	Körper (Pl.)
N	ein menschlich**er**	ein neu**es**	eine therapeutisch**e**	menschlich**e**
A	einen menschlich**en**	ein neu**es**	eine therapeutisch**e**	menschlich**e**
D	einem menschlich**en**	einem neu**en**	einer therapeutisch**en**	menschlich**en**
G	eines menschlich**en**	eines neu**en**	einer therapeutisch**en**	menschlich**er**

auch nach Negationsartikeln: *kein, kein, keine* (Sg.); Possessivartikeln: *mein, mein, meine* (Sg.)

Typ III: ohne Artikel

	der Körper	das Fachgebiet	die Wirkung	Körper (Pl.)
N	menschlich**er**	neu**es**	therapeutisch**e**	menschlich**e**
A	menschlich**en**	neu**es**	therapeutisch**e**	menschlich**e**
D	menschlich**em**	neu**em**	therapeutisch**er**	menschlich**en**
G	menschlich**en**	neu**en**	therapeutisch**er**	menschlich**er**

auch nach Zahlen: *zwei, drei, vier …*; Indefinitartikeln im Plural: *viele, einige, wenige, andere*

Wie schmeckt's denn so?

1 **Lebensmittel und Farben. Sammelt in Gruppen zu jeder Farbe möglichst viele Lebensmittel. Notiert die Wörter mit Artikel.**

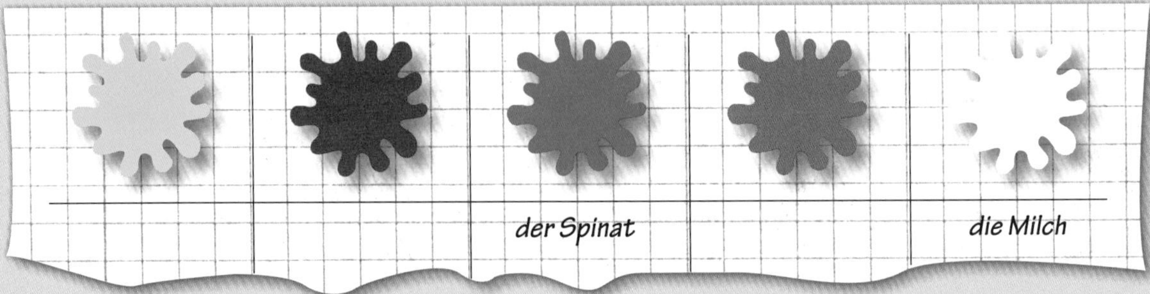

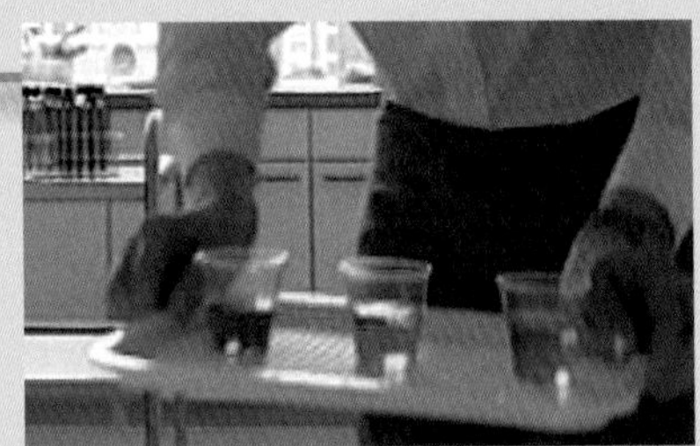

2a **Seht das Foto an. Zu welchem Becher würdet ihr greifen? Warum? Was verbindet ihr mit der Farbe?**

1

b **Seht die erste Filmsequenz. In welcher Reihenfolge kommen die Informationen über den Versuch vor? Notiert und vergleicht dann mit einem Partner / einer Partnerin.**

A In den Bechern ist immer das gleiche Getränk, es hat nur jeweils eine andere Farbe.
B Das ist der Beweis: Was wir sehen, ist stärker als das, was wir schmecken.
C Im Geschmackslabor testet man, wie unsere Augen mitentscheiden, ob etwas schmeckt oder nicht.
D Im Versuch probieren Kinder deshalb aus drei Bechern ein Getränk.
E Für die Lebensmittelindustrie ist das Ergebnis wichtig: Die Farbe muss zum Lebensmittel passen, sonst lehnen die Verbraucher das Produkt ab.
F Das Kind findet, dass das grüne Getränk wie Waldmeister schmeckt. Und Waldmeister ist grün.
G Der Forscher vermutet: Wenn wir ein Lebensmittel sehen, haben wir auch eine Erwartung daran, wie es schmeckt.

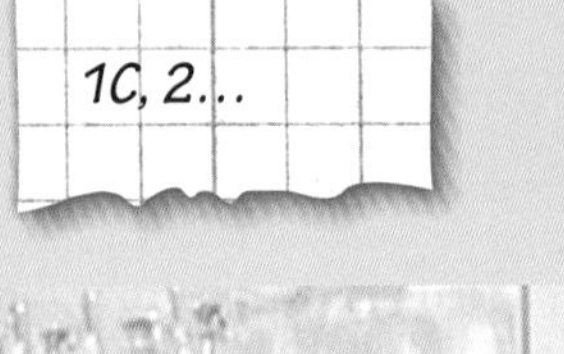

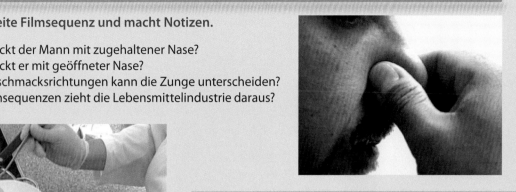

 2

3 Seht die zweite Filmsequenz und macht Notizen.

- Was schmeckt der Mann mit zugehaltener Nase?
- Was schmeckt er mit geöffneter Nase?
- Welche Geschmacksrichtungen kann die Zunge unterscheiden?
- Welche Konsequenzen zieht die Lebensmittelindustrie daraus?

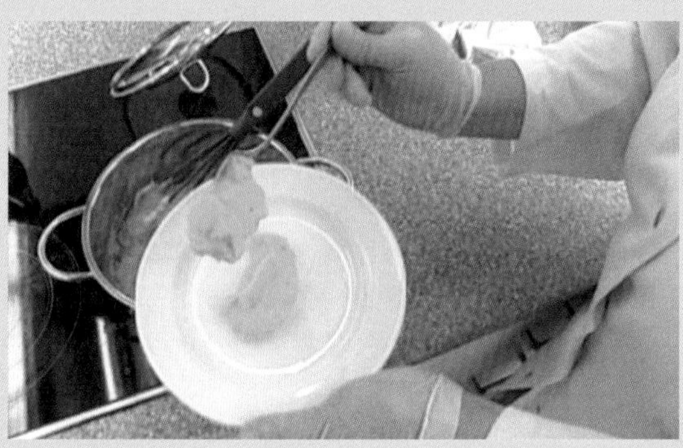

4a Aussehen – Geruch – Geschmack: Sammelt in Gruppen möglichst viele Adjektive, mit denen man Lebensmittel beschreiben kann. Welche Gruppe findet die meisten Adjektive?

orange, oval, bitter, würzig …

b Lebensmittel raten: Beschreibt ein Lebensmittel möglichst genau. Die anderen raten.

Es ist grün, manchmal auch rot. Es riecht …, es schmeckt …

5a Die folgenden Sprichwörter sind durcheinander geraten. Was passt zusammen? Schreibt die Sprichwörter auf.

1. Das Auge
2. Der Appetit kommt
3. Hunger ist
4. Essen und Trinken hält
5. Viele Köche

- der beste Koch.
- Leib und Seele zusammen.
- isst mit.
- verderben den Brei.
- beim Essen.

b Was bedeuten die Sprichwörter aus 5a? Ergänzt den passenden Buchstaben hinter den Sprichwörtern im Heft. Sagt man das auch in eurer Sprache?

a Für das Wohlbefinden ist es wichtig, gut zu essen und zu trinken.
b Wenn man sehr hungrig ist, schmeckt jedes Essen.
c Man isst eine Speise besonders gern, wenn sie schön aussieht.
d Wenn zu viele Personen bei etwas mitentscheiden wollen, kann das Ergebnis nicht gut werden.
e Man muss beginnen, etwas zu tun. Nach einer Weile macht man es dann auch gern.

c Überlegt euch Situationen, in denen man die Sprichwörter anwenden kann. Schreibt kleine Dialoge und spielt sie in der Klasse vor.

Morgen ist unser Schulausflug. Ich habe gar keine Lust!

Och, es wird sicher schön! Außerdem: Der Appetit kommt beim Essen. Wenn es erst mal losgegangen ist, gefällt es dir bestimmt.

Ja, hoffentlich.

Viel Spaß!

4

Ihr lernt

Modul 1 | Einen Radiobeitrag über Freizeitgestaltung verstehen und über die eigene Freizeitgestaltung sprechen

Modul 2 | Ein Interview über Spiele verstehen und ein Spiel beschreiben

Modul 3 | Eine Abenteuergeschichte weiterschreiben

Modul 4 | Eine Filmbesprechung schreiben

Modul 4 | Informationen bei einer Stadtführung verstehen

Grammatik

Modul 1 | Komparativ und Superlativ

Modul 3 | Konnektoren: Kausal-, Konzessiv- und Konsekutivsätze

▶ ÜB Wortschatz

5

6

7

1a Beschreibt die Fotos. Was machen die Leute? Was davon habt ihr auch schon einmal gemacht?

b Arbeitet zu zweit und notiert zu jedem Foto fünf Wörter. Vergleicht dann mit einem anderen Paar.

Foto 1: die Gitarre, die Sonnenbrille, fröhlich …

c Welche Sportarten oder Freizeitbeschäftigungen sind bei euch besonders beliebt? Wie viel Freizeit haben Jugendliche normalerweise?

2 Arbeitet in Gruppen. Jede Gruppe notiert zehn Sport- oder Freizeitaktivitäten auf Kärtchen und gibt sie einer anderen Gruppe. Dann zieht eine Person ein Kärtchen und spielt pantomimisch die Aktivität vor. Die eigene Gruppe rät. Danach ist die nächste Gruppe dran. Welche Gruppe errät die meisten Aktivitäten?

Meine Freizeit

1a Arbeitet zu zweit. Jeder wählt eine Grafik und nennt die interessantesten Informationen.

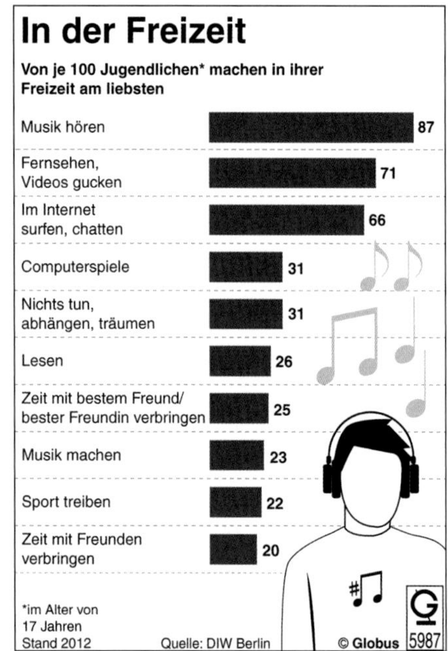

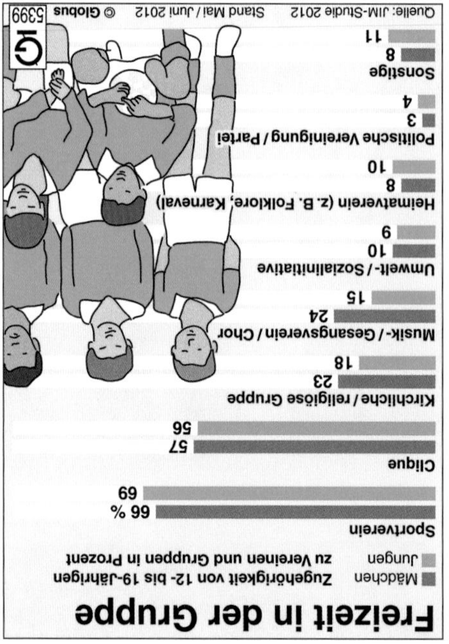

STRATEGIE

Eine Grafik beschreiben

Nennt den Titel und das Thema der Grafik und sprecht über die höchsten, niedrigsten und interessantesten Werte.

EINE GRAFIK BESCHREIBEN	
Die Grafik zeigt, …	Im Gegensatz/Unterschied zu …
Die Grafik informiert über …	Besonders wichtig ist …
Die meisten/wenigsten Jugendlichen möchten in ihrer Freizeit …	Auffällig ist, dass …
… Prozent verbringen ihre Zeit gern mit/in …	Ich finde interessant, dass …
Über die Hälfte der Mädchen/Jungen …	

1.23

b Hört den ersten Abschnitt eines Radiobeitrags. Notiert: Was machen Mädchen öfter in ihrer Freizeit, was Jungen? Stimmt das auch für eure Klasse?

1.24-27

c Lest die Aussagen. Hört dann den zweiten Abschnitt und entscheidet: Zu wem passen welche Aussagen?

1. Ein tolleres Hobby als Tiere gibt es nicht.
2. Ich könnte mich besser entspannen, wenn ich nicht so viel am Computer spielen würde.
3. Am schönsten ist es, etwas mit der Familie zu unternehmen.
4. In meiner Freizeit sehe ich am liebsten Filme.
5. In Zukunft werde ich häufiger etwas mit meinen Freunden machen.
6. Im Sommer bin ich viel aktiver als im Winter.
7. Seitdem wir keinen Fernseher mehr haben, machen wir viel öfter etwas zusammen.
8. Für meine Freundin ist Sport die beste Entspannung.
9. Theaterspielen macht sicher mehr Spaß als Computerspielen.
10. Meine Geschwister gehen genauso gern in die Kletterhalle wie ich.

Matti: … *Franka: 1, …* *Aaron: …* *Ella: …*

d Hört den zweiten Abschnitt noch einmal und macht Notizen zur Freizeitgestaltung der Personen.

Matti: muss viel für die Schule machen, spielt viel Computer

e Bildet Gruppen. Sagt einen Satz über eine Person. Die anderen raten.

Diese Person möchte in Zukunft aktiver sein.

Das ist Matti!

▶ Ü 1

2a Komparativ und Superlativ. Sucht in den Sätzen in 1c alle Adjektive. Wie bildet man den Komparativ und den Superlativ? Ergänzt die Regel und die Beispiele im Heft.

Komparativ	**Superlativ**
Adjektiv + Endung ___ *aktiv – ___ – am aktivsten*	*am* + Adjektiv + Endung ___ *schön – schöner – ___*

besondere Formen:
gut – ___ – am besten; gern – lieber – ___; viel – ___ – am meisten

Vergleiche mit *als/wie*
Grundform + ___: *Meine Geschwister gehen (genau)so gern in die Kletterhalle ___ ich.*
Komparativ + ___: *Im Sommer bin ich viel aktiver ___ im Winter.*

▶ Ü 2–3

b Lest die Regel und schreibt zu zweit Sätze.

Vor Nomen müssen Komparative und Superlative wie alle Adjektive dekliniert werden.

*das interessant**er**e Hobby*	*das interessant**est**e Hobby*
*ein toll**er**es Hobby*	*mein lieb**st**es Hobby*

Ausnahmen:
*Ich würde gern **mehr** Filme sehen.*
*Jetzt habe ich noch **weniger** Zeit.*

1. Schauspielerin – gut
2. Film – spannend
3. Sport – interessant
4. Schulfach – langweilig
5. Spiel – lustig
6. Band – toll

SPRACHE IM ALLTAG

Um den Superlativ noch mehr zu betonen, setzt man oft *aller-* davor:
*Dieser Film ist am **aller**schönsten.*
*Das ist der **aller**langweiligste Film.*

Superlative kann man auch durch Zahlen in eine wertende Reihenfolge bringen:
*Das ist der **zweit**schönste Film.*
*Wir gehen ins **dritt**größte Kino.*

1. Kristen Stewart ist die beste Schauspielerin.

▶ Ü 4–6

c Macht ein Interview mit einem Partner / einer Partnerin. Berichtet anschließend in der Klasse.

- Was macht er/sie am liebsten in der Freizeit?
- Mit wem verbringt er/sie am häufigsten die Freizeit?
- Was würde er/sie gerne öfter machen?

3 Entscheidet euch für eine Aufgabe und bearbeitet sie.

A Wählt eine Freizeitaktivität und recherchiert das Angebot dazu an eurem Wohnort. Berichtet in der Klasse.

B Wählt einen Freizeitpark. Recherchiert Informationen dazu und berichtet in der Klasse.

Hier gibt es drei große Schwimmbäder. Das größte liegt direkt am Stadtpark und hat täglich von 7 bis 23 Uhr geöffnet. Man kann dort außerdem …

Spiel mal wieder!

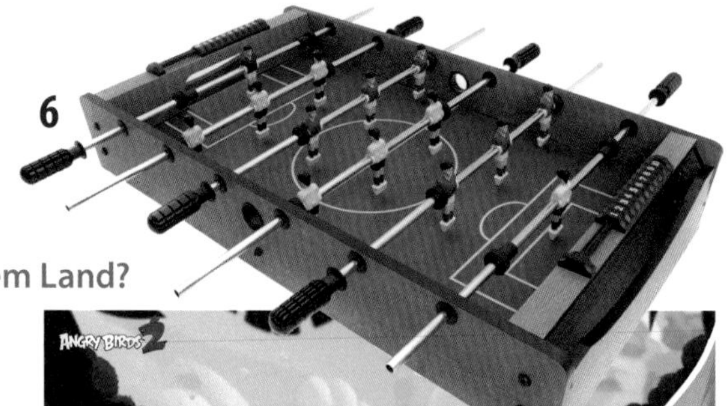

1a Kennt ihr diese Spiele? Gibt es diese Spiele auch in eurem Land? Habt ihr sie schon einmal gespielt?

1 2 3 4 5 6

b Spielt ihr gern? Was ist euer Lieblingsspiel? Was habt ihr früher gern gespielt? Welches Spiel ist in eurem Land besonders beliebt? Erzählt.

2a Lest die Fragen aus einem Interview. Welche Antworten erwartet ihr? Überlegt zu zweit und macht Notizen.

- Ist das Spielen eine menschliche Eigenschaft?
- Was kann man beim Computerspielen lernen?
- Sind Computerspiele schädlich für die Entwicklung?
- Warum spielen Erwachsene eigentlich noch?
- Kann man Sport und Spiel gleichsetzen?

STRATEGIE

Vermutungen sammeln

Lest bei einem Interview zuerst nur die Fragen und überlegt, welche Informationen ihr zu den Fragen erwartet. Das hilft, den Text besser zu verstehen.

b Lest jetzt das Interview. Haben sich eure Vermutungen bestätigt? Welche Informationen waren neu?

Warum spielt der Mensch?

Computerspiele, Brettspiele, Kartenspiele. Fast jeder Mensch spielt gern. Aber warum eigentlich? Wir haben zu diesem Thema den Psychologen Otto Brunner interviewt.

Die Menschen lieben es zu spielen. Ist das Spielen eine menschliche Eigenschaft?

Nein. Jeder, der eine Katze oder einen Hund zu Hause hat, weiß, dass auch Tiere gern spielen. Aber Menschen lernen beim Spielen unter anderem auch, abstrakt zu denken. Das fängt schon bei kleinen Kindern an, die mit einem Ball spielen. Rollt dieser unter das Sofa und kommt auf der anderen Seite wieder raus, lernt das Kind dabei zum Beispiel, dass Dinge auch existieren, obwohl man sie nicht sieht.

Otto Brunner, Psychologe

Was kann man denn beim Computerspielen lernen?

Nun, wer viel am Computer sitzt und spielt, ist oft senso-motorisch sehr geschickt und kann auf komplexe visuelle Eindrücke sehr schnell reagieren. Außerdem fördert es die Kreativität, wenn man in Fantasy-Spielen Strategien und Szenarien entwickelt.

Aber sind Computerspiele schädlich für die Entwicklung?
Wer den ganzen Tag sitzt und sich nicht bewegt, bekommt auf Dauer sicherlich gesundheitliche Probleme. Denn wir brauchen Bewegung, müssen uns öfter mal körperlich austoben. Das kommt zu kurz, wenn man den größten Teil seiner Freizeit am Computer spielt. Eine weitere Gefahr bei diesem Zeitvertreib ist aber sicher auch, dass man zu wenige soziale Kontakte hat oder seine Freundschaften nicht pflegt und seine Freunde viel zu selten trifft. Unsere sozialen Fähigkeiten müssen aber auch ausgebildet werden und dazu brauchen wir Kontakt zu anderen und zwar in der Realität, nicht nur online.

Warum spielen Erwachsene eigentlich noch?
Weil es Spaß macht und man gut den Alltagsstress vergessen kann. Spielen fördert die Kreativität und entspannt. Auch Erwachsene genießen es, mit anderen zusammen zu spielen. Aber generell spielen Erwachsene viel seltener als Kinder und Jugendliche.

Kann man Sport und Spiel gleichsetzen?
Sport ist ein Spiel, das motorische Fähigkeiten entwickelt und trainiert, wenn man es in seiner Freizeit macht und weil man sich gern bewegt. Bei einem Profifußballer ist das anders. Er muss damit Geld verdienen und auch dann spielen, wenn er keine Lust hat. Das ist dann eigentlich kein Spiel mehr, denn Spielen geschieht immer freiwillig und ohne Zweck.

c Ergänzt die Sätze mit Informationen aus dem Interview.

1. Nicht nur Menschen spielen gern, …
2. Computerspiele haben auch positive Seiten: …
3. Aber man sollte darauf achten, dass …
4. Auch Erwachsene mögen Spiele, …
5. Sport ist …

▶ Ü 1

3 Arbeitet zu zweit und entscheidet euch für eine Aufgabe.

A Wählt ein einfaches Spiel, das ihr gut kennt, und erklärt es. Die Wörter helfen.

Brett- oder Kartenspiel

die Spielfigur – Punkte sammeln – der Würfel – der Joker – die Karte – die Karten mischen – der Stapel – das Spielfeld – dran sein – würfeln – die Spielfigur ziehen – ein Feld vorrücken/zurückgehen – eine Karte ziehen/ablegen – eine Runde aussetzen

Computerspiel

das Level – gewinnen – laufen – kaufen – verlieren – springen – fangen – Punkte sammeln – bauen – der Gegner – verteidigen – bewegen – klicken – die Figur – sich verstecken – suchen – entwickeln

B Wählt eine Sportart und notiert wichtige Wörter auf einem Plakat. Erklärt anschließend den anderen in der Klasse die Wörter.

Fußball: die Mannschaft, das Fußballfeld, der Schiedsrichter, …

C Bildet so viele Wörter mit „Spiel" wie möglich. Arbeitet auch mit dem Wörterbuch. Erstellt Lernkarten und schreibt auf eine Seite das Wort und auf die andere Seite die passende Erklärung.

das Spielfeld

oft begrenzter Platz, auf dem ein Spiel stattfindet

▶ Ü 2–3

Abenteuer im Paradies

1a Lest die Überschrift und seht die Fotos an. Worum könnte es in diesem Text gehen?

b Lest nun den Text. Was denkt ihr: Wo ist Lukas? Was macht er dort?

Verloren im endlosen Grün

Lukas war nur kurz stehen geblieben, weil ihn irgendetwas in den Fuß gestochen hatte. Er beugte sich kurz runter, konnte aber nichts entdecken. Als er wieder aufsah, waren die anderen verschwun-

den. Eben waren sie doch noch da gewesen. Obwohl er nach ihnen rufen wollte, blieb er still. Er fand das lächerlich, denn sie konnten ja nicht weit sein und was sollte schon passieren. Er lauschte einen Moment, vielleicht konnte er sie ja hören. Waren das nicht ihre Stimmen? Aber nein, er hörte nur Wasserrauschen und ein Durcheinander von merkwürdigen Geräuschen ... Waren die Geräusche von Menschen – oder – waren es am Ende irgendwelche wilden Tiere?

Anfangs lachte er über seine Situation. Aber das Gehen auf dem sandigen Boden war anstrengend und die vielen grünen Blätter schlugen ihm ins Gesicht, sodass er sich bald nicht mehr wohlfühlte. Er dachte an seine Freunde. Eben waren sie noch zu viert und jetzt musste er ohne sie zu ihrem Platz zurückfinden. Heute war sein Geburtstag, deshalb hatten sie am Morgen noch alle zusammen gefrühstückt und ihre Sachen für den Tag zusammengepackt. Dann waren sie gemeinsam aufgebrochen und alle waren gut gelaunt. Und jetzt war er plötzlich alleine. Vielleicht sollte er nicht weitergehen, sondern einfach hier auf seine Freunde warten?

Sie würden ihn bestimmt suchen und ihm helfen. Aber wenn nicht? Langsam stieg Panik in ihm auf, trotzdem atmete er ruhig weiter. Er merkte, dass er sich im Kreis bewegt hatte. Er war keinen Schritt weiter als vorher. Und dann hörte er ...

c Arbeitet zu zweit. Erzählt abwechselnd, was Lukas bisher an diesem Tag gemacht hat.

d Schreibt die Geschichte zu zweit zu Ende. Jedes Paar liest oder spielt dann seine Geschichte vor.

nachdem schon – plötzlich bemerken/finden/hören/... – sich verstecken – im letzten Moment – kurz bevor – helfen – fühlen – erschrecken – verzweifelt suchen – weglaufen – verzweifeln – (lange) warten auf – sich bedanken – Angst bekommen – gerettet sein

1.28

e Hört ein mögliches Ende der Geschichte. Wo spielt sie?

▶ Ü 1–2

2a Lest die Sätze. Was verbinden die Konnektoren: Hauptsatz und Nebensatz oder Hauptsatz und Hauptsatz?

1. Lukas war stehen geblieben,	**weil**	ihn irgendetwas	gestochen hatte.
2. Er blieb still,	**obwohl**	er nach ihnen	rufen wollte.
3. Rufen fand er zu lächerlich,	**denn**	sie konnten ja nicht weit	sein.
4. Das Gehen war anstrengend,	**sodass**	er sich bald nicht mehr	wohlfühlte.
5. Heute war sein Geburtstag,	**deshalb**	hatten sie zusammen	gefrühstückt.
6. Langsam stieg Panik in ihm auf,	**trotzdem**	atmete er ruhig	weiter.

Hauptsatz und Nebensatz: 1, …

b Was drücken die Konnektoren aus: Grund, Gegengrund oder Folge? Notiert im Heft.

1. Grund, 2. Gegengrund

c Macht eine Tabelle und ordnet die Konnektoren aus 2a ein.

	Grund (kausal)	Gegengrund (konzessiv)	Folge (konsekutiv)
Hauptsatz + Nebensatz	*weil*		
Hauptsatz + Hauptsatz		X	X
Hauptsatz + Hauptsatz mit Inversion (Verb direkt hinter dem Konnektor)	X		

d Arbeitet zu zweit. A beginnt einen Satz wie im Beispiel, B beendet den Satz. Wechselt dann. Jede/r sagt fünf Sätze.

Er liebt Abenteuergeschichten, deshalb … *… kauft er sich jede Woche ein neues Buch. Meine Mutter …* ▶ Ü 3–8

3a Habt ihr selbst schon einmal ein Abenteuer erlebt? Schreibt eure Geschichte oder schreibt eine Geschichte zu einer der vier Zeichnungen. Verwendet auch die Konnektoren aus 2c.

b Hängt eure Geschichten in der Klasse aus. Welche Geschichten gefallen euch am besten?

Unterwegs in Zürich

1a Lest die E-Mail. Wer schreibt an wen und warum?

Liebe Sara

bald ist es so weit und unser Schüleraustausch beginnt! Ich freue mich sehr, dass wir uns endlich treffen. Immer nur Mails ... Nach den zwei Monaten wird es echt Zeit! Meine Familie und ich sind schon sehr gespannt, dich „richtig" kennenzulernen! ☺
Ich hab auch schon ganz viele Ideen, was wir machen können. Wir holen dich am Freitagnachmittag um halb drei am Bahnhof ab und dann fahren wir erst mal zu uns nach Hause. Dann zeige ich dir mein Zimmer, es gibt Kuchen und du lernst meine Familie kennen. (Ich hoffe, mein Bruder benimmt sich nicht wieder daneben ...)
Am Samstag hätte ich Lust, ins Kino zu gehen (am liebsten in den Film „Rubinrot") oder wir gehen ins Theater. Magst du das? Im „Schiffbau" – das gehört zum berühmten Schauspielhaus – kommt ein Stück, das sich ganz interessant anhört. Es heisst „Shut up". Kannst ja mal im Internet schauen, ob dir das vielleicht gefällt.
Wenn du magst, könnten wir sogar auch gleich selbst bei einem Theater mitspielen. Hast du Lust? Im LAB Junges Theater Zürich kann man fünf Minuten selbst auf der Bühne stehen (alleine oder zusammen) und eine Szene aus einem bekannten Film vorspielen. Das könnte ganz lustig sein – natürlich können wir auch einfach nur zuschauen. Oder wir gehen tanzen ...
Aber vielleicht ist das auch ein bisschen zu viel Programm. Wir können einfach mal sehen und wenn du magst, können wir auch zu Hause bleiben. Dann können wir ein bisschen chillen, Musik hören und am Nachmittag vielleicht in die Stadt zum Shoppen. Uns wird bestimmt nicht langweilig. ☺ Kannst mir ja kurz Bescheid geben, worauf du Lust hast.
Und am Sonntag machen wir dann eine Stadtführung durch Zürich. Ab Montag kommst du dann ja sowieso mit in die Schule.
Ich freu mich sehr auf dich!

Gute Reise und bis Freitag
Leana

b Lest die E-Mail noch einmal und macht Notizen: Welche Vorschläge macht Leana für den Samstag?

c Welcher Vorschlag von Leana interessiert euch am meisten? Worüber möchtet ihr mehr wissen oder was würdet ihr am liebsten unternehmen?

▶ Ü 1

2 Arbeitet in Gruppen und recherchiert Informationen zu einem der Orte in Zürich. Präsentiert die Ergebnisse in der Klasse.

Junges Theater Zürich

Rote Fabrik

Das Junge Schauspielhaus

Tanzwerk 101

Das ... gibt es seit ...
... wurde im Jahr ... gebaut/eröffnet.
Es liegt/ist in der ... Straße ...
Es ist bekannt für ...
Viele Leute schätzen das ... wegen ...
Auf dem Programm stehen oft ...
Hier treten oft ... auf.
Die Eintrittskarten kosten zwischen ... und ... Franken.

3a Welche Art von Filmen mögt ihr, welche nicht? Vergleicht in der Klasse und findet einen Kino-Partner / eine Kino-Partnerin.

Krimi Drama Romanze Science-Fiction Animationsfilm Komödie Literaturverfilmung Western Heimatfilm Actionfilm Dokumentation Horrorfilm Fantasy-Film Kurzfilm Zeichentrickfilm

b Lest die Filmbesprechung zu „Rubinrot". Um welche Art von Film handelt es sich?

Kino-Startseite ▸ Charts ▸ Neu im Kino ▸ Alle Filme ▸ Alle Kinos ▸ Demnächst

Rubinrot

Deutschland 2013 / Laufzeit: 122 Minuten
FSK 12
Regie: Felix Fuchssteiner
Schauspieler: Maria Ehrich, Jannis Niewöhner, Kostja Ullmann, Axel Milberg, Veronica Ferres u.v.a.

Rubinrot ist der erste Teil der romantischen Trilogie „Liebe geht durch alle Zeiten". In der Geschichte von Kerstin Gier geht es um ein Mädchen, Gwendolyn Shepard (Maria Ehrich), das durch die Zeit reisen kann und sich auf einer dieser Zeitreisen verliebt. Gwendolyn – genannt Gwen – ist ein unauffälliges Mädchen. Aber sie und ihre Familie haben ein Geheimnis: Seit Generationen vererbt die Familie ein Zeitreise-Gen, das es den Familienmitgliedern erlaubt, in die Vergangenheit zu reisen. Zuerst scheint Gwens Cousine Charlotte (Laura Berlin) dieses Gen geerbt zu haben und die Familie ist völlig damit beschäftigt, Charlotte auf die Zeitreisen vorzubereiten. Gwen ist froh, dass sie von ihrer Familie etwas Ruhe hat, aber als sie eine Zeitreise ins London des 19. Jahrhunderts führt, merkt sie schnell, dass nun sie anstelle ihrer Cousine diese wichtige Rolle übernehmen muss. Keiner in der Familie, auch nicht Gwen, ist von dieser Situation begeistert. Als sich Gwen dann auch noch verliebt, werden die Schwierigkeiten in der Familie immer größer.

c Schreibt eine kurze Filmbesprechung zu eurem Lieblingsfilm. ▶ Ü 2

EINEN FILM BESPRECHEN

Der Film heißt … / Der Film „…" ist eine moderne Komödie / ein Spielfilm / …

In dem Film geht es um … / Er handelt von … / Im Mittelpunkt steht …

Der Film spielt in … / Schauplatz des Films ist …

Die Hauptpersonen im Film sind … / Der Hauptdarsteller ist …

Die Regisseurin ist … / Den Regisseur kennt man bereits von den Filmen „…" und „…".

Besonders die Schauspieler sind überzeugend/hervorragend/…

Man sieht deutlich, dass … / … stört nicht, denn …

▶ Ü 3

Unterwegs in Zürich

4a **An welche fünf Wörter denkt ihr beim Stichwort „Theater" zuerst? Wählt aus und vergleicht in der Klasse.**

der Schauspieler · die Langeweile · das Publikum · der Regisseur · die Musik · die Arbeit · das Programmheft · die Spannung · die Unterhaltung · der Platzanweiser · die Kleidung · das Bühnenbild · der Applaus · die Bühne · die Pause · die Garderobe

▶ Ü 4

b **Arbeitet zu zweit. Jede/r liest einen Programmhinweis und überredet den/die andere/n, das Stück gemeinsam anzusehen.**

Wir könnten doch ... · *Was hältst du von ...?* · *Hast du (nicht) Lust ...?* · *Lass uns doch lieber ...* · *Ich fände es besser, wenn wir ...*

Shut up
von Jan Sobrie und Raven Ruëll
Aus dem Niederländischen von Barbara Buri
Für Jugendliche ab 13 Jahren und Erwachsene

Drei Jugendliche mit unterschiedlichen Problemen: François ist innerhalb von zwei Jahren schon sechs Mal von der Schule geflogen, Damien hat Probleme, sich zu konzentrieren, und bei ihm wurde ADHS diagnostiziert und Becky muss zum Schulpsychologen. Die Lehrer vermuten, dass sie nicht intelligent genug für die normale Schule ist. Weil die drei Jugendlichen auffallen und unbequem für Lehrer und Eltern sind, will man sie mit Therapien und Medikamenten behandeln. Sie sollen nicht mehr auffallen und „problemlos und unauffällig" in die Gesellschaft integriert werden. Für Damien, Becky und François beginnt ein Auf und Ab der Gefühle und ein Kampf um ihre Identität. Mit viel Humor, Ironie und Energie erzählen die drei von sich, ihrem Leben und ihrer Freundschaft. Gemeinsam wehren sie sich gegen Mobbing und lernen, was Freundschaft und Treue bedeuten.

Offene Bühne
für alle zwischen 14 und 24

An diesem Abend werden berühmte und bekannte Filmszenen nacherzählt und nachgespielt. Der Untergang der *Titanic*, eine Szene aus *Star Wars*, ein Witz aus den *Minions* oder, oder, oder.
Für fünf Minuten bist du der Star auf der Bühne! Du entscheidest dich für einen Film, trittst alleine oder mit anderen auf – ganz wie du willst – und schon geht es los, ganz unvorbereitet und spontan: Bühne frei für alle!

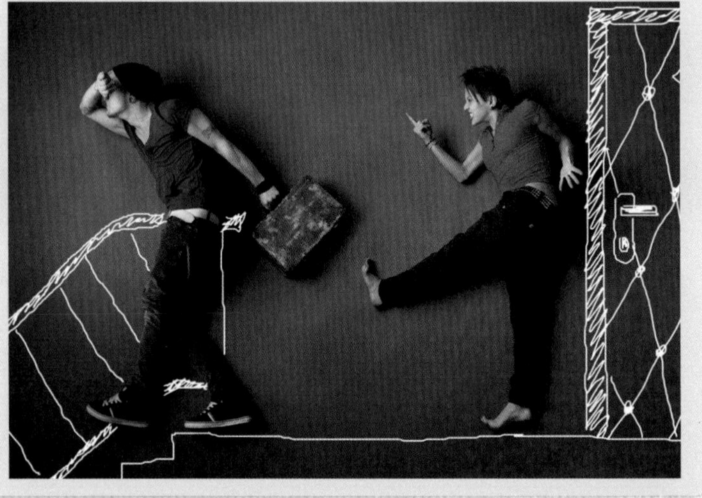

5a Habt ihr schon mal eine Stadtführung mitgemacht? Berichtet.

1.29

b Sara und Leana machen eine Stadtführung. Hört zu und wählt bei jeder Aufgabe die richtige Lösung a, b oder c.

1. Die Stadtführung beginnt …
   a am frühen Morgen.
   b mittags.
   c am späten Abend.

2. Der Stadtführer erzählt Geschichten …
   a aus der Gegenwart.
   b aus der Vergangenheit.
   c über Geld und Banken in Zürich.

3. Die Führung startet …
   a in der Kuttelgasse.
   b in der Kaminfegergasse.
   c in der Glockengasse.

4. Aufgabe der Nachtwächter war es, …
   a Brände zu löschen.
   b für Ordnung zu sorgen.
   c Leute für diesen Beruf zu finden.

5. Zerstrittene Ehepaare …
   a kamen ins Gefängnis.
   b verloren ihre Finger.
   c wurden sofort geschieden.

c Hört die Stadtführung noch einmal und kontrolliert eure Lösungen.

6a Wählt eine Stadt, die ihr gut kennt. Recherchiert fünf unterschiedliche Vorschläge für ein Programm mit einem Freund / einer Freundin.

	Theater/ Oper/…	Kino/DVD-Abend/…	Konzert/ Festival/…	Ausstellung/ Museum/…	Ausflug/ Sport/…
Wo?					
Wann?					
Preis?					
Beschreibung (Notizen)					

b Schreibt einem Freund / einer Freundin eine E-Mail mit Vorschlägen für einen gemeinsamen Nachmittag und/oder Abend.

Lieber Janosch,
lange nichts gehört! Wie geht es dir?
Hast du Lust, …?

Porträt

Prominente Talente

Angelique wird 2016 Erste der Weltrangliste

Angelique Kerber – Tennisspielerin

(18. Januar 1988 in Bremen)*

Angelique, die neben der deutschen auch die polnische Staatsbürgerschaft besitzt, begann bereits mit drei Jahren, Tennis zu spielen. Während ihrer Schulzeit war sie aber auch im Schwimmsport aktiv. Nach ihrem Realschulabschluss entschied sie sich, Profi-Tennisspielerin zu werden. Angelique nimmt seit vielen Jahren an allen großen Tennisturnieren teil. 2016 gewann sie das Finale der Australian Open und der US Open und holte Silber bei den Olympischen Spielen. Im selben Jahr erreichte sie außerdem zum ersten Mal Platz 1 der Weltrangliste. Angelique spielt für Deutschland und für deutsche Vereine, wohnt aber seit 2012 in Polen, wo sie im Tennis-Zentrum ihres Großvaters trainiert.

Lena Meyer-Landrut – Sängerin

(23. Mai 1991 in Hannover)*

Im Herbst 2009 nahm Lena an einem Castingwettbewerb teil, bei dem sie den ersten Platz belegte. In der Folge durfte sie Deutschland im Mai 2010 beim Eurovision Song Contest mit dem Lied „Satellite" vertreten. Auch diesen Wettbewerb gewann sie und der Song belegte daraufhin die ersten Plätze in vielen europäischen Charts. Seitdem hat sie mehrere Alben veröffentlicht. Außerdem wirkte sie als Synchronsprecherin in mehreren Animationsfilmen mit.

Lena 2010 beim Eurovision Song Contest

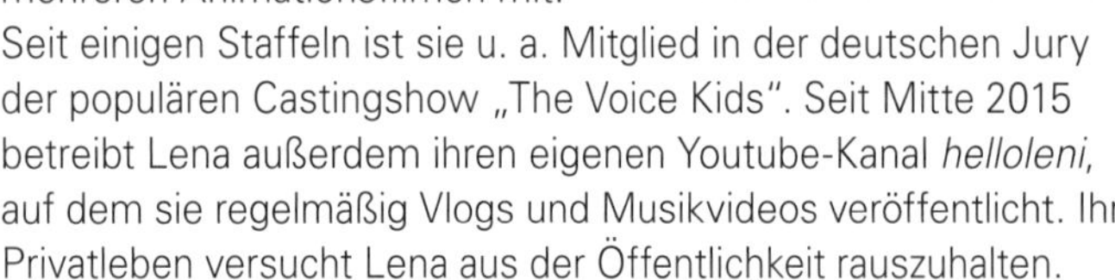

Seit einigen Staffeln ist sie u. a. Mitglied in der deutschen Jury der populären Castingshow „The Voice Kids". Seit Mitte 2015 betreibt Lena außerdem ihren eigenen Youtube-Kanal *helloleni*, auf dem sie regelmäßig Vlogs und Musikvideos veröffentlicht. Ihr Privatleben versucht Lena aus der Öffentlichkeit rauszuhalten.

Karoline Herfurth – Schauspielerin

(22. Mai 1984 in Berlin)*

Karoline wuchs in einer großen Patchwork-Familie mit sieben Geschwistern auf und spielte bereits im Alter von 10 Jahren in ihrem ersten Fernsehfilm mit. Nach dem Abitur besuchte sie die Schauspielschule „Ernst Busch" in Berlin und begann danach, Soziologie und Politik zu studieren. Anschließend spielte sie in zahlreichen Filmen wie „Das Parfum", „Das Wunder von Bern" und in den Komödien „Fack ju Göthe", die sie auch beim jungen Publikum sehr populär machten. Heute gehört Karoline zu den bekanntesten jungen Schauspielerinnen in Deutschland.

Karoline beim bayerischen Filmpreis

www  Mehr Informationen zu Lena Meyer-Landrut, Karoline Herfurth, Angelique Kerber.

Sammelt Informationen über Persönlichkeiten aus dem In- und Ausland, die für das Thema „Freizeit und Unterhaltung" interessant sind, und stellt sie in der Klasse vor. Ihr könnt dazu die Vorlage „Porträt" im Anhang verwenden.

Beispiele aus dem deutschsprachigen Bereich: Jérôme Boateng – Cornelia Funke – Hannah Herzsprung – Andreas Bourani – Felix Jaehn – Severin Freund – Kostja Ullmann – Matthias Schweighöfer

1 Komparativ und Superlativ

Komparativ	**Superlativ**
Adjektiv + Endung **-er** *aktiv – aktiv**er** – am aktivsten* Einsilbige Adjektive: *a, o, u* wird meistens zu *ä, ö, ü* (*k**u**rz – k**ü**rzer*) Adjektive auf -*el* und -*er*: -*e*- fällt weg (*teu**er** – teu**r**er*)	*am* + Adjektiv + Endung **-sten** *schön – schöner – am schön**sten*** Adjektive auf -*d*, -*s*, -*sch*, -*st*, -*ß*, -*t*, -*x*, -*z*: meistens Endung **-esten** (*am interessant**esten***; Ausnahme: *groß – am größten)*
besondere Formen: *gut – besser – am besten* *gern – lieber – am liebsten* *viel – mehr – am meisten* *hoch – höher – am höchsten* *nah – näher – am nächsten*	
Vergleiche mit *als/wie* Grundform + *wie*: *Meine Geschwister gehen (genau)so gern in die Kletterhalle **wie** ich.* Komparativ + *als*: *Im Sommer bin ich viel aktiver **als** im Winter.*	

Vor Nomen müssen Komparative und Superlative wie alle Adjektive dekliniert werden.

*das interessant**er**e Hobby* — *das interessant**est**e Hobby*
*ein toll**er**es Hobby* — *mein lieb**st**es Hobby*

Ausnahmen:
*Ich würde gern **mehr** Filme sehen.*
*Jetzt habe ich noch **weniger** Zeit.*

2 Konnektoren: Kausal-, Konzessiv- und Konsekutivsätze

Hauptsatz + Nebensatz: *Er ruft nicht um Hilfe, **obwohl** er Angst hat.*
Hauptsatz + Hauptsatz: *Nach Hilfe rufen war lächerlich, **denn** die Freunde waren nicht weit.*
Hauptsatz + Hauptsatz mit Inversion (Verb direkt hinter dem Konnektor): *Heute ist sein Geburtstag, **deshalb** feiern sie zusammen.*

	Grund (kausal)	**Gegengrund (konzessiv)**	**Folge (konsekutiv)**
Hauptsatz + Nebensatz	*weil* *da*	*obwohl*	*sodass* *so …, dass*
Hauptsatz + Hauptsatz	*denn*	X	X
Hauptsatz + Hauptsatz mit Inversion	X	*trotzdem*	*deshalb* *darum* *daher* *deswegen*

Funsport – Surfen auf der künstlichen Welle

1a **Welche Freizeitaktivitäten kann man in einem Park in einer Großstadt unternehmen? Sammelt in der Klasse.**

b **Was verbindet ihr mit der Sportart „surfen"? Notiert zu zweit.**

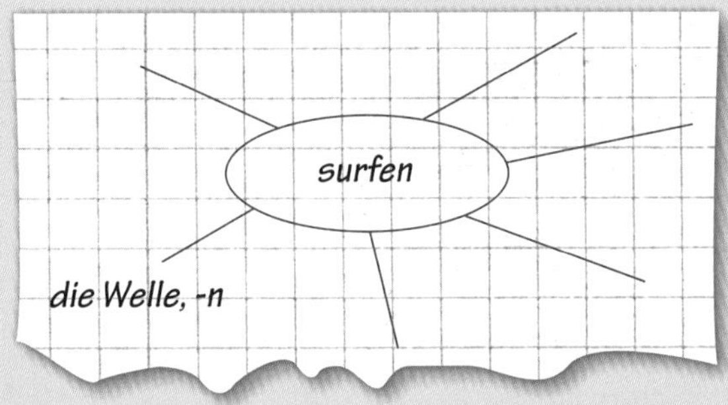

2 **Lest den Artikel aus einer Reisezeitschrift über München und vergleicht mit euren Ideen aus 1a.**

Surfen in der Großstadt

Mit München verbinden die einen das Olympiastadion, die anderen berühmte Kunstsammlungen wie die der Alten und Neuen Pinakothek. Wieder andere denken bei der bayrischen Hauptstadt an das Hofbräuhaus und das Oktoberfest.

Bekannt ist auch der Englische Garten. Mit seinen mehr als 3,5 km^2 gehört er zu den größten innerstädtischen Parks der Welt. Hier kommt jeder auf seine Kosten: baumbestandene Wege laden zu ausgedehnten Spaziergängen ein, nach denen man sich in einem der fünf Biergärten mit bayrischen Spezialitäten stärken kann. Jogger und Radfahrer können im Park ungestört ihre Runden drehen, andere spielen Fußball, machen Yoga oder Thai Chi. Auf den

großen Wiesen kann man Frisbee spielen oder einen Drachen steigen lassen, am See ein Tretboot oder Ruderboot mieten. Nichts für jeden dagegen ist das Citysurfen auf dem Eisbach. Hier zeigen die Profis, was sie können – und sind schon längst zu einer weiteren Münchner Touristenattraktion geworden.

3a Seht jetzt den Film. Was erfahrt ihr über das Surfen auf dem Münchner Eisbach? Macht Notizen zu den folgenden Punkten und vergleicht dann mit einem Partner / einer Partnerin.

Männer/Frauen:
Sicherheit:
Zuschauer:
Wetter/Jahreszeiten:

b Was bedeuten die Ausdrücke aus dem Film? Ordnet zu.

1. etw. nicht auf sich sitzen lassen
2. den Kopf frei kriegen
3. mit etw. Bekanntschaft machen
4. es gelassen nehmen

A abschalten, sich entspannen
B sich nicht über etw. aufregen
C nicht akzeptieren, was andere über einen sagen
D mit etw. Unangenehmen in Kontakt kommen

c Seht den Film noch einmal und beantwortet die Fragen.

1. Seit wann surft Tanja Thaler auf dem Eisbach?
2. Welche Bedeutung hat das Surfen für sie?
3. Was macht Tanja Thaler in ihrem Alltag?
4. Was sagt sie zum Thema „Gefahr" beim Surfen?

4a Klärt mithilfe des Wörterbuchs die folgenden Begriffe. Notiert, was eurer Meinung nach nicht zum Thema „Extremsport" passt. Begründet eure Auswahl.

die Angst · die Gefahr · die Freiheit · die Herausforderung · die Schwerelosigkeit · der Mut · der Nervenkitzel · das Risiko · der Spaß · die Gesundheit · die Bewegung · die Ruhe · das Vergnügen · die Routine · das Training · die Ausdauer · die Gelassenheit · die Vernunft · die Leistung · das Vertrauen · die Entspannung · die Nervosität · die Abwechslung · die Erholung · der Teamgeist · die Sucht · die Konzentration · die Kontrolle · das Abenteuer · die Spannung · die Geselligkeit

b Was haltet ihr von Extremsportarten? Was würdet ihr sagen, wenn euer bester Freund / eure beste Freundin eine Extremsportart ausüben wollte?

c Was bewegt Menschen dazu, einen Extremsport zu machen? Diskutiert in der Klasse.

5 Schreibt für eure Schülerzeitung einen Artikel über Sport- und Freizeitmöglichkeiten in eurer oder einer deutschsprachigen Region und präsentiert ihn in der Klasse.

Alles will gelernt sein

A Der „Alles auf einem Tisch"-Typ: So sieht es bei Menschen aus, die sich nicht entscheiden können, was sie eigentlich machen wollen. Lernen? Essen? Telefonieren? Hier kommt einfach alles zusammen. Etwas Ordnung würde diesem Arbeitsplatz gut tun. Für alle Bedürfnisse ist er einfach zu klein.

B Der Perfektionist: Dieser Platz ist zum Lernen und Arbeiten da. Und der muss gut geplant und sauber strukturiert sein. So hat es der genaue Mensch gerne. Keinen Fleck, kein Staubkorn kann man hier finden. Jeder Tag ist exakt geplant, nichts passiert zufällig. Unordnung ist dem Perfektionisten fremd, ja sogar ein Albtraum.

Ihr lernt

Modul 1 | Vermutungen und Wünsche zu Arbeitsgemeinschaften formulieren

Modul 2 | Eine Stellungnahme schreiben

Modul 3 | Ein Lied hören und Ratschläge geben

Modul 4 | Texte über Denkaufgaben und Lerntechniken verstehen

Modul 4 | Mündliche und schriftliche Tipps zum Lernen formulieren

Grammatik

Modul 1 | Infinitiv mit und ohne *zu*

Modul 3 | Modalverben: Tempus und Bedeutung

▶ ÜB Wortschatz

4

C Der kreative Typ: Hier lebt und arbeitet ein Augen- und Händemensch. Sein Platz darf alles sein, nur nicht langweilig und farblos. Farben und Formen faszinieren ihn und so lässt er sich auch gerne beim Lernen vom Bunten und Schönen ablenken. Graue Theorie langweilt ihn dagegen sehr schnell.

5

D Der Hochstapler: Was du heute kannst besorgen, das verschiebe gleich auf morgen. Oder besser noch auf übermorgen. Die innere Unlust gegen die nächste Aufgabe ist immer zu spüren. Also: erst mal sortieren und auf Haufen legen. Immer sind sie gut geordnet, die Dinge, die man schon lange erledigt haben sollte.

E Der praktische Typ: Hier hat alles seinen Platz und trotzdem fehlt nichts. Das Erledigte ist im Ordner abgeheftet, das Unwichtige ist weggeworfen. Das Wichtige wird gerade bearbeitet. Mit ein bisschen Musik macht das Lernen auch richtig Spaß. Aber die Pausen vergisst der Praktiker auch nicht und gönnt sich gerne einen Tee, der schon griffbereit auf ihn wartet.

1a Seht die Fotos an. Wer arbeitet hier? Beschreibt die Personen.

b Lest die Beschreibungen. Welcher Tisch passt zu welchem Typ?

2 Sprecht in Gruppen. Wo und wie lernt ihr? Welchen Tisch könnte man bei euch zu Hause finden?

3 Zeichnet euren Lernort so, wie ihr ihn euch wünscht. Sprecht dann zu zweit.

Freiwillig lernen

1a Lest die Titel von den Arbeitsgemeinschaften (AGs). Was kann man dort lernen?

In der „Holzwurm-AG" lernt man vielleicht, was man alles mit Holz machen kann.

b Ordnet die Wörter mit Artikel den AGs aus 1a zu. Es gibt manchmal mehrere Möglichkeiten.

Redaktion Handwerk Reparatur Programmierung Unternehmen Umfrage Artikel
Software Umwelt Datei Bildbearbeitung Naturschutz Werkzeug
Garten Buchführung Reportage Müll Steuern Pflanze Virenschutz

1. Holzwurm-AG: das Handwerk, …

c Was denkt ihr? Welche Schüler/innen melden sich zu diesen AGs an?

Für die AG Wirtschaftsjunioren interessieren sich bestimmt Schüler, die …

1.30–32

2a Hört das Interview mit Marie, Markus und Hanna. Notiert die Gründe für den Besuch der AG.

Marie, 17 Jahre

Markus, 16 Jahre

Hanna, 15 Jahre

	AG	Gründe
Marie		
Markus		
Hanna		

▶ Ü 1

b Hört noch einmal. Was haben die drei Jugendlichen in den AGs schon gelernt?

1.33

3a Hört noch einmal, was Marie sagt. Notiert die Verben und Ausdrücke, die mit *zu* + Infinitiv stehen.

Ich interessiere mich sehr für Wirtschaft. Das liegt in der Familie. Meine Mutter hat nämlich eine eigene Firma und es ▒▒ mir viel ▒▒, ihr dort zu helfen. Dafür muss man natürlich jede Menge wissen, deshalb ▒▒ mir meine Mutter ▒▒, diese AG zu besuchen. Und die Entscheidung war total richtig! Ich denke, es ▒▒ ▒▒, möglichst früh einen Einblick in die Berufswelt und das zukünftige Studienfach zu bekommen. Ich will nämlich Betriebswirtschaft studieren.

b Infinitiv mit oder ohne *zu*? Notiert: A oder B.

		A	B
1.	Ich habe vor, mein Englisch	A auffrischen.	B aufzufrischen.
2.	Du solltest unbedingt diese AG	A besuchen.	B zu besuchen.
3.	Für mich ist es wichtig, möglichst schnell	A lernen.	B zu lernen.
4.	Ich habe die Absicht, den Fortsetzungskurs	A belegen.	B zu belegen.
5.	Ich werde eine Sprachprüfung	A ablegen.	B abzulegen.
6.	Es ist erforderlich, sich rechtzeitig	A anmelden.	B anzumelden.
7.	Es macht mir Spaß, mit anderen Sport	A treiben.	B zu treiben.
8.	Ich lasse mir die Teilnahme am Kurs	A bestätigen.	B zu bestätigen.

c Macht eine Tabelle mit Beispielen aus 3a und b und sammelt weitere.

G

***zu* + Infinitiv steht nach**	**Beispiele**
1. bestimmten Verben	*vorhaben, …*
2. Adjektiv + *sein*	*wichtig sein, …*
3. Nomen + *haben/machen*	*Spaß machen, …*

▶ Ü 2–5

4 Arbeitet in Gruppen und lest die Titel von AGs. Welche würdet ihr gern besuchen und warum?

WÜNSCHE AUSDRÜCKEN		
Ich hätte Lust, …	Ich wünsche mir, …	Für mich wäre es gut, …
Ich hätte Zeit, …	Ich habe vor, …	Für mich ist es wichtig, …
Ich hätte Spaß daran, …	Ich würde gern …	

AG Schulsanitäter

Zumba

Step & Dance

Trommel AG

Schach AG

Do-it-yourself-AG

Gekonnt gekocht

Ich hätte Lust, kochen zu lernen. Darum würde ich die AG „Gekonnt gekocht" besuchen.

▶ Ü 6

Surfst du noch oder lernst du schon?

1 **Welche Rolle spielt der Computer für euch? Was macht ihr damit? Sammelt sechs Fragen, beantwortet sie in Gruppen und stellt eure Ergebnisse vor.**

1. Wie oft benutzt du einen Computer?
2. Wie viel Zeit ...?

▶ Ü 1–2

2a **Arbeitet zu zweit. Lest die Aussagen für und gegen digitale Medien im Unterricht. A sammelt Argumente dafür und B Argumente dagegen.**

SPRACHE IM ALLTAG

Die Sprache bei digitalen Medien ist „Denglisch". Englische Wörter mit deutscher Grammatik:
googeln – hat ***gegoogelt****;* ebenso:
chatten, surfen, downloaden
der Link – die Links; ***verlinkt***
online ***gehen****; online* ***sein***

Medien im Klassenraum

Pro

Ich finde, dass digitale Medien in der Schule alle Schüler beim Lernen unterstützen, weil sie ganz unterschiedliche Wege beim Lernen möglich machen. Das Internet bietet zum Beispiel Erklärungen mit Texten, Bildern oder auch Filme.
Dr. Marina Hausmann, Uni Mainz

Die meisten von uns sind ganz froh, dass wir mit Tablets lernen, weil wir jetzt die ganzen Schulbücher nicht mehr tragen müssen. Den Atlas oder Wörterbücher habe ich früher manchmal gar nicht mitgenommen, weil mir die Tasche zu schwer war.
Alex Leder, Schüler

In der Schule sollten wir lernen, wie man mit speziellen Medien und Programmen sinnvoll umgeht, weil wir sie später im Beruf brauchen. Wir durften zum Beispiel mal mit einem Programm für Architekten arbeiten, als es um das Thema „Statik" ging. Das war echt interessant.
Annie Kober, Schülerin

Seitdem ich mit meiner Klasse über eine Lernplattform Hausaufgaben und Übungen austausche, machen die Schüler viel lieber mit. Es macht ihnen einfach mehr Spaß und sie sind motiviert, damit zu arbeiten. Und dass Spaß ein wichtiger Faktor beim Lernen ist, wissen wir ja alle.
John Canner, Lehrer

Contra

Ich glaube nicht, dass es für die Schüler gut ist, beim Lösen von Aufgaben immer sofort digitale Medien zur Hilfe zu haben, denn irgendwann müssen sie den Stoff lernen und auch können. Wenn wir einen Test schreiben, dann muss man eben auch wissen, wann man den Satz des Pythagoras verwendet und wie er lautet. Dann kann man nicht schnell mal googeln.
Bella Neumann, Lehrerin

Ich finde es toll, richtige Bücher und auch mal längere Texte zu lesen. In der Schule bekommen wir das meiste ja auch auf Papier. Wenn alles digital wäre, fände ich das für viele Schulfächer okay, aber nicht für Literatur. Da lese ich einfach lieber Seite für Seite.
Yasin Awan, Schüler

Meine Tochter hat inzwischen Probleme beim Schreiben und Lesen. Ich glaube, dass sie in der Schule noch stärker gefördert werden sollte, denn viele Kinder lesen und schreiben durch die Medien immer weniger selbst und mit der Hand. Ich übe jetzt regelmäßig mit ihr, Texte zu schreiben. Mit dem Stift!
Konrad Kurbjuweit, Vater

Ich habe einen Laptop und ein Tablet. Meine Freundin hat nur ein Smartphone. Jetzt brauchen wir aber auch andere Medien für die Schule, was sich ihre Eltern gar nicht leisten können. Deshalb finde ich es nur fair, wenn die Schule den Schülern mit weniger Geld auch die nötigen Medien ausleiht. Wie soll meine Freundin denn sonst z. B. die Hausaufgaben bearbeiten, die es nur online gibt?
Constanze Fröhlich, Schülerin

b **Arbeitet zu zweit. Welche beiden Argumente findet ihr bei „Pro" und „Contra" jeweils am wichtigsten? Fallen euch noch weitere Argumente ein? Vergleicht mit einem anderen Paar.**

3a **Behauptung – Begründung – Beispiel: Eine Stellungnahme aufbauen. Wählt zwei Personen aus 2a und notiert ihre Argumente wie im Beispiel.**

Dr. Hausmann Behauptung	→ Begründung	→ Beispiel
digitale Medien unterstützen alle beim Lernen	verschiedene Lernwege möglich	Internet: Erklärungen mit Texten, Bildern, Filmen

b **Tauscht eure Notizen. Euer Partner / Eure Partnerin vergleicht mit dem Text. Hätte er/sie das Gleiche notiert?**

c **Tauscht eure Notizen zurück und sprecht in Gruppen. Jede/r formuliert seine beiden Argumente aus 3a mit Behauptung, Begründung und Beispiel.**

BEHAUPTUNG/ARGUMENTE EINLEITEN	GRÜNDE NENNEN	BEISPIELE NENNEN
Ich bin der Ansicht, dass …	Das kann man daran sehen, dass …	Wir haben zum Beispiel …
Man kann beobachten/sehen, dass …	Dafür/Dagegen spricht die Tatsache, dass …	Beispielsweise gibt es …
Es ist anzunehmen, dass …	Deshalb/Darum / Aus diesem Grund …	Wenn …, dann …
		Dass … (un)wichtig/schwer/leicht ist, zeigt auch …
		Früher/Einmal/Oft/Damals habe/bin ich …

▶ Ü 3–4

4a **Handyverbot in der Schule. Seid ihr dafür oder dagegen? Warum? Schreibt eine eigene Stellungnahme in folgenden Schritten.**

A Sammelt in Gruppen Pro- und Contra-Argumente.
B Sortiert die Argumente nach Wichtigkeit.
C Schreibt jetzt eure eigene Stellungnahme. Verwendet dafür passende Redemittel.

EINE STELLUNGNAHME EINLEITEN
Wenn es um das Thema … geht, dann …
Heute möchte ich zum Thema … Stellung nehmen.
ARGUMENTE VERBINDEN
Ein weiterer Grund / Ein weiteres Argument für/gegen … ist, dass …
Noch wichtiger ist der Aspekt, dass …
Daraus folgt auch, dass …
Außerdem …
EINE STELLUNGNAHME ABSCHLIEßEN
Zum Schluss möchte ich sagen, dass …
Abschließend möchte ich …

STRATEGIE

Eine Stellungnahme schreiben

Schritt 1:
Schreibt eine Einleitung: Thema beschreiben, Tendenz nennen

Schritt 2:
- Schreibt, welche Ansicht ihr vertretet.
- Nennt das erste Argument mit Begründung und Beispiel, verbindet es mit dem zweiten Argument usw. Das wichtigste Argument kommt zum Schluss.

Schritt 3:
Schreibt einen abschließenden Satz.

b **Bildet neue Gruppen und lest eure Stellungnahmen vor. Welche Meinungen gibt es? Welche Argumente überzeugen euch am meisten?**

Können kann man lernen

1a Seht das Bild an. Was ist hier los?

1.34

b Hört das Lied. Welche Wörter passen?

Da sitz' ich wieder mal vor dir,
du leeres Stückchen Papier.
Da liegst du (A) *weich/weiß* und bleich,
statt wörterreich[1]
und gar nicht voll.
Ich weiß nicht, weiß nicht,
(B) *was/dass* ich schreiben soll.

Das darf nicht wahr sein,
mir fällt kein Text ein.
Die Wörter kann ich nicht drängen[2].
Die Sätze lassen mich hängen[3].

Ich kann Grammatik schon ganz gut.
Und auch beim (C) *Rechnen/Sprechen* hab' ich Mut.
Doch wenn's (D) *ums/ans* Schreiben geht,
ist bei mir alles, einfach alles, zu spät.

Das darf nicht wahr sein …

Heut' muss ich es (E) *raffen/schaffen*.
Ich mach' mich bald zum Affen[3].
Ich darf nicht negativ denken,
darf (F) *eine/keine* Chance verschenken.
Ich will bestehen, will endlich besteh'n!
Dann kann ich neue Wege (G) *gehen/sehen*.

Das darf nicht wahr sein …

Du musst einfach locker bleiben[5].
Lass mal die Gedanken treiben[6].
Dann können die Ideen (H) *blühen/sprühen*
und du brauchst dich nicht so mühen[7].
Erst ein Wort, dann zwei, dann Sätze,
dann kommt der (I) *Test/Text*,
ganz ohne Hetze[8].

Kann es denn wahr sein?
Mir fällt ein Text ein.
Jetzt will ich die Wörter schreiben,
will, dass die Sätze bleiben.

Jetzt kann ich dir nur raten,
du musst einfach (J) *starten/abwarten*,
und wenn du meinst, nichts mehr zu wissen,
lass dich von der Muse küssen[9].

1. mit vielen Worten
2. provozieren/zwingen
3. jdn. nicht unterstützen
4. sich lächerlich machen
5. entspannt sein
6. an nichts Besonderes denken
7. sich anstrengen
8. ohne Eile
9. sich von etw. inspirieren lassen

c Worum geht es im Lied? Waren eure Vermutungen aus 1a richtig?

d Welche Ratschläge könnt ihr für die Situation im Lied geben?

RATSCHLÄGE GEBEN			
Versuch doch mal, …	Da sollte man am besten …	Wenn ich du wäre, …	Man kann …
Ich kann dir nur raten, …	Am besten wäre es, …	An deiner Stelle würde ich …	Oft hilft …

▶ Ü 1

2a **Geschriebene und gesprochene Sprache. Vor einer Prüfung lest ihr den Infozettel. Euer Nachbar / Eure Nachbarin versteht die Informationen nicht. Ihr möchtet es deshalb einfacher sagen. Formuliert die Sätze 1–6 um.**

Informationen zur Deutschprüfung

1. Wenn du die Absicht hast, an der mündlichen Prüfung teilzunehmen, melde dich bitte an.
2. Bis zur Prüfung bist du verpflichtet, regelmäßig an einem Vorbereitungskurs teilzunehmen.
3. Wenn du nicht in der Lage bist, die Prüfung zu schreiben, melde dich bei den Prüfern.
4. Zum Bestehen der Prüfung ist es notwendig, mindestens 120 Punkte zu erreichen.
5. Es ist erlaubt, ein Wörterbuch (Deutsch–Deutsch) zu benutzen.
6. Es ist verboten, in der Prüfung digitale Medien zu verwenden.

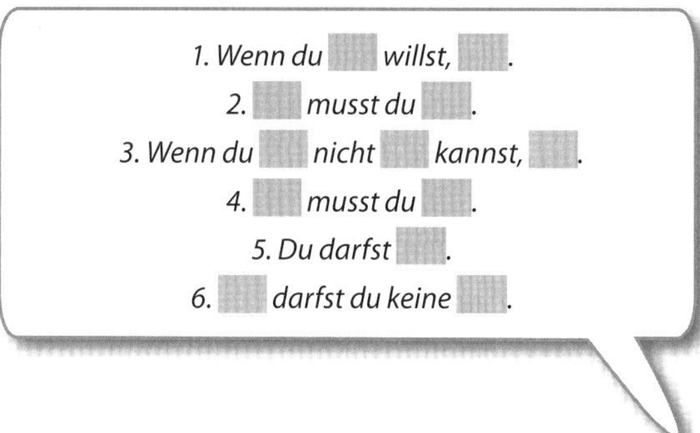

1. Wenn du … willst, ….
2. … musst du ….
3. Wenn du … nicht … kannst, ….
4. … musst du ….
5. Du darfst ….
6. … darfst du keine ….

Wenn du an der mündlichen Prüfung teilnehmen willst, melde dich bitte an. ▶ Ü 2

b **Perfekt mit Modalverben. Vergleicht zu zweit die Sätze und ergänzt die Regel.**

Präsens: Simon kann nicht an der Prüfung teilnehmen. Er ist krank.
Präteritum: Simon konnte nicht an der Prüfung teilnehmen. Er war krank.
Perfekt: Simon hat nicht an der Prüfung teilnehmen können. Er war krank.

Partizip	Präteritum	Infinitiv

G

Perfekt mit Modalverben

Modalverben bilden das Perfekt mit *haben* + … + Infinitiv (Modalverb). Sie bilden kein ….
Wenn man über die Vergangenheit spricht, benutzt man die Modalverben aber meist im …. ▶ Ü 3–4

c **Regeln in der Schule: Arbeitet in Gruppen. Jede/r schreibt einen Satz wie in 2a auf eine Karte. Der/Die Erste zieht eine Karte und liest vor. Der/Die Nächste formuliert den Satz um und zieht eine neue Karte.**

Es ist verboten, im Unterricht zu essen.

Man darf im Unterricht nicht essen.

Alle sind verpflichtet, die Räume sauber zu hinterlassen.

Man muss die Räume …

▶ Ü 5

Lernen und Behalten

1a Lest den Text. Um was für eine Art von Text handelt es sich?

Ein Fährmann gibt nicht auf

Ein Fährmann steht vor folgendem Problem: Er muss einen Fluss in einem kleinen Boot überqueren und dabei einen Wolf, ein Schaf und einen Kohlkopf ans andere Ufer bringen. Das Boot ist leider so klein, dass außer ihm immer nur ein Tier oder der Kohlkopf mit ins Boot passen. Dabei darf das Schaf nicht mit dem Kohlkopf allein bleiben, weil es ihn frisst. Ebenso frisst der Wolf das Schaf, wenn sie allein am Ufer zurückbleiben. Wie schafft der Fährmann es, alle auf die andere Seite zu bringen, ohne dass jemand dabei gefressen wird?

b Bildet Gruppen und versucht, die Aufgabe zu lösen. Welche Gruppe schafft es zuerst?

Zuerst muss der Fährmann …
Dann …
Danach …
Schließlich …

c Überlegt, wie ihr die Aufgabe gelöst habt. Wie seid ihr vorgegangen? Was hat euch bei der Lösung geholfen?

2a Was habt ihr schon alles vergessen? Sprecht in der Klasse.

Hausaufgaben …

1.35

b Hört den ersten Abschnitt eines Radiobeitrags zum Thema „Gedächtnistraining". Macht Notizen zu den folgenden Punkten.

1. Was vergisst man oft im Alltag?
2. Was ist die Ursache dafür?
3. Was möchte der Bundesverband?
4. Was sind die Ziele des Programms?

1. Namen, …

1.36

c Hört den zweiten Abschnitt des Beitrags, in dem Dr. Witt die Aufgabe des Fährmanns löst. Vergleicht mit eurer Lösung.

d Dr. Witt spricht von zwei Lösungen für diese Aufgabe. Erklärt den anderen Lösungsweg. Hört dazu den zweiten Abschnitt noch einmal.

▶ Ü 1

Dr. Witt, Bundesverband für Gedächtnistraining

3 Sucht im Internet ähnliche Denkaufgaben. Präsentiert sie in der Klasse und lasst die anderen raten.

4a Wörter leichter lernen. Lest die Tipps und ordnet die Stichpunkte zu.

A Lernerfolg kontrollieren
B Vokabeln wiederholen
C Wörter ordnen
D Lernpakete einteilen
E in beide Richtungen lernen
F Pausen einlegen

1 **Wir können uns nur ca. 25 bis 45 Minuten voll auf eine Sache konzentrieren. Besonders beim Lernen von Vokabeln ist es wichtig, viele Pausen zu machen, damit das Kurzzeitgedächtnis nicht überfordert wird. Ideal sind 25 Minuten intensives Lernen, dann 5 Minuten Pause.**

2 **Gelernte Wörter zu wiederholen ist sehr wichtig. Die erste Wiederholung sollte 20 Minuten nach dem ersten Lernen erfolgen, denn das Vergessen ist danach am größten. Die zweite Wiederholung sollte nach zwei Stunden stattfinden. Dann merkt man, welche Wörter im Kopf geblieben sind.**

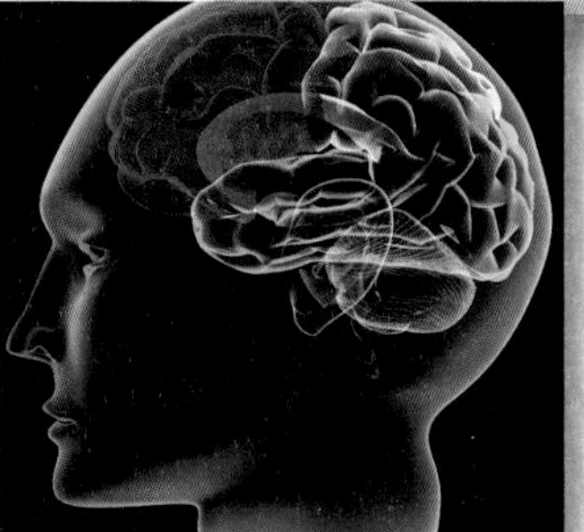

3 **Oft klappt das Vokabellernen besser, wenn man den Lernprozess visuell unterstützt. Eine gute Möglichkeit dafür ist die Mindmap. Damit kann man Vokabeln zu Gruppen kombinieren. Das hilft dem Gehirn, die Wörter besser einzuordnen und zu vernetzen.**

4 **Wichtig ist, dass man nicht immer die gleichen Wörter hintereinander übt, sonst lernt man die Reihenfolge auswendig. Man sollte immer von der Fremdsprache in die Muttersprache und umgekehrt lernen. Sich nur einen Weg einzuprägen, hilft nicht weiter.**

5 **Besser, als viele Vokabeln auf einmal zu lernen, ist, kleinere Gruppen zu bilden und sie zeitlich gut zu verteilen. Ein Lerngesetz sagt: Den Anfang und das Ende einer solchen Gruppe merkt sich das Gedächtnis fast automatisch.**

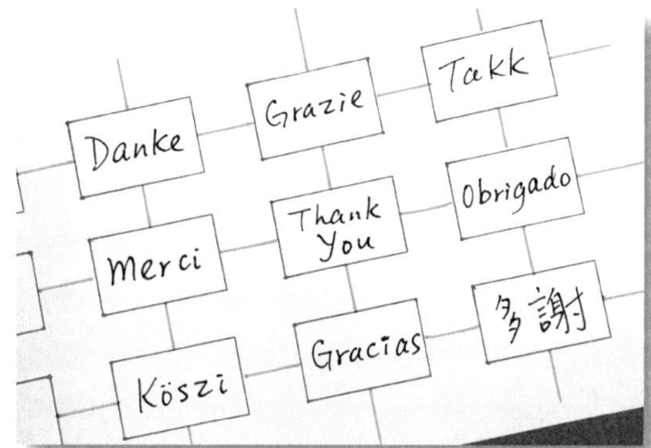

6 **Gut ist, wenn man sich von seinen Freunden, seiner Familie usw. abfragen lässt. Die Wörter müssen durcheinander kontrolliert werden. Die Wörter, die man nicht beherrscht, notiert man auf einem Zettel und lernt sie dann noch einmal.**

b Formuliert zu jedem Tipp Aufforderungssätze.

1. Leg regelmäßig Pausen ein!

c Welche Tipps wendet ihr an? Welche Tipps kennt ihr noch?

5a Schreibt anonym auf einen Zettel, welche Probleme ihr beim Lernen habt. Was ist für euch schwierig? Sammelt die Zettel ein.

Ich habe große Probleme damit, die Wörter richtig zu schreiben.

b Lest die Lernprobleme in der Klasse vor. Gebt Tipps, wie man die Probleme lösen kann.

Ich sehe immer im Wörterbuch nach. Dann schreibe ich das Wort auf und spreche es mehrmals laut.

▶ Ü 2

Lernen und Behalten

6a Was bedeutet Deutsch lernen? Erstellt eine Mindmap.

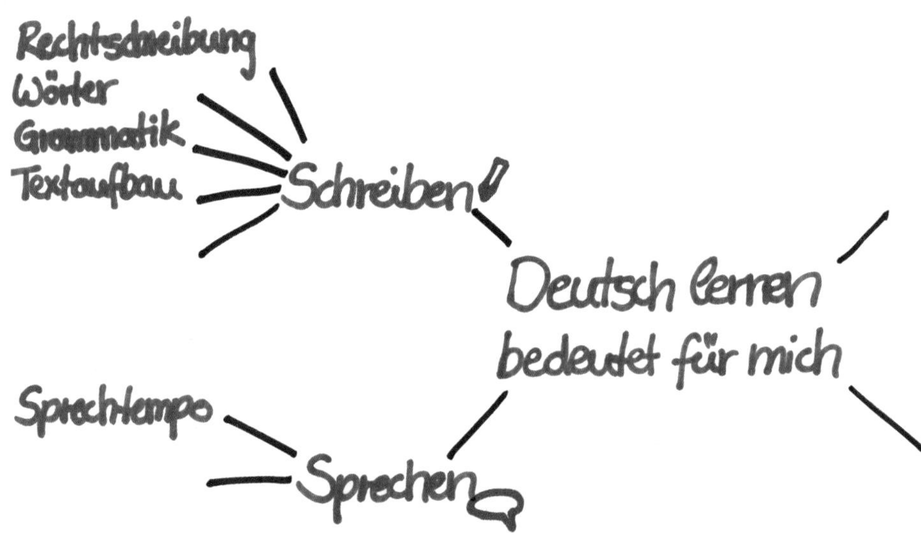

b Bearbeitet in Gruppen je ein Teilthema. Notiert Stichpunkte.

Welche Erfahrungen? | Welche Probleme? | Welche Tipps?

c Ordnet die Redemittel den Themen „Probleme", „Tipps" und „Erfahrungen" aus 6b zu. Sammelt weitere Redemittel.

… ist wirklich empfehlenswert. Wir haben gute/schlechte Erfahrungen gemacht mit …
Für viele ist es problematisch, wenn … Wir schlagen vor, … Uns ging es mit/bei … so, dass …
Dabei sollte man beachten, dass … … ist ein großes Problem. Wir würden raten, …
Es ist besser, wenn … Es ist immer schwierig, … … macht vielen (große) Schwierigkeiten.
Sinnvoll/Hilfreich/Nützlich wäre, wenn … Wir haben oft bemerkt, dass … Es gibt viele Leute, die …

ÜBER ERFAHRUNGEN BERICHTEN	PROBLEME BESCHREIBEN	TIPPS GEBEN
Wir haben gute/schlechte Erfahrungen gemacht mit …		

d Schreibt für die Schülerzeitung einen kurzen Artikel zu eurem Teilthema. Gebt Lerntipps und bearbeitet auch die folgenden Punkte.

- Warum dieses Thema?
- Welche Schwierigkeiten? Welche Probleme?
- Eigene Erfahrungen mit diesen Problemen?
- Welche Tipps für andere Lernende? Welche Lösungsvorschläge?

e Vergleicht eure Artikel in der Klasse.

7a Lest die Aufgabe und gebt sie in eigenen Worten wieder.

Ihr schreibt bald eine wichtige Prüfung und wollt euch darauf vorbereiten. Dazu wollt ihr euch treffen, um gemeinsam zu lernen. Plant zusammen dieses Treffen.

Ihr habt euch dazu schon einen Zettel mit Notizen gemacht.

Vorbereitung Prüfung:
- An welchen Tagen?
- Uhrzeit?
- Wo treffen?
- Welches Material?
- …

b Macht Notizen zu den Punkten in 7a und ergänzt, über welche Punkte ihr noch sprechen wollt.

Wochentage: Donnerstag oder Freitag

c Überlegt, zu welchen Punkten eurer Notizen ihr am besten widersprechen könnt und warum.

Wie wär's am Donnerstagnachmittag?

Am Donnerstag ist nicht gut, weil wir da lange Unterricht haben. Freitag wäre besser.

d Welche Redemittel benötigt ihr, um die Aufgabe zu lösen? Ordnet zuerst die Redemittel zu und sammelt dann für jede Rubrik weitere Beispiele.

Leider geht … nicht. — Das ist eine gute Idee. — Sollten wir nicht lieber …? — Ich würde vorschlagen, dass … — Es wäre bestimmt viel besser, wenn wir … — Das finde ich nicht so gut. — Wie wäre es, wenn wir …? — Den Vorschlag finde ich super.

ETWAS PLANEN

etwas vorschlagen	zustimmen	ablehnen	Gegenvorschlag machen
Ich würde vorschlagen, dass …			

e Führt nun das Gespräch zu zweit. Sprecht über die Punkte, macht Vorschläge und reagiert auf die Vorschläge eures Gesprächspartners / eurer Gesprächspartnerin. Plant und entscheidet gemeinsam, was ihr tun möchtet.

Was hältst du davon, wenn wir zusammen für die Prüfung lernen?

Das ist eine gute Idee. Wann hast du Zeit?

▶ Ü 3

Porträt

Gerald Hüther

(* 15. Februar 1951)

Interview mit dem Hirnforscher

Prof. Dr. Gerald Hüther zählt zu den bekanntesten Hirnforschern Deutschlands. Er ist Professor für Neurobiologie an der Universität Göttingen. Einem breiten Publikum ist Professor Hüther bekannt durch seine Sach- und Fachbücher zum Thema kindliche Entwicklung und Lernen. Darin fordert er ein Lernen, das die Begeisterung und Neugierde, die Kreativität und die Entdeckungslust von Kindern fördert.

Claudia Haase: Wie funktioniert Lernen aus der Sicht der Hirnforschung?
Gerald Hüther: Man kann Kinder durch Druck zwingen, sich bestimmtes Wissen anzueignen. Man kann ihnen auch Belohnungen versprechen, wenn sie besser lernen. So lernen sie aber nur, sich entweder dem Druck zu entziehen oder mit möglichst geringem Aufwand immer

größere Belohnungen zu bekommen. Beide Verfahren zerstören genau das, worauf es beim Lernen ankommt: eigene Entdeckerfreude und Gestaltungslust. Diesen Lernzugang über die Eigenmotivation, nach dem Motto „Erfahrung macht klug", suchen die Bildungseinrichtungen und die Eltern leider immer seltener. Kinder brauchen Zeit und Raum zum eigenen Entdecken und Gestalten. Das geschieht zum Beispiel beim Spielen. Deshalb ist Spielen allerhärteste Lernarbeit.

C. H.: Ist das eine neue Erkenntnis?
G. H.: Wie wenig das gegenwärtig in Wirklichkeit verstanden wird, erhärte ich gerne an einem anderen Beispiel: Singen wird auch gern als nutzloses und unwichtiges Fach angesehen und fällt im Unterricht mal schnell unter den Tisch. Aus der Sicht der Hirnforscher ist aber gerade Singen das beste Kraftfutter für Kindergehirne. In der Gemeinschaft muss man sich auf andere einstimmen, lernt also, sich auf andere Menschen einzustellen. Durch das Singen lernen Kinder, ihre Gefühle zum Ausdruck zu bringen. Eine Gesellschaft, die keinen Gesang mehr kennt, verliert somit auch die Kommunikationsform, in der sich die Menschen über ihre Gefühle verständigen.

C. H.: Was bedeutet das für die Schule? Müssen wir die neu erfinden?
G. H.: Unsere heute in die Kritik gekommene Schule ist ein logisches Produkt ihrer Entstehungszeit, dem Industrie- und Maschinenzeitalter. Da kam es in hohem Maße darauf an, dass man später fast so wie die Maschinen „funktionierte", seine Pflichten erfüllte und wenig Fragen stellte. Diese Art von Arbeit stirbt bei uns aber aus. Unsere Gesellschaft braucht dringend begeisterte Gestalter.

C. H.: Wie müsste ein Wunschpädagoge aus Ihrer Sicht sein?
G. H.: Das müsste jemand sein, der die Kinder und Jugendlichen mag. Der sie unterstützt und ihnen dabei hilft, ihre Potentiale zu entfalten. Wenig überraschend ist das fast identisch mit dem Zukunftsmodell, das auch für Manager wünschenswert wäre. Viele von uns hatten mehr oder weniger zufällig den einen oder anderen Lehrer mit dieser Begeisterung, eine solche souveräne Persönlichkeit. So jemand nimmt die Schüler ernst, ist voller Wertschätzung für sie. Da lernt man viel – ohne Druck und Dauerlob.

www  Mehr Informationen zu Gerald Hüther.

Sammelt Informationen über Persönlichkeiten aus dem In- und Ausland, die für das Thema „Lernen" interessant sind, und stellt sie in der Klasse vor. Ihr könnt dazu die Vorlage „Porträt" im Anhang verwenden.

Beispiele aus dem deutschsprachigen Bereich: Vince Ebert – einstein (SRF) – Johann Heinrich Pestalozzi – Wissen macht Ah! – Manfred Spitzer – Die Sendung mit der Maus – 100 Sekunden Wissen

1 Infinitiv mit und ohne *zu*

Infinitiv ohne *zu* nach:	**Infinitiv mit *zu* nach:**
1. Modalverben: *Er muss lernen.* 2. *werden* (Futur I): *Ich werde das Buch lesen.* 3. *bleiben*: *Wir bleiben im Bus sitzen.* 4. *lassen:* *Er lässt seine Tasche liegen.* 5. *hören:* *Sie hört ihn rufen.* 6. *sehen:* *Ich sehe das Auto losfahren.* 7. *gehen:* *Wir gehen baden.*	1. Nomen + Verb: *den Wunsch haben, die Möglichkeit haben, die Absicht haben, die Hoffnung haben, Lust haben, Zeit haben, Spaß machen …* → *Er hat den Wunsch, Medizin **zu** studieren.* 2. Verb: *anfangen, aufhören, beabsichtigen, beginnen, bitten, empfehlen, erlauben, sich freuen, gestatten, raten, verbieten, versuchen, vorhaben …* → *Wir haben vor, die Prüfung **zu** machen.* 3. *sein* + Adjektiv: *wichtig, notwendig, schlecht, gut, richtig, falsch …* → *Es ist wichtig, regelmäßig Sport **zu** treiben.*

Nach manchen Verben können Infinitive mit und ohne *zu* folgen:

lernen: *Johann lernt Auto fahren.* *Johann lernt, Auto **zu** fahren.*
helfen: *Ich helfe dir das Auto reparieren.* *Ich helfe dir, das Auto **zu** reparieren.*

2 Modalverben: Tempus und Bedeutung

Präsens: Simon kann nicht an der Prüfung teilnehmen. Er ist krank.
Präteritum: Simon konnte nicht an der Prüfung teilnehmen. Er war krank.
Perfekt: Simon hat nicht an der Prüfung teilnehmen können. Er war krank.

Die Modalverben bilden das Perfekt mit *haben* + Infinitiv + Infinitiv (Modalverb). Sie bilden kein Partizip. Wenn man über die Vergangenheit spricht, benutzt man die Modalverben aber meist im Präteritum.

Modalverb	**Bedeutung**	**Alternativen (immer mit *zu* + Infinitiv)**
dürfen	Erlaubnis	*es ist erlaubt, es ist gestattet, die Erlaubnis / das Recht haben*
nicht dürfen	Verbot	*es ist verboten, es ist nicht erlaubt, keine Erlaubnis haben*
können	a) Möglichkeit b) Fähigkeit	*die Möglichkeit/Gelegenheit haben, es ist möglich* *die Fähigkeit haben/besitzen, in der Lage sein, imstande sein*
möchten	Wunsch, Lust	*Lust haben, den Wunsch haben*
müssen	Notwendigkeit	*es ist notwendig, es ist erforderlich, gezwungen sein, verpflichtet sein*
sollen	Forderung	*den Auftrag / die Aufgabe haben, aufgefordert sein*
wollen	eigener Wille, Absicht	*die Absicht haben, beabsichtigen, vorhaben, planen*

Beispiele:
Wir dürfen in der Prüfung das Handy nicht dabei haben. – Es ist verboten, in der Prüfung das Handy dabei zu haben.
Man muss sich schriftlich anmelden. – Es ist erforderlich, sich schriftlich anzumelden.

Hochbegabte Kinder

1a Wann lernen Kinder was? Ordnet zu.

lesen schreiben sprechen laufen sitzen spielen ein Instrument spielen essen

0 · · · · · · · · 1 · · · · · · · · 2 · · · · · · · · 3 · · · · · · · · 4 · · · · · · · · 5 · · · · · · · · 6 · · · · · · · · 7 · · · · · · · · 8 Jahre

b Wie wirkt das Mädchen auf euch? Wählt drei Adjektive.

ernst professionell angestrengt locker fleißig
fröhlich begeistert angespannt entspannt
motiviert energisch lustig kritisch ehrgeizig

Lotta, 7 Jahre

1

2 Seht die erste Filmsequenz. Worum geht es?

2

3a Seht die zweite Filmsequenz. Macht Notizen zu den folgenden Fragen.

- Wie sind die Eltern auf Lottas Hochbegabung aufmerksam geworden?
- Wie haben die Eltern darauf reagiert? Wie haben sie sich gefühlt?
- Welche Folgen hat die Hochbegabung für Lotta?

b Überlegt: Welche weiteren Vor- oder Nachteile könnte Lotta durch ihre Hochbegabung haben?

4a Ergänzt die Ausdrücke zum Thema „lernen". Was bedeuten sie genau? Klärt – auch mithilfe des Wörterbuchs – die Bedeutung.

1. sich selbst etwas ___
2. Unterricht in etwas ___
3. ___ und etwas herausfinden
4. etwas auswendig ___

können beibringen probieren bekommen

b Welche Wörter und Ausdrücke stehen für „intelligent"? Welche bedeuten das Gegenteil? Macht eine Tabelle.

nicht auf den Kopf gefallen sein – schlau – dumm – klug – clever – dämlich – begabt – unbegabt – talentiert – gescheit – beschränkt – aufgeweckt – doof – eine lange Leitung haben – scharfsinnig – geistreich – blöd – schwachsinnig – wissbegierig

3

5a **Seht die dritte Filmsequenz. Welche Aussagen passen zu welcher Person?**

1. Ich übe nur noch Klavier, wenn Lotta nicht da ist.
2. Musik gehört zu meinem Leben.
3. Wir müssen Lotta ständig fördern, damit sie sich nicht langweilt.
4. Mir ist egal, wie alt meine Freunde sind.
5. Es ist manchmal nicht einfach, auf alle ihre Fragen eine Antwort zu geben.
6. Manchmal ärgert sie mich damit, dass sie so viel besser ist.

b **Sprecht in der Klasse. Wie geht die Familie mit Lottas besonderen Fähigkeiten um? Welche Probleme gibt es?**

6 **Wie stellt ihr euch Lottas Leben als Jugendliche und als junge Erwachsene vor? Wählt zu zweit oder in Gruppen einen Textanfang und schreibt ihn zu Ende.**

5. Mai
Gestern New York, heute Tokyo ... Ein Leben ohne meine Geige – das kann ich mir nicht vorstellen ...

Lokales ______ April 2025

Mit 15 Jahren schon an der Universität

München. Die jüngste Studentin

Liebe Paulina,
vielen Dank für deine E-Mail! Tut mir leid, dass ich erst jetzt antworte ... Aber du weißt ja, ich habe seit Kurzem einen neuen Job als ...

Schule und mehr

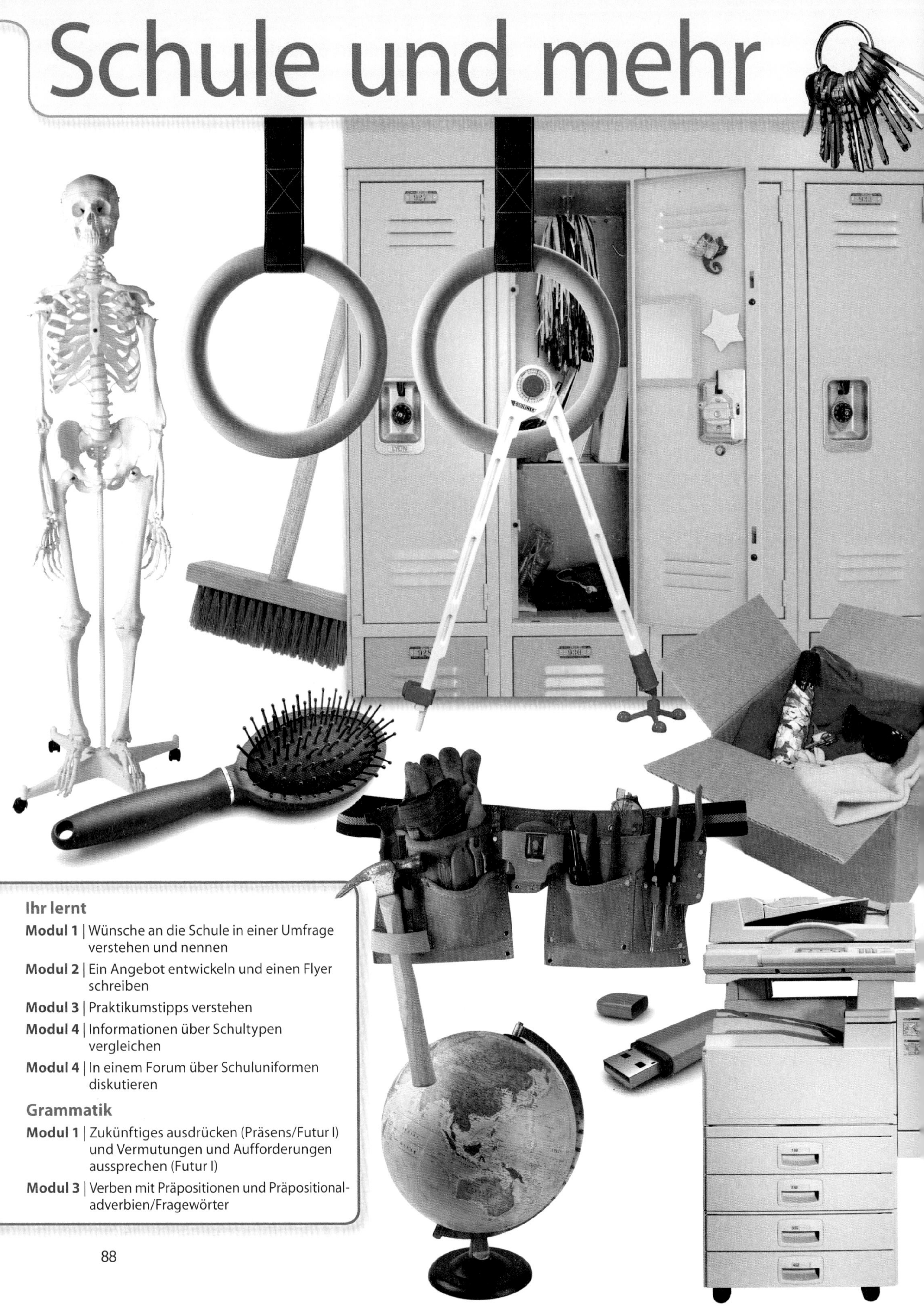

Ihr lernt

Modul 1 | Wünsche an die Schule in einer Umfrage verstehen und nennen

Modul 2 | Ein Angebot entwickeln und einen Flyer schreiben

Modul 3 | Praktikumstipps verstehen

Modul 4 | Informationen über Schultypen vergleichen

Modul 4 | In einem Forum über Schuluniformen diskutieren

Grammatik

Modul 1 | Zukünftiges ausdrücken (Präsens/Futur I) und Vermutungen und Aufforderungen aussprechen (Futur I)

Modul 3 | Verben mit Präpositionen und Präpositionaladverbien/Fragewörter

▶ ÜB Wortschatz

1a Arbeitet zu zweit. Jede/r wählt fünf Dinge. Was ist das? Wer braucht die Dinge wann und wozu?

2.2 **b** Hört das Rätsel. Wer spricht und welche Dinge von den Fotos werden genannt?

c Sortiert alle Dinge nach Personen (Lehrer, Schüler …), Orten (Klassenzimmer, Lehrerzimmer …) oder Funktionen. Ergänzt dann weitere Begriffe.

d Wählt mindestens fünf Dinge aus 1c und schreibt dazu eine kurze Geschichte oder einen Dialog.

Turnschuh – Schlüssel – Fahrradständer – schwarzes Brett
Ich war gerade dabei, einen Platz für mein Fahrrad zu suchen. Wie jeden Morgen war der Fahrradständer mal wieder hoffnungslos überfüllt. …

Wünsche an die Schule

1a Was wünscht ihr euch in Zukunft von eurer Schule? Wählt drei Themen aus der Collage und notiert je einen Wunsch dazu.

Thema „Hilfe": Ich wünsche mir, dass ich von den anderen …

b Arbeitet in Gruppen. Vergleicht eure Wünsche und wählt die fünf wichtigsten aus.

c Stellt eure Wünsche in der Klasse vor. Was sind die häufigsten, was sind die ungewöhnlichsten Wünsche?

2.3-6

2a Hört eine Straßenumfrage. Was wünschen sich die vier Personen von der Schule? Macht Notizen: Wer? Welcher Wunsch? Warum?

Denis Krug

Mark Baseler

Ramona Weber

Jaqueline Wasmuth

▶ Ü 1

b Welche neuen Wünsche haben die Personen im Vergleich zu euren Wünschen aus 1c genannt?

2.7

3a Über die Zukunft sprechen. Hört noch einmal, was Denis Krug sagt. Ergänzt die Regel und notiert je ein Beispiel.

Zukünftiges ausdrücken G

Präsens	oft mit Zeitangabe (z. B. *morgen, bald, in zwei Jahren*)
Beispiel:	▒
Futur I	▒ + Infinitiv
Beispiel:	▒

b Am Wochenende, in drei Wochen, im Sommer …? Was werdet ihr machen? Formuliert fünf Aussagen und verwendet das Futur I. ▶ Ü 2

4a Weitere Funktionen des Futur I: Lest die Regel und ordnet die Sätze zu.

Gegenwärtiges ausdrücken mit Futur I

Mit dem Futur I kann man auch über die Gegenwart sprechen. Man kann damit ausdrücken:

A eine Vermutung: *Timo wird bei Jan sein. Sie sind verabredet.*

B eine Aufforderung: *Du wirst erst deine Hausaufgaben machen. Danach kannst du rausgehen.*

1. ● Weißt du, wo Marco ist? ○ Ach, er wird schon zu Hause sein.
2. ● Ihr werdet jetzt sofort euren Müll wegräumen. ○ Okay, machen wir.
3. ● Du wirst dich sofort entschuldigen! ○ Niemals!
4. ● Niklas und Raffael werden wahrscheinlich beim Direktor sitzen. ○ Oh, oh, schon wieder?
5. ● Was macht denn Valerie? ○ Sie wird wohl gerade auf den Englischtest lernen.
6. ● Wo findet der Kunstkurs statt? ○ Frau Müller wird schon in Raum 28 auf uns warten.
7. ● Ihr werdet jetzt die Wörterbücher einpacken. ○ Oh nein, Vokabeltest! ▶ Ü 3

1A, 2 …

b Arbeitet zu zweit. Stellt jeweils fünf Fragen und antwortet mit Vermutungen.

Was macht deine Mutter gerade?

Sie wird wohl bei der Arbeit sein.

5a Arbeitet in Gruppen. Einigt euch auf einen Wunsch, der in eurer Schule in Zukunft umgesetzt werden soll. Erstellt einen Plan, wer was dafür tun kann.

Gruppe Nora, Lara, Mike
Wunsch: Klassenräume neu gestalten

	Schüler/innen	Schule	Eltern
Schritt 1	Ideensammlung	prüft Ideen: machbar? (Versicherung, Technik, …)	werden über Aktion informiert: Flyer? Homepage?
Schritt 2	Liste mit Material, Kosten, Zeit	prüft Finanzen, prüft Unterstützung	prüfen, was gespendet werden kann, wie unterstützt werden kann
Schritt 3			

b Stellt jetzt euren Plan in der Klasse vor. Welcher Plan hat die besten Chancen? Warum?

Unser Wunsch ist … Als ersten Schritt werden wir …, dann …

6 Recherchiert nach interessanten Projekten im deutschsprachigen Raum, die die Schule verändern und neue Angebote schaffen. Fasst euer Projekt in einem Artikel für eine Wandzeitung zusammen.

Ideen gesucht

1a Spart ihr euer Taschengeld oder gebt ihr es gleich aus? Wofür?

b Kennt ihr Schüler/innen, die schon Geld verdienen? Was machen sie? Erzählt.

Mein Nachbar ist 16 Jahre alt. Er gibt seit zwei Jahren Nachhilfe in Mathe. Das macht er zweimal pro Woche und verdient so …

2a Arbeitet zu dritt. Jede/r liest eine Anzeige und das Kurzporträt dazu. Welchen Service bieten die Schüler/innen an? Wie kamen sie zu ihrer Idee? Berichtet.

Wir machen Ihren Film!
Wir filmen für Sie – nach Ihren Wünschen

Ihr Verein braucht einen ansprechenden Image-Film?
Ihre Familie möchte auf Omas Geburtstag etwas Besonderes bieten?
Alle möchten eine schöne Erinnerung an die Abi-Feier?
Der Auftritt der Theatergruppe soll unvergesslich bleiben?

Wir machen schöne, lustige, professionelle und bezahlbare Filme für Sie!
Schnell anrufen und einen Termin für ein Vorgespräch vereinbaren!

Mobil: 0133–300 20 103 (Luca Mosner) oder
0197–803 121 90 (Daniel Schmidt)

Kosten je nach Aufwand

Luca Mosner und **Daniel Schmidt** haben in ihrer Freizeit schon länger gern mit ihren Handys Filme gemacht. Als sie letztes Jahr die Film-AG ihrer Schule besuchten, lernten sie außerdem, Perspektiven zu wechseln, auf das Licht zu achten und Filme zu schneiden. Da ihre Produktionen im Internet so gut ankommen, haben sie sich überlegt, auch für andere Filme zu machen.

Jung für Alt

Sie brauchen Hilfe beim Einkaufen?
Sie können nicht mehr gut sehen?
Die Gartenarbeit ist Ihnen zu schwer geworden?
Sie verstehen nicht, wie Ihr Handy funktioniert?

Unser Service „Jung für Alt" hilft!

Wir sind Schüler zwischen 14 und 17 Jahren und helfen Ihnen im Alltag:

- Wir kaufen für Sie ein.
- Wir erledigen Botengänge.
- Wir helfen bei der Gartenarbeit.
- Wir gehen mit Ihrem Hund spazieren.
- Wir lesen Ihnen vor.
- Wir erklären Ihnen Computer, Tablet und Handy.

freundlich – kompetent – individuell – persönlich – preiswert

Kosten: 7 Euro pro Stunde
Kontakt und Informationen: 0178–45020423 oder info@jungfueralt.de

Die alte Nachbarin von **Mia Kleinert** brauchte Hilfe. Also ging Mia einmal pro Woche für sie einkaufen oder zur Post. Als sie hörte, dass auch die Bekannten der Seniorin Hilfe brauchen könnten, kam sie auf die Idee, einen Hilfsservice von Schülern für Senioren zu gründen. Beide Seiten profitieren: Die Senioren bekommen Unterstützung und die Schüler verdienen sich etwas Taschengeld dazu. Mittlerweile sind neun Schüler an dem Projekt beteiligt.

Fahrrad-Alarm
Altes Rad wie neu!

Der Sommer ist da und euer Fahrrad läuft nicht?
Das Fahrrad braucht einen neuen Lack?
Alles kein Problem!

Euer Rad soll irgendwie cooler aussehen?

Ihr nennt mir eure Wünsche und ich repariere, lackiere und tune euer Fahrrad!

Nutzt meinen zuverlässigen, praktischen und günstigen Service!

Rico Schröder
Fahrrad-Alarm
0221-113779086
www.fahrrad-alarm.de

Rico Schröder ist handwerklich geschickt und bastelte am Nachmittag gern an den Fahrrädern seiner Familie. Sein Talent sprach sich auch in der Schule herum und immer wieder baten Mitschüler Rico um Hilfe, wenn ihr Rad mal wieder kaputt war. Jetzt können auch andere Menschen von Ricos Talent profitieren.

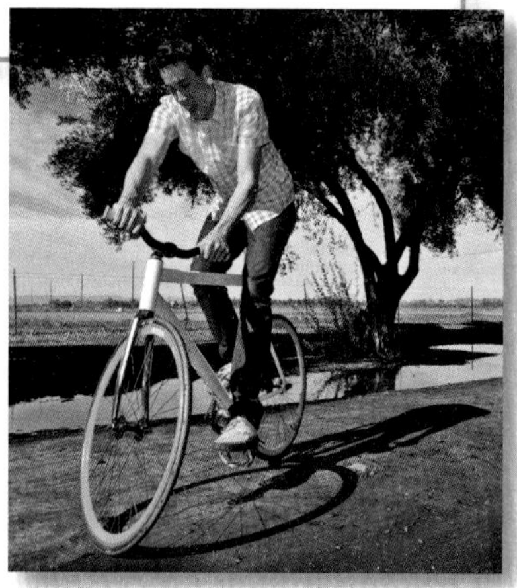

b Welche Geschäftsidee wird eurer Meinung nach den größten Erfolg haben? Warum?

c Welche Adjektive verwenden die Schüler/innen in den Anzeigen, um für ihren Service zu werben? Sammelt und ergänzt weitere.

ansprechend … ▶ Ü 1–2

3a Bildet Gruppen. Welche Fähigkeiten und Talente gibt es in eurer Gruppe?

Cem kann super organisieren.

Du spielst doch so toll Klavier.

Ich bin gut in Englisch!

b Welchen Service oder welches Produkt könnte eure Gruppe anbieten?

Für wen? Für welche Situation?	Was?
Leute, die Hilfe bei den Hausaufgaben brauchen	*Nachhilfe: 3 x pro Woche nach dem Unterricht, verschiedene Fächer*

c Klärt die folgenden Fragen.

1. Wie nennt ihr euren Service / euer Produkt?
2. Was genau bietet ihr an?
3. Was kostet euer Service / euer Produkt?
4. Wie kann man euch erreichen?

d Gestaltet einen Flyer für euer Angebot. Verwendet auch die Adjektive aus 2c.

e Hängt alle Flyer in der Klasse auf. Welches Angebot würdet ihr nutzen oder jemandem empfehlen? ▶ Ü 3

Darauf kommt's an im Praktikum

1 **Habt ihr schon mal ein Praktikum gemacht? Was hat euch dabei (nicht) gefallen? Wo oder in welchem Beruf würdet ihr gern ein Praktikum machen? Erzählt.**

2a **Lest die Praktikumstipps auf der Webseite eines Jugendmagazins. In welcher Reihenfolge werden die Themen angesprochen?**

A Praktikumsbericht
B Kleidung
C ein Praktikum finden
D Engagement
E Pünktlichkeit
F Umgang mit Mitarbeitern

Schnuppern in die Berufswelt

Wie fast alle freust du dich sicher darauf, zwischen der 9. und 11. Klasse ein Praktikum zu machen und so dem Schulalltag für ein bis drei Wochen zu entfliehen. Dabei kannst du erste Eindrücke von der Arbeitswelt sammeln.

Aber als Erstes musst du einen geeigneten Praktikumsplatz finden. Überlege dir zuerst, für welche Branchen und Berufe du dich besonders interessierst und welche passenden Firmen in deiner Nähe sind. Frag ältere Geschwister, Freunde und Bekannte nach einem guten Tipp und such im Internet nach Praktikumsplätzen. Auch Berichte von anderen Schülern über ihr Praktikum, z. B. im Internet, können dir dabei helfen, eine geeignete Stelle zu finden. Hab keine Angst davor, bei Unternehmen anzurufen. Viele Firmen nehmen gerne Praktikanten auf. Auf jeden Fall solltest du dich selbst darum kümmern und nicht alles deine Eltern machen lassen. Das ist ein gutes Training für später.

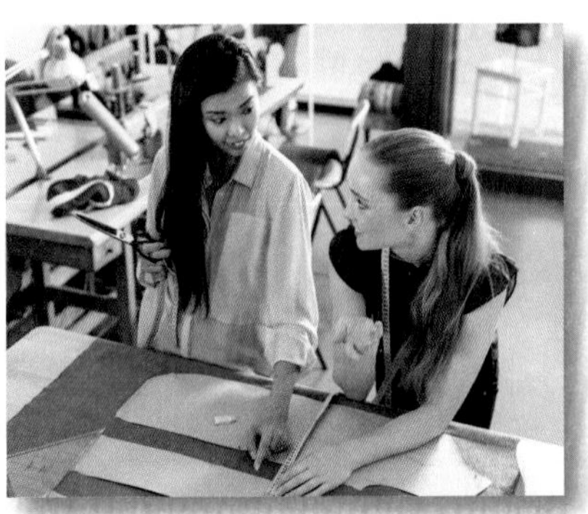

Wenn du dann mit deinem Praktikum begonnen hast, solltest du an einige Dinge denken: Es macht zum Beispiel gar keinen guten Eindruck, wenn du zu spät zur Arbeit kommst. Deshalb stell dir am besten einen zweiten Wecker und plane etwas mehr Zeit für den Weg ein. Achte außerdem auf angemessene Kleidung. In die Bank kannst du nicht in Jogginghose und T-Shirt kommen und in der Werbeagentur ist ein Anzug nicht angebracht. Das Vorstellungsgespräch ist eine gute Gelegenheit, sich unauffällig umzusehen, was die anderen Mitarbeiter so tragen. Daran kannst du dich dann orientieren.

In vielen Betrieben ist es üblich, dass die Kollegen sich untereinander duzen. Du solltest trotzdem darauf warten, bis dir das Du angeboten wird, und vorerst alle Kollegen siezen. Verhalte dich insgesamt möglichst neutral und beteilige dich nicht an Gesprächen, in denen über andere Mitarbeiter oder Vorgesetzte schlecht gesprochen wird.

Sei aktiv und verwechsle dein Praktikum nicht mit einem Urlaub! Wenn du nur rumsitzt und wartest, bis dir jemand eine Aufgabe gibt, wartest du wahrscheinlich lange. Zeig, dass du motiviert bist, und biete deine Hilfe an. So lernst du auch die Kollegen besser kennen und bekommst immer interessantere Aufgaben. Natürlich darfst du interne Informationen aus der Firma nicht ausplaudern – auch nicht, wenn das Praktikum vorbei ist.

In vielen Schulen ist es außerdem üblich, einen Bericht über das Praktikum zu schreiben. Mach dir am besten bereits während deiner Praktikumszeit Notizen über deine Aufgaben, Erlebnisse und Erfahrungen. Dann kannst du deinen Bericht später problemlos schreiben.

Jetzt kann eigentlich nichts mehr schiefgehen! Genieße die Abwechslung vom Schulalltag und nutze die Chance, neue Erfahrungen zu sammeln.

b **Arbeitet zu zweit. Jede/r wählt drei Themen aus 2a und notiert die wichtigsten Informationen aus dem Text. Informiert euch dann gegenseitig.**

▶ Ü 1

3a **Arbeitet zu zweit. Notiert die Verben mit Präpositionen aus dem Text. Nennt abwechselnd ein Verb, der/die andere ergänzt eine passende Präposition.**

sich freuen …?

… auf!

b **Einige Verben haben mehr als eine Präposition. Verbindet die beiden Beispielsätze. Schreibt dann mit zwei weiteren Verben ähnliche Sätze.**

G

Verben mit Präpositionen

1. *sprechen* + *mit* + Dativ — *Ich spreche mit meinem Lehrer.*
2. *sprechen* + *über* + Akkusativ — *Ich spreche über das Praktikum.*
3. *sprechen* + *mit* + Dativ + *über* + Akkusativ — ___

Ebenso:	*sich informieren bei + über*	*sich bewerben bei + als*	*diskutieren mit + über*
	sich entschuldigen bei + für	*sich erkundigen bei + nach*	*sich beschweren bei + über*

▶ Ü 2–3

4a **Präpositionen mit *wo(r)…/da(r)…* oder Präposition mit Pronomen? Wann verwendet man was? Vergleicht die Dialoge und ergänzt die Regel.**

A
- ○ Dein Praktikum letztes Schuljahr war toll, oder?
- ● Ja. Ich erinnere mich echt gern *daran*.
- ○ *Woran* denn genau?
- ● *An* die spannenden Aufgaben.
- ○ Und *woran* noch?
- ● Auch *daran*, dass ich so viel Neues gelernt habe.

B
- ○ Und *auf wen* wartest du?
- ● *Auf* Felix.
- ○ Ach, der kommt bestimmt gleich.
- ● Ich warte auch erst fünf Minuten *auf ihn*.
- ○ Ah, da kommt er ja.

Präpositionaladverbien und Fragewörter

wo(r)… und *da(r)…* verwendet man bei ___ und ___.
da(r)… steht auch vor Nebensätzen (*dass*-Satz, Infinitiv mit *zu*, indirekter Fragesatz).
Präposition und Pronomen/Fragewort verwendet man bei ___.

Sachen
Personen
Ereignissen

▶ Ü 4–5

b **Wählt fünf Verben mit Präpositionen und notiert je eine Frage damit. Geht durch das Klassenzimmer und stellt eure Fragen.**

sich interessieren für	sich ärgern über	sich freuen auf/über	nachdenken über	sprechen mit/über
sich streiten mit/über	sich wundern über	träumen von	sich treffen mit	sich unterhalten mit/über
sich verabreden mit	telefonieren mit	denken an	lachen über	sich erinnern an

Interessierst du dich für Literatur?
Nein, dafür interessiere ich mich nicht, aber für Filme.
Worüber sprichst du oft mit deinen Freunden?
Ich spreche mit ihnen oft über …

▶ Ü 6–7

Alles Schule

1 Was fällt euch zum Thema „Schule" in eurem Land ein? Sammelt in der Klasse.

- Schultypen
- Schüler
- Abschlüsse
- Besonderheiten

SPRACHE IM ALLTAG

Rund um die Schule

die Schulbank drücken
die Schule schwänzen
von der Schule fliegen
von der Schule abgehen
Schule machen
durch eine harte Schule gehen

▶ Ü 1

2a Lest die beiden Texte aus der Presse und die Aufgaben dazu. Wählt bei jeder Aufgabe die richtige Lösung: a, b oder c.

Ab ins Internat?

Beim Stichwort „Internat" denken viele sofort an reiche Eliteschüler, die die bestmögliche Ausbildung bekommen. Aber stimmt das? Was genau ist eigentlich ein Internat?

Zunächst einmal ist der Begriff „Internat" ein Sammelbegriff für verschiedene Schultypen (z. B. Hauptschule oder Gymnasium), die ihren Schülern – teilweise bereits ab dem Grundschulalter – nicht nur Bildung, sondern auch betreute Unterkunft und Verpflegung anbieten. Das bedeutet, die Schülerinnen und Schüler wohnen im Internat, gehen dort zur Schule und verbringen den Großteil ihrer Zeit dort. An den Wochenenden und in den Ferien fahren die meisten nach Hause zu ihren Eltern. Diese Betreuung kostet natürlich auch einiges. Aber es gibt durchaus günstige und gute staatliche Internate oder auch Stipendien und in manchen Fällen übernimmt das Jugendamt die Kosten.

Und der Unterricht selbst? Sieht der im Internat anders aus als an einer entsprechenden Regelschule? Meistens ja, denn statt häufig mehr als 30 Schülern lernen hier nur ca. 15 Schüler in einer Klasse, was einen viel individualisierteren Unterricht ermöglicht. Auch der Kontakt der Schüler untereinander und zwischen Unterrichtenden und Schülern ist intensiver. Gibt es sonst noch deutliche Unterschiede zur „normalen" Schule? Im Internat ist der Tagesablauf geregelter und die Schüler haben weniger Freiheiten, was sich allein aus der Tatsache ergibt, dass jedes Internat eine viel umfassendere Aufsichtspflicht durch die Lehrkräfte und das Betreuungspersonal hat.

1. In dem Text geht es um …
   a die Erfahrungen von Schülern im Internat.
   b Unterschiede zwischen Internaten und Gymnasien.
   c das Leben und den Unterricht im Internat.
2. Internate …
   a sind nur für Schüler reicher Eltern geeignet.
   b gibt es für verschiedene Schultypen.
   c betreuen die Schüler nicht an den Wochenenden.
3. Die Schüler im Internat …
   a können vieles spontan und flexibel entscheiden.
   b kennen ihre Mitschüler und Lehrer oft sehr gut.
   c müssen auf ihre Mitschüler aufpassen.

Demokratische Schule

Greta ist 14 Jahre alt und Schülerin der demokratischen Schule in Leipzig. An einer Regelschule wäre sie jetzt in der 8. Klasse, aber an ihrer Schule gibt es keine Klassen. Es gibt nur eine Einteilung in klein, mittel, groß, Lehrer oder Schüler.

Das Prinzip der Schule unterscheidet sich deutlich von dem einer normalen Schule: Es gibt keine Stundenpläne (nur für die Lehrer), denn die Schüler entscheiden selbst, welche Projekte und Kurse sie wann besuchen. Auch die Unterrichtszeiten sind variabel: Ein Thema muss nicht 45 Minuten lang behandelt werden; oft reicht eine Viertelstunde oder ein Projekt erstreckt sich über mehrere Wochen. Was die Schüler lernen, entscheiden sie völlig frei nach ihren Interessen und es gibt keine Pflichtfächer.

Das Grundprinzip der Schule basiert auf dem Vertrauen, dass Schüler lernen wollen und dies auch tun, wenn sie sich aussuchen können, was sie interessiert. Die Lehrer müssen sich also anstrengen und interessante Themen anbieten. Ob und wie das Ganze auf lange Sicht funktioniert, ist noch unklar, denn die wenigen demokratischen Schulen in Deutschland sind noch recht jung. Wenn die Schüler einen offiziell anerkannten Schulabschluss ablegen möchten, müssen sie die üblichen staatlichen Prüfungen ablegen und dazu an den Prüfungen der Regelschule teilnehmen.

4. In dem Text geht es um …
   - a ein Schülerprojekt für freies Lernen.
   - b eine Schule ohne feste Klasseneinteilungen.
   - c Vorteile des freien Lernens.
5. Die Schüler …
   - a wählen zwischen verschiedenen Stundenplänen.
   - b müssen bestimmte Fächer belegen.
   - c bestimmen selbst, welchen Stoff sie lernen.
6. Am Ende der Schulzeit …
   - a erhalten die Schüler einen normalen Schulabschluss.
   - b können die Schüler an einer anderen Schule eine Prüfung absolvieren.
   - c wissen die meisten Schüler nicht, wie es weitergeht.

b Lest die Informationen von Schweizer Schülern über ihre Schule. Was ist das Besondere an dieser Schule?

Hallo, das ist unsere Schule!

An der Kunst- und Sportschule Zürich (K&S Zürich) hat jeder ein grosses Ziel: Profisportler/in, Primaballerina oder Berufsmusiker/in. Wir geben hier alles, um unsere Berufsträume zu verwirklichen.

Die K&S Zürich ist auf 12- bis 16-jährige Schüler/innen spezialisiert, die bereits während der Schulzeit im sportlichen oder künstlerischen Bereich sehr aktiv sind und Berufssportler oder -musiker werden möchten. Weil wir alle ähnliche Ziele haben, sind wir ein bisschen wie eine grosse Familie. Unsere Lehrer duzen wir alle.

Was ist an unserer Schule anders als an anderen Schulen? Bei uns hat man mehr Zeit, um zu trainieren und weniger Unterricht als an normalen Schulen. Das gefällt uns nicht nur gut, sondern ist für uns auch einfach wichtig, um z. B. an Turnieren, Wettkämpfen oder Auftritten teilnehmen zu können. Wir müssen natürlich trotzdem regelmässig zur Schule gehen, aber es ist viel leichter, sich für eine Sportveranstaltung oder ein Konzert vom Unterricht befreien zu lassen.

Damit das möglich ist, hat unsere Schule ein besonderes Konzept: Wir haben gemischte Klassen, das heisst, Erst-, Zweit- und Drittklässler sind alle zusammen in einer Klasse. Je nach Niveau entscheidet jeder selbst, was er lernt und welcher Stoff wichtig ist. Man stellt selbst seinen eigenen Lernplan zusammen. Dadurch lernen wir sehr schnell, unser eigenes Lerntempo einzuschätzen. Auch mit Lerntechniken kennen wir uns dank des selbstständigen Arbeitens sehr gut aus. Wenn wir Hilfe brauchen, sind die Lehrer natürlich immer für uns da. Das Tolle an diesem Konzept ist, dass jeder in seinem eigenen Tempo arbeiten kann, und wer einmal länger nicht zur Schule kommen kann, hat nicht das Problem, im Stoff nicht mehr mitzukommen.

Natürlich haben wir auch feste Arbeitsaufträge, die wir pünktlich abgeben müssen, und Lernkontrollen, deren Termin man aber selbst festlegen kann. Noten bekommen wir auch nicht, sondern nur eine Beurteilung nach „gut", „sehr gut" oder „nicht erfüllt".

Wir müssen sehr diszipliniert und motiviert sein, damit wir das selbstständige Arbeiten auch schaffen, aber da wir für unseren Sport oder unsere Kunst leben, ist das meistens kein Problem.

c Arbeitet in Gruppen. Schreibt Fragen zu den drei Texten, tauscht dann mit einer anderen Gruppe und beantwortet deren Fragen.

d Überlegt gemeinsam Vor- und Nachteile zur jeder Schule. Welche findet ihr am interessantesten? ▶ Ü 2

Alles Schule

2.8

3a Hört den Beginn des Interviews mit Meike. Was hat sie gemacht, wo war sie und worüber hat sie sich besonders gewundert?

2.9

b Hört nun den zweiten Teil des Interviews. Welche Argumente werden für und welche gegen Schuluniformen genannt? Macht Notizen.

STRATEGIE

Beim Hören Notizen machen

Notiert nur die wichtigsten Informationen und lasst Platz für Ergänzungen nach dem Hören.
Verwendet Abkürzungen („+“ für *und*, „/“ für *oder*, „→“ für Konsequenzen).
Lasst Pronomen weg. Notiert Nomen ohne Artikel und Verben im Infinitiv. Das spart Zeit.

pro	contra
	Stil ausdrücken → nicht möglich

c Sammelt in Gruppen weitere Argumente für und gegen Schuluniformen und ergänzt Beispiele und eigene Erfahrungen.

d Lest die Frage im Forum und scheibt einen eigenen Beitrag. Begründet, ob ihr für oder gegen den „Schuluniform-Versuch“ seid, und nennt mindestens drei Argumente.

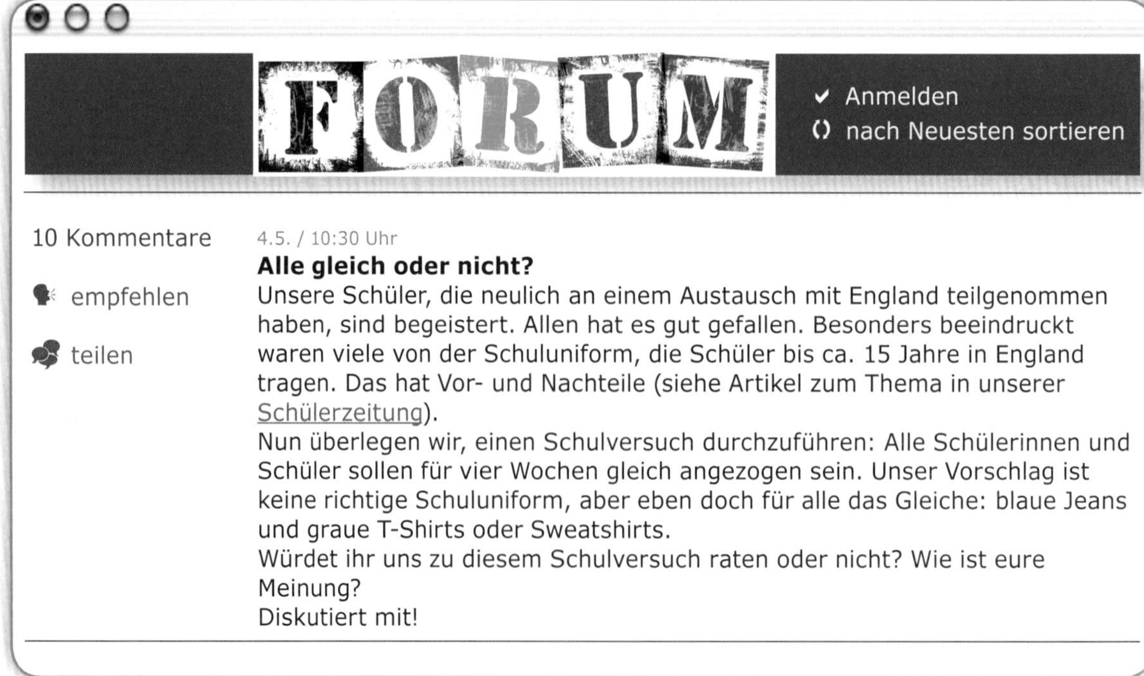

FORUM

✔ Anmelden
() nach Neuesten sortieren

10 Kommentare
empfehlen
teilen

4.5. / 10:30 Uhr

Alle gleich oder nicht?

Unsere Schüler, die neulich an einem Austausch mit England teilgenommen haben, sind begeistert. Allen hat es gut gefallen. Besonders beeindruckt waren viele von der Schuluniform, die Schüler bis ca. 15 Jahre in England tragen. Das hat Vor- und Nachteile (siehe Artikel zum Thema in unserer Schülerzeitung).
Nun überlegen wir, einen Schulversuch durchzuführen: Alle Schülerinnen und Schüler sollen für vier Wochen gleich angezogen sein. Unser Vorschlag ist keine richtige Schuluniform, aber eben doch für alle das Gleiche: blaue Jeans und graue T-Shirts oder Sweatshirts.
Würdet ihr uns zu diesem Schulversuch raten oder nicht? Wie ist eure Meinung?
Diskutiert mit!

4 Rollenspiel: Arbeitet zu zweit und wählt eine Situation. Spielt euer Gespräch in der Klasse vor. ▶ Ü 3

Miriam
Du bist sehr sportlich und willst Basketballspielerin werden. Du möchtest gerne auf das Sportgymnasium in deiner Stadt gehen. An deiner jetzigen Schule hat niemand Verständnis für dein großes Sportinteresse und deine Noten sind schlecht.

Dominik
Deine Tochter liebt Sport. Eigentlich findest du das gut, aber du denkst, sie sollte auch andere Interessen haben. Sport ist gut in der Freizeit, aber bei der Berufswahl sollte man darauf achten, dass man die Arbeit auch mit 40 Jahren noch ausüben kann.

Ich habe eine tolle Schule für mich gefunden, die … Das ist genau das Richtige, weil … Ich würde bestimmt besser lernen, denn …	Ich finde es gut, dass du so sportlich bist, aber … Denk doch bitte mal darüber nach, was du in 30 Jahren … Meinst du nicht, dass …?

Leon
Du sollst mit Marcel ein Referat zum Thema „Demokratische Schulen" vorbereiten. Du hast schon viele Informationen, Fotos und Grafiken recherchiert, aber Marcel hat noch gar nichts gemacht. Du findest, Marcel sollte wenigstens die Präsentation vorbereiten.

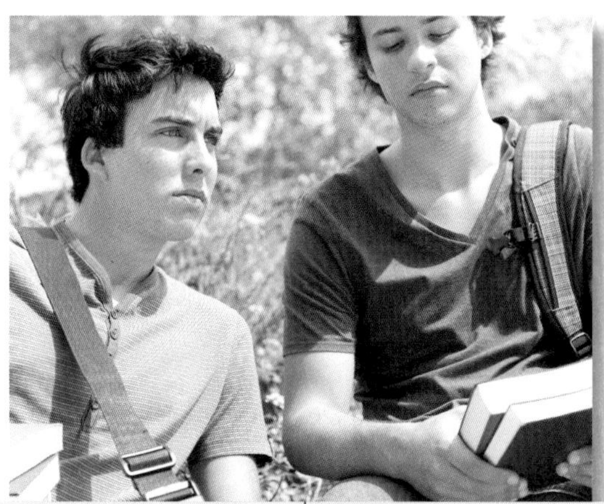

Marcel
Du sollst mit Leon ein Referat vorbereiten. Aber du spielst Fußball, hast ständig Turniere und zweimal pro Woche Training. Außerdem bekommst du noch Mathe-Nachhilfe. Du hast also wenig Zeit. Dazu kommt, dass dich das Referatthema überhaupt nicht interessiert …

Für unser Referat habe ich schon … Ich habe das Gefühl, dass du … Ich finde, du kannst jetzt auch mal …	Ich habe leider fast gar keine Zeit, weil … Könntest du nicht …? Wie wäre es, wenn wir …?

Selina
Du bist in der AG Schülerzeitung und möchtest ein Schul-Projekt starten: Freiwillige Klassen sollen vier Wochen lang eine Schuluniform tragen und dann über ihre Erfahrungen berichten. Du bist für Schuluniformen, weil dich der Wettstreit um die Mode nervt.

Laurin
Du bist auch in der AG Schülerzeitung und hältst überhaupt nichts von Schuluniformen. Deswegen möchtest du die Projektidee von Selina unbedingt verhindern. Du findest, jeder sollte die Freiheit haben, das anzuziehen, was er will.

Ich finde es toll, wenn alle … Es ist doch viel gerechter, wenn … Wir können es doch wenigstens versuchen, dann …	Ich bin auf keinen Fall dafür, dass … Wenn wir … machen, wird … Ich finde, dass jeder …

▶ Ü 4

Wettbewerbe für Schüler

www. Jugend gründet .de

Colorgy, die Gewinner des Wettbewerbs 2016

„Jugend gründet" ist der bundesweite Online-Wettbewerb für Schülerinnen, Schüler und Auszubildende zum Thema „Ökonomie". Der Wettbewerb wird vom Bundesministerium für Bildung und Forschung (BMBF) gefördert und läuft in zwei Phasen ab. In der ersten Phase müssen die Teilnehmer für eine innovative Geschäftsidee einen Businessplan schreiben. Dieser Plan muss bis zu einer bestimmten Frist auf der Homepage von „Jugend gründet" gespeichert sein.
Die zweite Wettbewerbsphase beginnt mit einem Unternehmensplanspiel. Mit einem Team kann man sein virtuelles Unternehmen zum wirtschaftlichen Erfolg führen. Allerdings muss es dabei die Höhen und Tiefen einer vorgegebenen Konjunktur durchlaufen. Die besten Teams aus beiden Phasen werden zum Bundesfinale eingeladen. Dort wird das Siegerteam ermittelt, auf das eine spannende, geführte Rundreise durch das Silicon Valley in den USA wartet.

Zu den größten bundesweiten Schulwettbewerben gehört der **Vorlesewettbewerb** des Deutschen Buchhandels. Ungefähr 600.000 Schüler aus den sechsten Schulklassen nehmen jährlich daran teil. Die Schulen wählen zuerst den Schulsieger und melden ihn zum Wettbewerb an. Dort stellt er sein Lieblingsbuch vor und liest daraus eine kurze Passage vor. Der Bundessieger erhält eine Medaille, einen Bücherscheck über 50 € und wird zum nächsten Finale in die Jury eingeladen. Für seine Schule gewinnt er einen Wanderpokal, den Besuch eines Autors und ein umfangreiches Buchpaket für die Schulbibliothek.

Seit 1953 findet der **Europäische Wettbewerb** statt, der somit der älteste Schülerwettbewerb in Deutschland ist. Jährlich nehmen daran rund 80.000 Teilnehmer aus über 1.000 Schulen bundesweit teil. Anders als bei anderen Wettbewerben können sich bei diesem Wettbewerb Schüler von der ersten Klasse bis zum Abitur beteiligen. Die Aufgabe ist, einen kreativen Beitrag zu einem aktuellen europäischen Thema einzureichen. Das können Bilder, Fotos, Collagen, Bücher, Texte, Essays, Reden, Videoclips, Interviews, Comics, Musikstücke oder Onlinebeiträge sein – der Fantasie sind keine Grenzen gesetzt.

Andrea Falkner (13 Jahre), Gymnasium Untergriesbach, Bayern

Die eingereichten Beiträge werden zuerst innerhalb jedes Bundeslandes bewertet. Die besten Arbeiten werden der Deutschlandjury vorgelegt, die ca. 600 Preise vergibt, darunter Geld- und Sachpreise, aber auch spannende Besuchsprogramme nach Berlin, Brüssel oder Straßburg.

www  Mehr Informationen zu Schülerwettbewerben.

Sammelt Informationen über Wettbewerbe und Institutionen aus dem In- und Ausland, die für das Thema „Schule und Schülerjobs" interessant sind, und stellt sie in der Klasse vor. Ihr könnt dazu die Vorlage „Porträt" im Anhang verwenden.

Beispiele aus dem deutschsprachigen Bereich: Bundeswettbewerb Fremdsprachen – Jugend forscht – DIXI Kinderliteraturpreis – Sprach- und Kulturwettbewerb – Lernfilm Festival – Creativa Wettbewerb – Agentur für Arbeit – Schülerpraktikum.de – Talente-Praktika – Ferienjob.ch

1 Zukünftiges ausdrücken

Zukünftiges kann man mit zwei Tempusformen ausdrücken.

Präsens (oft mit Zeitangabe)	*Ich **habe** nächste Woche viel Stress.*
Futur I (*werden* + Infinitiv)	*Ich **werde** (nächste Woche) viel Stress **haben**.*

Das Futur I wird auch oft verwendet, um Vermutungen oder Aufforderungen auszudrücken.
*Hast du Marco gesehen? – Ach, er **wird** schon zu Hause **sein**.* Vermutung
*Ihr **werdet** sofort euren Müll **wegräumen**.* Aufforderung

Aufforderungen im Futur I sind sehr direkt und können unhöflich wirken.

2 Verben mit Präpositionen

Viele Verben stehen mit einer oder mehreren Präpositionen. Bei Verben mit Präpositionen bestimmt die Präposition den Kasus der Ergänzungen.

Bei Verben mit mehreren Präpositionen steht die Präposition mit Dativergänzung (Person/Institution) vor der Präposition mit Akkusativergänzung (Sache).

*sprechen **mit*** + Dativ	*Ich spreche **mit** dem Lehrer.*
*sprechen **über*** + Akkusativ	*Ich spreche **über** das Praktikum.*
*sprechen **mit*** + Dativ ***über*** + Akkusativ	*Ich spreche **mit** dem Lehrer **über** das Praktikum.*

Eine Übersicht über Verben mit Präpositionen findet ihr im Anhang des Übungsbuchs.

3 Präpositionaladverbien und Fragewörter

Sachen/Ereignisse	**Personen/Institutionen**
wo(r) **+ Präposition**	**Präposition + Fragewort**
○ ***Woran** denkst du?* ● ***An** das Praktikum.* ○ ***Wovon** redet er?* ● ***Von** seinem Praktikum.*	○ ***An wen** denkst du?* ● ***An** meine Freundin.* ○ ***Mit wem** redet er?* ● ***Mit** dem Lehrer.*
da(r) **+ Präposition**	**Präposition + Pronomen**
○ *Erinnerst du dich **an den ersten Praktikumstag**?* ● *Natürlich erinnere ich mich **daran**. Ich erinnere mich auch gut **daran**, wie nervös ich war.*	○ *Erinnerst du dich **an Lisa**?* ● *Natürlich erinnere ich mich **an sie**.*

Nach *wo...* und *da...* wird ein *r* eingefügt, wenn die Präposition mit einem Vokal beginnt:
auf → worauf/darauf

da(r)... steht auch vor Nebensätzen (*dass*-Sätze, Infinitiv mit *zu*, indirekter Fragesatz).
*Ich freue mich **darauf**, dass das Praktikum bald beginnt.*

Deutsche Sprache – hippe Sprache?

1a Die deutsche Sprache – interessante Fakten. Arbeitet zu zweit. Was passt wo? Ordnet zu.

1. Mehr als 120 Millionen Menschen in der EU sprechen Deutsch als ___.
2. Weltweit lernen rund 14,5 Millionen Menschen Deutsch als ___.
3. Deutsch gehört zu den ___ meistgelernten Sprachen der Welt.
4. Deutsch ist ___ in sieben Ländern.
5. Der Umfang der deutschen Sprache wird auf ca. ___ Wörter geschätzt.
6. Ca. 20 Prozent der Wörter im Deutschen sind ___.
7. 46 Prozent aller Artikel sind ___.
8. Ein deutsches Wort ist durchschnittlich 10,6 ___ lang.

A 500.000
B feminin
C Muttersprache
D Buchstaben
E Amtssprache
F Fremdwörter
G vier
H Fremdsprache

b Vergleicht eure Antworten mit der Lösung auf Seite 188. Welches Team hat die meisten richtigen Antworten?

2a Was verbindet ihr mit der deutschen Sprache? Ergänzt die Sätze und vergleicht in Gruppen.

Deutsch ist … Deutsch klingt … Besonders leicht/schwierig/schön/lustig/… finde ich …

1

b Seht die erste Filmsequenz und beantwortet die Fragen.

1. Wie finden die Leute die deutsche Sprache?
2. Woran kann man erkennen, dass die deutsche Sprache populärer geworden ist?
3. Welche anderen Sprachen sind bei den Lernenden beliebt?

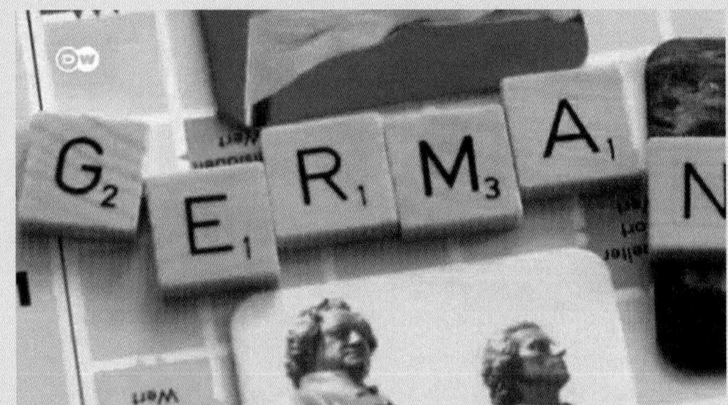

3a Warum lernen Menschen Deutsch? Sammelt in der Gruppe Gründe. Was ist für euch persönlich der wichtigste Grund?

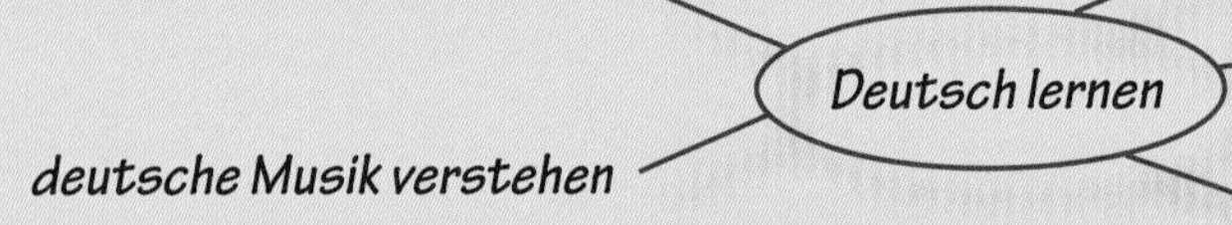

2

b Warum ist Deutsch bei Lernenden beliebt? Seht die zweite Filmsequenz und notiert.

4 Was bedeuten die folgenden Ausdrücke? Ordnet zu.

1. zusammengesetzte Wörter
2. der Sprachschatz
3. gefragt sein
4. Kopfzerbrechen bereiten
5. der Germanismus
6. en vogue
7. zur Avantgarde gehören

A zu den Ersten gehören, die etw. ausprobieren
B Probleme machen
C Fremdwort aus dem Deutschen
D das Vokabular
E modern
F beliebt sein
G Komposita

3

5 Ein Sprachkurs in Berlin. Seht die dritte Filmsequenz und notiert die fehlenden Informationen.

Viele Leute möchten einen Sprachkurs in (1) besuchen. Am GLS Sprachenzentrum lernen 280 Schüler aus 23 (2) Deutsch. Die meisten Studenten aus dem Kurs kommen aus Südamerika, Asien und (3), also aus Ländern, in denen Deutsch besonders (4) ist. Probleme haben alle Studenten mit der (5).

4

6a Seht die vierte Filmsequenz. Welche Beispiele für deutsche Wörter in anderen Sprachen werden genannt oder gezeigt? Gibt es auch in eurer Sprache deutsche Wörter? Sammelt in der Klasse.

b Deutsch im Vergleich mit anderen Sprachen. Arbeitet in Gruppen und findet fünf Beispiele wie im Film, die ihr in mehreren Sprachen vorspielen könnt.

7 Sprachspiele. Spielt zu viert. Das Wörterbuch kann helfen.

ANGST
KINDERGARTEN
Fahrvergnügen

a Sammelt lange Wörter wie im Film.

b Bildet Wörterketten wie im Beispiel.

Schulhaus | *Haustür* | *Türschloss* |

…

c Alles, was ich mag. Eine/r nennt einen Buchstaben. Alle schreiben Dinge oder Aktivitäten auf, die mit diesem Buchstaben beginnen. Wer hat die meisten Wörter?

E → Alles, was ich mag: Erdbeeren, Elefanten, eislaufen, …

d Der längste Satz. Jede/r schreibt einen kurzen Satz mit Subjekt und Verb. Dann werden die Sätze weitergegeben und der/die Nächste erweitert den Satz usw.

Das Auto fährt.
Das Auto fährt langsam.
Das Auto fährt langsam durch die Straße.
Das Auto fährt langsam durch die Straße zum Zoo.
Das Auto fährt langsam durch die Straße zum Zoo am Stadtrand.

Zusammen

Ihr lernt

Modul 1 | Einen Radiobeitrag über Trennungskinder und Patchworkfamilien verstehen

Modul 2 | Seine Meinung in einem Forum schreiben

Modul 3 | Zeitschriftentexte über besondere Beziehungen verstehen

Modul 4 | Einen literarischen Text verstehen und darüber sprechen

Modul 4 | In einer E-Mail Tipps für den Umgang mit einer Freundschaft im Austauschjahr geben

Grammatik

Modul 1 | Reflexive Verben

Modul 3 | Relativsätze

Arbeitet zu dritt. Ordnet die Fotos zu einer Geschichte. Schreibt dann Dialoge oder kurze Texte zu den Fotos und tragt eure Geschichte vor.

Wie wir leben

1a Es gibt viele verschiedene Lebensformen. Welche seht ihr auf den Fotos? Welche kennt ihr noch? Sammelt in der Klasse.

Patchworkfamilie · kinderlos · Single · Fernbeziehung · Wohngemeinschaft · alleinlebend · geschieden · Großfamilie · verwitwet · Partner · alleinerziehend · Lebensgefährte

1 2 3 4 5 6

b Diskutiert in Gruppen: Warum gibt es so viele verschiedene Lebensformen? Was sind die Vor- und Nachteile dieser Lebensformen? Vergleicht dann in der Klasse.

Früher konnten sich Ehepaare nicht trennen, weil …

Eine Freundin von mir lebt in einer Patchworkfamilie und sie …

In einer Wohngemeinschaft zu leben, hat viele Vorteile, zum Beispiel …

2.10-11

2a Hört einen Radiobeitrag und erklärt kurz, worum es geht.

2.10

b Hört den ersten Abschnitt noch einmal und beantwortet die Fragen.

1. Was ist das Lebensziel der meisten Deutschen?
2. Wie hoch ist die Scheidungsrate in Deutschland?
3. In welchen Familienformen leben Kinder in Deutschland?
   - ___ % mit beiden leiblichen Eltern
   - ___ % mit einem alleinerziehenden Elternteil
   - ___ % in einer Patchworkfamilie

2.11

c Hört den zweiten Abschnitt und macht Notizen zu den drei Punkten.

Leonie Müller

Lebensform?

Familienmitglieder?

Situation?

Florian Fritzke

d Schreibt anhand eurer Notizen aus 2c ein kurzes Porträt zu einer der beiden Familien. ▶ Ü 1

3a Im Radiobeitrag habt ihr diese reflexiven Verben gehört. Wählt drei Verben und schreibt Beispielsätze.

sich scheiden lassen
sich treffen mit + Dat.
sich wohlfühlen
sich entschließen zu + Dat.
sich sehen
sich streiten
sich ändern
sich leihen
sich kümmern um + Akk.
sich gewöhnen an + Akk.
sich verlassen auf + Akk.
sich gut verstehen
sich trennen
sich wünschen

b Welche reflexiven Verben kennt ihr noch? Sammelt in Gruppen und vergleicht. ▶ Ü 2

c Lest die Beispiele. Welches Beispiel gehört zu welcher Regel? Notiert.

A Ich verstehe mich gut mit Marie.
Ich verstehe meine Mutter einfach nicht.

B Ich habe mich entschlossen, bei meiner Mutter zu bleiben.
Ich fühle mich in der Familie wohl.

1. Manche Verben sind **immer** reflexiv.
2. Manche Verben können reflexiv sein oder mit einer Akkusativergänzung stehen.

C Ich ziehe mich an.
Ich ziehe mir die Jacke an.

D Ich wünsche mir eine Familie ohne Streit.
Ich leihe mir oft Bücher von Marie.

3. Reflexivpronomen stehen normalerweise im Akkusativ. Gibt es eine Akkusativergänzung, steht das Reflexivpronomen im Dativ.
4. Bei manchen Verben steht das Reflexivpronomen **immer** im Dativ. Diese Verben brauchen **immer** eine Akkusativergänzung.

▶ Ü 3–6

4 Arbeitet zu zweit und wählt einen Kasten. Schreibt eine kurze Geschichte und verwendet alle Verben. Erzählt die Geschichte dann in der Klasse.

sich verabreden
sich gut verstehen
sich kennenlernen
sich verlassen auf + Akk.
sich wundern über + Akk.

sich unterhalten mit + Dat. über + Akk.
sich interessieren für + Akk.
sich freuen über + Akk.
sich verlaufen
sich entscheiden für + Akk.

Guter Rat ist teuer

1a **Lest die Einträge in einem Forum. Welche Probleme haben die Jugendlichen?**

01.02. | 17:03 Uhr
Aimee-Lee

Hallo, ihr Lieben,
ich bin neu hier und ein bisschen verzweifelt. Ich bin 15 und gerade total verliebt. Dennis ist mein erster Freund und wir unternehmen natürlich außerhalb der Schule viel miteinander. Oft ist er auch bei uns zu Hause, aber meinen Eltern gefällt das überhaupt nicht. Besonders mein Vater mag Dennis überhaupt nicht. Ich weiß eigentlich nicht so richtig, was er gegen Dennis hat. Ich glaube, er kann sich nicht daran gewöhnen, dass ich erwachsen werde und einen Freund habe. Er denkt halt, ich bin für eine Beziehung zu jung. Aber es ist doch nicht zu früh, mit 15 seinen ersten Freund zu haben, oder? Ich habe Angst, dass meine Eltern mir bald den Umgang mit Dennis verbieten. Ich brauche ihn doch und ich mag ihn sehr. Was soll ich bloß tun?

03.03. | 15:12 Uhr
Pechvogel13

Hallo auch von mir. Mir fällt es gar nicht so leicht, über mein Problem zu schreiben. Ich bin jetzt 14 und musste vor Kurzem mit meinen Eltern umziehen und gehe jetzt auf eine andere Schule. In meiner Klasse finde ich aber einfach keine Freunde. Niemand möchte etwas mit mir zu tun haben. Ich fühle mich immer als Außenseiter. Natürlich habe ich überlegt, ob das an mir liegt und ob ich vielleicht etwas falsch mache. Ich habe mir sogar ein paar neue Sachen gekauft. Ich dachte, die sind moderner und ich passe dann vielleicht besser zu den anderen. Aber das hat leider nicht geholfen. Mit meinen Eltern kann ich auch nicht darüber sprechen. Die haben beruflich so viel zu tun, dass sie nie Zeit haben.
Hat jemand vielleicht einen Tipp für mich?

06.03. | 19:43 Uhr
max-97

Hallo an alle,
ich habe ein Problem und weiß nicht, was ich tun soll. Ich gehe jetzt aufs Gymnasium und habe dort tolle Freunde gefunden. Wir treffen uns oft nach der Schule und machen viel zusammen. Das ist nie langweilig und gefällt mir total. Aber in letzter Zeit gibt es ein Problem. Ich habe nämlich ein älteres Smartphone und leider keine Flatrate. Deshalb kann ich nicht immer ins Internet und reagiere manchmal zu spät auf Nachrichten oder verpasse ein Treffen. Meine Freunde meinen, ich lebe hinterm Mond, und lachen mich oft aus. Jetzt habe ich Angst, den Anschluss an die Gruppe zu verlieren. Soll ich meine Eltern um ein neues Handy mit Flatrate bitten? Helft mir, ich bin für jeden Ratschlag dankbar.

▶ Ü 1

b **Sammelt Redemittel zum Thema „Ratschläge geben". Schreibt die Redemittel auf ein Plakat und hängt es in der Klasse auf.**

Ratschläge geben
An deiner Stelle würde ich …
Vielleicht könntest du …
Wie wäre es, wenn …?

c **Arbeitet in drei Gruppen. Wählt einen Forumseintrag und formuliert mithilfe der Redemittel aus 1b Tipps oder Ratschläge, die helfen könnten, die Probleme zu lösen.**

Aimee-Lee, an deiner Stelle würde ich mit einer Person sprechen, die solche Fälle kennt und nicht zu deiner Familie gehört, z. B. mit einem Jugendsozialarbeiter.

2a **Lest die Reaktion von Janina auf einen Forumseintrag. Auf welchen Forumseintrag antwortet sie und welche Meinung hat sie?**

07.03. | 12:35 Uhr
Janina

Hallo,
ich kann deine Situation gut verstehen. Ich glaube aber, dass man in einer Gruppe das Recht hat, man selbst zu bleiben. Wenn eine Gruppe bestimmt, welches Gerät man kaufen soll oder nicht, dann gibt es keine freie Entscheidung mehr. Was kommt dann wohl als Nächstes?
LG Janina

b **Überlegt euch Argumente dafür und dagegen, sich nach Trends in einer Gruppe zu richten.**

pro	contra
	– Man macht nicht alles freiwillig. *– …*

c **Lest die Sätze und notiert die Redemittel, die Argumente verbinden.**

1. Zunächst einmal denke ich, dass es gut ist, in einer Gruppe integriert zu sein.
2. Ein weiterer Vorteil ist, dass man feste Freunde hat, die für einen da sind.
3. Weiterhin ist für mich wichtig, dass es auch gut sein kann, sich von anderen abzugrenzen.
4. Ich glaube aber darüber hinaus, dass eine totale Anpassung nicht positiv ist.
5. Nicht zu vergessen ist die Tatsache, dass eine Gruppe oft das Nachdenken über das eigene Handeln ersetzt.
6. Schließlich möchte ich noch darauf hinweisen, dass durch Gruppenzwang die Gefahr besteht, seine Persönlichkeit zu verlieren.

1. Zunächst einmal, …

3a **Schreibt nun eure Meinung zum Thema in 2a (ca. 80 Wörter). Entscheidet, welche Redemittel aus 2c ihr verwenden wollt.**

b **Lest euren Text nach dem Schreiben noch einmal. Korrigiert eventuelle Fehler.**

STRATEGIE

Einen Text korrigieren

Lest euren Text mehrmals durch und achtet dabei auf typische Fehler:
1. Ist das Verb richtig konjugiert?
2. Steht das Verb an der richtigen Position?
3. Stimmen die Endungen (Adjektive, Nomen)?
4. Sind alle Wörter richtig geschrieben?
5. Sind die Sätze gut miteinander verknüpft?

c **Arbeitet zu zweit. Tauscht eure Texte und korrigiert euch gegenseitig. Wo gibt es Probleme? Was versteht ihr nicht? Verbessert eure Texte gemeinsam.** ▶ Ü 2–3

4 **Arbeitet in Gruppen. Überlegt euch Regeln, die euch wichtig für den Umgang miteinander erscheinen. Präsentiert sie dann in der Klasse.**

1. Alle haben die gleichen Rechte.

Besondere Beziehungen

1a Beschreibt die Fotos auf dieser Seite. Welche besonderen Beziehungen werden hier vermutlich beschrieben?

b Arbeitet zu dritt. Jede/r liest den Text zu einer Person und beantwortet die Fragen in Stichpunkten. Berichtet dann den anderen in eurer Gruppe über eure Person.

1. Zu wem hat die Person eine besondere Beziehung?
2. Wo oder wie haben sich die beiden kennengelernt bzw. wie haben sie sich gefunden?
3. Was mag die Person besonders an der anderen Person bzw. an dem anderen Lebewesen?

SPRACHE IM ALLTAG

Wenn man eng befreundet ist:

ein Herz und eine Seele sein
unzertrennlich sein
gemeinsam durch dick und dünn gehen
wie Pech und Schwefel zusammenhalten

Emil Heidemann, 16:
Rocco habe ich vor drei Jahren bekommen. Also, eigentlich habe ich ihn gefunden. Wir waren im Urlaub und er ist mir immer am Strand hinterhergelaufen. Ich habe ziemlich schnell gemerkt, dass er niemandem gehört und jemanden sucht, der ihn lieb hat. Zwei Wochen lang habe ich auf meine Eltern eingeredet, dass ich ihn nach Hause mitnehmen darf. Erst waren sie natürlich dagegen, aber mit der Zeit haben sie ihn auch ins Herz geschlossen und am Ende haben sie endlich Ja gesagt.
Rocco ist natürlich kein Mensch, aber trotzdem wie mein bester Freund. Wenn ich von der Schule komme, wartet er schon auf mich und dann freut er sich wahnsinnig. Er merkt immer, ob es mir gut geht oder nicht. Am Nachmittag ist er immer bei mir, auch wenn ich mit meinen Freunden unterwegs bin. Mittlerweile kann sich die ganze Familie gar nicht mehr vorstellen, ohne Rocco zu leben. Er ist einfach der tollste Hund, den es gibt.

Greta Meier, 15:
Feli habe ich in England kennengelernt, wo wir beide in den Sommerferien einen Sprachkurs für Jugendliche gemacht haben. In dem Ort, wo wir untergebracht waren, war überhaupt nichts los und ich hatte ein bisschen Heimweh und habe mich nicht so richtig wohlgefühlt. Aber dann kam ich mit Feli in eine Gruppe und fand sie gleich sympathisch. Wir haben uns sofort gut verstanden und so ist der Englandaufenthalt doch noch richtig gut geworden. Englisch haben wir natürlich auch gelernt.
Leider wohnt Feli 300 km von mir entfernt, aber wir schreiben uns ständig und in den Ferien besuchen wir uns immer, wenn es geht. Feli ist ein Mädchen, mit dem man immer Spaß haben kann. Außerdem ist sie eine Freundin geworden, der ich alles erzählen kann und deren Rat ich immer gut brauchen kann. Ich kann mit ihr wirklich über alles, was mich beschäftigt, sprechen. Das, was ich in einer Freundschaft wichtig finde, habe ich mit Feli zu einhundert Prozent.

Linh Wang, 14:
Ich bin großer Fußballfan und spiele seit acht Jahren selbst im Verein. Ich besuche ein Sportgymnasium, wo ich dreimal in der Woche Training habe. Außerdem trainiere ich noch im Verein und am Wochenende habe ich Spiele. Fußball ist wirklich mein Leben. Es gibt nichts, was wichtiger für mich ist.

Es gibt natürlich viele gute Fußballer und Fußballerinnen, aber Jérôme Boateng ist einfach der Beste. Er ist ein Spieler, den man einfach bewundern muss. Er spielt auf der gleichen Position wie ich und er hat immer für seinen Traum gekämpft, was mir sehr imponiert. Jetzt ist er einer der erfolgreichsten Profifußballer, der alle wichtigen Pokale gewonnen hat. Einmal habe ich ihn sogar persönlich kennengelernt, als der Fanclub, in dem ich Mitglied bin, ein Treffen organisiert hat. Er war überhaupt nicht arrogant, sondern total nett und offen und hat uns genau erzählt, wie sein Weg vom Jugend- zum Profispieler verlaufen ist. Ich hoffe, dass ich auch mal professionell Fußball spielen kann.

▶ Ü 1

2a **Wovon hängt die Form des Relativpronomens ab? Lest die Sätze und sprecht zu zweit.**

1. Er ist ein Spieler, <u>den</u> man einfach bewundern muss.
2. Sie ist eine Freundin geworden, <u>der</u> ich alles erzählen kann.
3. Feli ist ein Mädchen, <u>mit dem</u> man immer Spaß haben kann.

b **Ergänzt die Regel.**

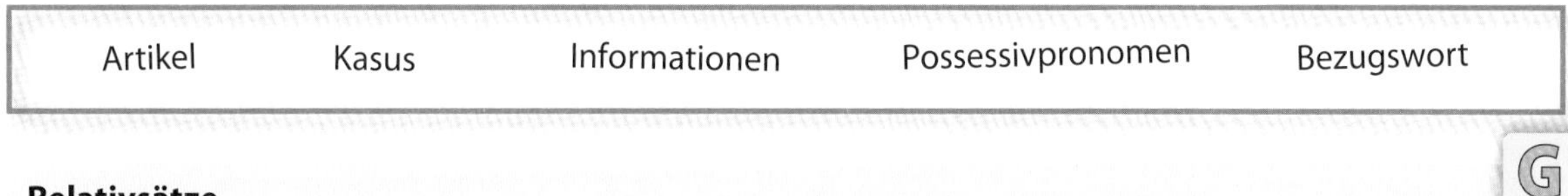

Relativsätze

Relativsätze geben genauere ___, beschreiben etwas oder jemanden.
Form des Relativpronomens:
→ wie der bestimmte ___ (Ausnahmen: Dativ Plural *denen* und Genitiv *dessen/deren)*
→ Genus *(der/das/die)* und Numerus (Singular/Plural) richten sich nach dem ___.
→ Der ___ (Nom., Akk., Dat.) richtet sich nach dem Verb oder der Präposition im Relativsatz.
→ Genitiv: Das Relativpronomen hat dieselbe Funktion wie ein ___.
Sie ist eine Freundin. Ich kann <u>ihren</u> Rat immer gut brauchen.
Sie ist eine Freundin, <u>deren</u> Rat ich immer gut brauchen kann.

c **Schreibt zu zweit für jeden Kasus einen Relativsatz. Tauscht die Sätze mit einem anderen Paar und korrigiert euch gegenseitig.**

▶ Ü 2–3

3a **Lest die Regel und ergänzt die Beispielsätze.**

Wenn ein Relativsatz einen Ort oder eine Richtung angibt, dann kann man statt Präposition + Relativpronomen auch *wo/woher/wohin* verwenden.

Ich habe Feli in dem Ort kennengelernt,

in dem wir Englisch gelernt haben.	**in den** ich gefahren bin.	**aus dem** meine Tante kommt.
___ wir Englisch gelernt haben.	___ ich gefahren bin.	___ meine Tante kommt.
Ort	**Richtung auf etwas zu**	**Richtung von etwas weg**

b **Seht die Beispiele an. Worauf bezieht sich das Relativpronomen *was*? Ergänzt die Regel.**

1. Das, was ich in einer Freundschaft wichtig finde, habe ich mit Feli zu einhundert Prozent.
2. Ich kann mit ihr wirklich über alles, was mich beschäftigt, sprechen.
3. Ein Idol zu haben ist etwas, was Leute oft komisch finden.
4. Es gibt nichts, was wichtiger für mich ist.
5. Er hat immer für seinen Traum gekämpft, was mir sehr imponiert.

Wenn sich das Relativpronomen auf einen ganzen Satz bezieht oder wenn die Pronomen *das*, ___, ___ und ___ im Hauptsatz stehen, dann verwendet man das Relativpronomen *was*.

▶ Ü 4

4 **Beschreibt eine Person, die für euch wichtig ist. Bildet mindestens fünf Relativsätze.**

Mia ist ein Mensch, der immer hilfsbereit ist.
In dem Haus, wo wir uns kennengelernt haben, …

Aus den Augen, aus dem Sinn?

1a Lest den Beginn des Romans „Aus den Augen, voll im Sinn“ von Werner J. Egli. Was für eine Geschichte erwartet ihr? Welches Verhältnis haben Philipp und Nina? Was könnte der Titel bedeuten?

Hallo, ich bin Philipp. Nina und ich, wir haben ausgemacht, diese Geschichte gemeinsam zu erzählen. Aus der Sicht von uns beiden. Damit die Geschichte nicht schräg-schief wird, wie sie das nennt, weil sie nur einer erzählt und der andere nichts dazu sagen kann.

Nina hat den Anfang gemacht. Sie hat mir vorgelesen, was sie geschrieben hat. Jetzt bin ich dran.

b Lest den ersten Abschnitt. Was meint Philipp mit der „verhängnisvollen, dunklen Wolke“?

Im Frühling, als Nina und ich an nichts Böses dachten, schob sich plötzlich eine verhängnisvolle, dunkle Wolke über den Horizont. Symbolisch gesprochen natürlich.

Nina bemerkte sie zuerst. Sie war ziemlich durcheinander, als sie mir in der Schule eine Broschüre zeigte, die sie zum ersten Mal im Herbst zu Gesicht bekommen hatte, bevor sie dann wieder verschwunden war.

„Ich habe nicht mehr an sie gedacht und gestern Abend lag sie plötzlich auf meinem Bett. Ich stellte meine Eltern zur Rede. Weißt du, was sie gesagt haben?“

„Dass dir ein Austauschjahr in Amerika gut tun würde.“

„Stimmt.“

„Und?“

„Was und?“

„Willst du nach Amerika?“

Sie sah mich an, als wartete in Amerika der elektrische Stuhl auf sie. „Würdest du denn wollen?“

„Was?“

„Nach Amerika.“

Ich hob die Schultern. „Erik und Sebastian gehen. Und Teresa.“

„Dann würdest du also wollen?“

Ich lachte auf. „Schau mich nicht so vorwurfsvoll an. Man hat nicht mir den Vorschlag gemacht, sondern dir.“

Sie wandte sich ab. Das tat sie immer, wenn sie sich ungestört irgendetwas Wichtiges überlegen wollte.

„Und wenn ich Ja sagen würde?“ Sie drehte sich wieder mir zu.

„Was dann?“

„Was wäre mit uns?“

„Was soll schon sein?“

„Du weißt genau, was ich meine.“

„Es kostet ziemlich viel Geld, so ein Austauschjahr. Können sich deine Eltern denn ...“

„Anscheinend schon. Aber du weichst mir aus, Philipp.“

„Da ich weiß, dass du nicht gehen wirst, denke ich gar nicht über das nach, was mit uns sein würde“, lachte ich.

„Und was ist, wenn man dich fragt?“

„Ob ich ein Jahr nach Amerika will?“

„Ja.“

„Nun, das wäre wohl gar nicht so schlecht.“

„Im Ernst?“ [...]

„Was willst du hören?“

„Ob du gehen würdest?“

„Mit dir schon.“

„Und ohne mich?“

„Glaub ich nicht.“

„Glaubst du nicht?“

„Nein.“

„Nein, glaubst du nicht, oder nein, du würdest nicht gehen?“

„Beides."
„Ehrlich?"
„Ehrlich. Aber es sind ja deine Eltern, die dich offenbar nach Amerika schicken wollen."
„Könnte dir auch passieren. Stell dir vor, deine Eltern beschließen, dir ein Austauschjahr in den USA zu ermöglichen."
„Das kann ich mir nicht vorstellen."
„Deiner Großmutter ist das zuzutrauen. Wenn sie könnte, würde sie einen Keil zwischen uns treiben, egal auf welche Art. Und deine Eltern stehen auf ihrer Seite."
„Ich glaube nicht, dass das geschieht, Nina."
„Angenommen, es geschieht trotzdem ..."
„Dann wären wir beide in Amerika", sagte ich und lachte.
Damit war die Sache für uns erledigt. Dachten wir.

c Arbeitet zu zweit und lest den Dialog laut. Wie wirkt Nina im Dialog, wie Philipp? Beschreibt beide mit passenden Adjektiven.

skeptisch — originell — witzig — schlagfertig — zweifelnd — komisch — amüsant — gesprächig — eifersüchtig — misstrauisch — direkt — frech — verliebt

d Philipp und Nina gehen beide für ein Austauschjahr nach Amerika: Philipp nach Los Angeles und Nina nach Colorado. Was denkt ihr: Hält die Liebe zwischen Nina und Philipp oder nicht? Warum?

e Wie geht die Geschichte weiter? Arbeitet in Gruppen und wählt eine Person. Schreibt zu eurer Person eine kurze Geschichte über das Austauschjahr und stellt sie in der Klasse vor.

2.12

2a Lest die Fragen. Hört dann einen Abschnitt aus dem Roman und beantwortet die Fragen.

1. Wo spielt die Situation?
2. Wer spricht hier mit wem?
3. Wer ist Amanda?
4. Wovon handelt das Gespräch?

b Welche Umschreibung passt? Ordnet zu.

1. zittern
2. aus dem Gleichgewicht bringen
3. sich im Griff haben
4. Hohn in der Stimme haben
5. einen Kloß in der Kehle haben
6. ein Schwarm von Schmetterlingen
7. herumflattern

A herumfliegen
B eine ganze Gruppe von Schmetterlingen
C mit Verachtung sprechen
D vor Aufregung/Angst nicht sprechen können
E jdm. durcheinanderbringen
F wackeln, schnelle Bewegungen machen
G sich unter Kontrolle haben

c Lest das Ende des Abschnitts noch einmal. Was fühlt Nina?

Ich wusste nicht, was ich ihm darauf hätte antworten sollen. Ich wusste überhaupt nichts mehr. Natürlich hatte ich es gespürt. Natürlich merkte ich, dass zwischen uns mehr war als nur eine Freundschaft. Ich hatte zwar eine solche Erfahrung noch nie gemacht, weil ich die ganze Zeit mit Philipp ... Philipp ... Philipp ... Philipp ... Meine Gedanken waren plötzlich ein Schwarm von Schmetterlingen, die eben ausschlüpften und in meinem Kopf herumzuflattern begannen.
„Nina, sag mir, was ich tun soll."
„Ich weiß doch selbst nicht, was ich tun soll", stieß ich hervor.

Aus den Augen, aus dem Sinn?

2.13

3a Hört die Geschichte weiter. Worüber spricht die Gastmutter Mrs Clark mit Nina? Was meint sie mit „der neuen Erfahrung“?

b Was denkt ihr: Warum weint Nina? Sollte sie nicht eher glücklich sein?

4a Philipp hat in Los Angeles Sally kennengelernt. Lest den Abschnitt aus dem Roman. Welche Aussagen sind richtig?

1. Philipp erinnert sich an seine Heimat.
2. Er glaubt nicht, dass die Trennung durch das Austauschjahr richtig ist.
3. Er weiß, dass Nina einen Freund hat.
4. Steve hilft Nina beim Englischlernen.
5. Sally denkt, dass Nina untreu ist.

Sally und ich gingen zum Strand hinunter und schauten den Surfern zu. Wir hielten uns an der Hand und tranken Cola und starrten aufs Meer hinaus. Ich dachte an unseren Teich unten am Gansbach. [...]

„Weißt du, wie man kleine Frösche nennt, bevor sie richtige Frösche sind?“, fragte ich.

Sie runzelte die Stirn. „Warum willst du das wissen?“ [...]

„Ich habe an zu Hause gedacht. An einen kleinen Teich in der Nähe von dort, wo wir wohnen.“

„Du und Nina?“

„Ja.“

„Sehnst du dich nach ihr?“

„Soll ich ehrlich sein?“

„Brauchst du nicht. Ich weiß, dass du dich nach ihr sehnst.“

„Nicht immer. Manchmal denke ich, dass die Trennung gut für uns ist. Ich gebe das zwar nicht gern zu, weil ich meinen Eltern nicht Recht geben will, aber ich glaube, jetzt erfahren wir, wie wir wirklich sind, Nina und ich.“

Sie legte den Kopf an meine Schulter. Ich mochte es, wenn sie das tat, aber ich sagte es ihr nicht. Ich legte einen Arm um sie.

„Denkst du oft an sie?“

Ich gab ihr keine Antwort. [...]

„Glaubst du, dass Nina dir treu ist?“

„Treu?“

„Dass sie inzwischen keinen anderen Freund hat.“

„Sie hat einen.“

„Das glaube ich dir nicht.“

„Das ist mir egal. Ich weiß, was ich weiß.“

„Und woher?“

„Sie hat es mir gesagt.“

„Dass sie einen Freund hat?“

„Dass sie oft mit einem Jungen zusammen ist.“

„Wie heißt er?“

„Steve. Er bringt ihr Englisch bei. Er liest ihr aus Büchern vor und sie schreiben wahrscheinlich beide Gedichte.“

„Das klingt ziemlich sarkastisch.“ Sie nahm den Kopf von meiner Schulter und sah mich an. „Was wäre, wenn Nina sich in Steve verliebt hätte?“

Ich hob die Schultern.

„Es würde dir sehr wehtun, stimmt's?

„Ich weiß es nicht.“

b Vergleicht Philipps Reaktion mit der Reaktion von Nina. Welche Unterschiede stellt ihr fest? Reagieren Mädchen und Jungen immer unterschiedlich?

c Wie versteht ihr die Aussage von Philipp? Ist sie eurer Meinung nach richtig?

Manchmal denke ich, dass die Trennung gut für uns ist. Ich glaube, jetzt erfahren wir, wie wir wirklich sind, Nina und ich.

5a **Lest Ninas Brief. Welche Nomen passen zu dem Brief? Vergleicht dann das Ende mit eurer Geschichte aus 1e.**

die Entschuldigung · die Eifersucht · die Freude · der Liebeskummer · das Verständnis · der Ärger · die Trauer · die Trennung · die Hoffnung · das Glück · der Spaß · die Zufriedenheit · das Misstrauen · der Hass

Lieber Philipp,

zuerst will ich dir sagen, dass es mir Leid tut wegen der Sache, die passiert ist. Meine Mutter hat mir am Telefon gesagt, dass du Weihnachten nach Hause fliegst und vielleicht nicht mehr nach L.A. zurückkehrst. Ich kann verstehen, wie sehr es dich getroffen hat, dass wir uns trennen mussten. Du sollst wissen, dass mir die Entscheidung nicht so leicht fiel, wie es für dich scheinen mag. Ich hätte mir nie vorstellen können, irgendeinen anderen Jungen mehr zu lieben als dich, und selbst in diesem Moment weiß ich nicht, ob es wirklich Liebe ist, die ich für Steve empfinde. Du hast Recht, das klingt nicht sehr plausibel, aber es ist so!!! Manchmal wünschte ich mir, ich könnte klarer denken und wüsste, wie ich mich verhalten soll. Aber ich kann nicht einmal begreifen, was tatsächlich geschehen ist. Das macht mich ziemlich traurig. Weil ich dich nicht verletzen wollte. Und doch habe ich es getan. Ich habe dich zutiefst verletzt, und ich frage dich, wie ich das jemals wieder gutmachen könnte. Ich frage dich deshalb, weil ich dich als meinen besten Freund nicht verlieren will. Es sind so viele gemeinsame Erinnerungen, die uns verbinden. [...] Wir hatten Pläne und Träume. Wir haben uns gemeinsam zur Wehr gesetzt, wenn unsere Eltern unsere Liebe zerstören wollten. Ich will nicht, dass das jetzt alles zu Ende ist. Dass wir uns nie mehr in die Augen sehen können. Deshalb schreibe ich dir diesen Brief. Damit du meine Situation verstehst und vielleicht einen Weg findest, mich für das, was geschehen ist, nicht schuldig zu sprechen.

[...] Du hast mir von Sally geschrieben und ich war furchtbar eifersüchtig auf sie. Auch jetzt noch spüre ich Eifersucht, wenn ich daran denke, dass sie mit dir zusammen sein könnte. Sicher, das ist schwer zu verstehen, und ich kann es dir genauso wenig erklären wie das Gefühl, das ich für Steve empfinde. Das sind alles Dinge, die man wohl zuerst mal erfahren muss, ohne sie zu begreifen. Später gelingt es einem vielleicht, alles zu verarbeiten, sodass es am Ende Sinn macht.

Lieber Philipp, ich erwarte nicht, dass du viel Verständnis aufbringst für mich. Ich erwarte auch nicht, dass du mir zurückschreibst. Ich wünsche mir nur, dass zwischen uns nicht diese tiefe Kluft entsteht, in der kein Licht mehr ist. [...]

Ich wünsche dir, dass du einen Weg findest, auf dem du dich wieder so sicher fühlst wie auf dem, den wir gemeinsam gegangen sind. Und vielleicht ... irgendwo in der Ferne ... führen unsere Wege wieder zusammen.

Ich hab dich lieb. Ehrlich.

Nina

b **Lest den Brief noch einmal und beantwortet die folgenden Fragen.**

1. Was empfindet Nina für Steve?
2. Was meint Nina, wenn sie schreibt: „Das macht mich ziemlich traurig." (Z. 108)?
3. Warum will Nina Philipp nicht als besten Freund verlieren?
4. Was meint Nina mit dem Satz: „Und vielleicht … irgendwo in der Ferne … führen unsere Wege wieder zusammen" (Z. 125)?

c **Würdet ihr das Buch gerne lesen? Warum? Warum nicht?** ▶ Ü 1–2

6 **Euer bester Freund / Eure beste Freundin hat Sorgen. Er/Sie ist traurig, weil er/sie für ein Jahr ins Ausland geht und seine(n)/ihre(n) Freund/in lange Zeit nicht sehen wird. Schreibt ihm/ihr eine E-Mail. Schreibt etwas zu den folgenden Punkten:**

- Drückt Verständnis für seine/ihre Lage aus.
- Gebt Tipps, wie man die Freundschaft aus der Ferne am besten aufrechterhalten kann.
- Sagt, was ihr an seiner/ihrer Stelle tun würdet.

▶ Ü 3

Schriftsteller aus D-A-CH

Werner J. Egli

(5. April 1943)*

Der Schweizer Schriftsteller Werner J. Egli arbeitete zunächst als Grafiker und Werbetexter. Gleichzeitig verfasste er unter verschiedenen Pseudonymen seine ersten Romane. Nachdem er drei Jahre durch Nordamerika gereist war, schrieb er über diese Reise einen Klassiker der Jugendliteratur „Heul doch den Mond an". Seitdem sind zahlreiche Jugendbücher und auch einige Erwachsenenromane von ihm erschienen, die in viele Sprachen übersetzt wurden. Auch Preise hat Egli gewonnen, zum Beispiel den Preis der Leseratten. Im Jahr 2015 gründete er zusammen mit Freunden einen Verlag, der Jugendbücher publiziert. Sein Motto: „Bei jungen Menschen die Lust aufs Lesen zu wecken, eine meiner wichtigsten Aufgaben." Heute lebt Egli in Zürich, Freudenstadt und Tuscon.

Cornelia Travnicek

(22. Januar 1987)*

Bereits während ihrer Schulzeit nahm die österreichische Schriftstellerin Cornelia Travnicek an vielen Literaturwettbewerben teil. Nach dem Abitur studierte sie Sinologie und Informatik an der Universität Wien. Prosa, Erzählungen, Gedichte und Romane veröffentlicht sie seit 2008 und 2012 erschien ihr erster Jugendroman „Chucks", der auch verfilmt wurde. 2015 folgte „Junge Hunde", ebenfalls ein Jugendbuch. Beide Romane wurden von der Kritik hochgelobt und in mehrere Sprachen übersetzt. Travnicek wurde bereits mit zahlreichen Preisen ausgezeichnet und erhielt mehrere Stipendien. Neben ihrer schriftstellerischen Tätigkeit arbeitet sie in Teilzeit als Researcher in einem Zentrum für Virtual Reality und Visualisierung in Wien.

Wolfgang Herrndorf

(12. Juni 1965 – 26. August 2013)

Wolfgang Herrndorf studierte Malerei an der Kunst-Akademie in Nürnberg und arbeitete als Illustrator und Autor für einen Verlag und das Satire-Magazin *Titanic*. Er veröffentlichte währenddessen auch einen Roman und einen Band mit Kurzgeschichten. Seinen großen Durchbruch als Schriftsteller feierte er aber mit der Veröffentlichung des Jugendromans „Tschick". Das Buch stand über ein Jahr auf den Bestsellerlisten und gewann mehrere Preise, unter anderem den Deutschen Jugendliteraturpreis. Es wurde in 24 Sprachen übersetzt und kam im September 2016 als Film in die Kinos. 2010 wurde bei Herrndorf ein bösartiger Hirntumor gefunden. Er starb 2013 in Berlin.

www  Mehr Informationen zu Werner J. Egli, Cornelia Travnicek und Wolfgang Herrndorf.

Sammelt Informationen über Persönlichkeiten aus dem In- und Ausland, die für das Thema „Beziehungen" interessant sind, und stellt sie in der Klasse vor. Ihr könnt dazu die Vorlage „Porträt" im Anhang verwenden.

Beispiele aus dem deutschsprachigen Bereich: Cornelia Funke – Kerstin Gier – Sarah Connor – Michael Ende – Ottfried Preußler – Silbermond – Revolverheld

1 Reflexive Verben

Personalpronomen	Reflexivpronomen im Akkusativ	im Dativ	Personalpronomen	Reflexivpronomen im Akkusativ und Dativ
ich	mich	mir	**wir**	uns
du	dich	dir	**ihr**	euch
er/es/sie	sich		**sie/Sie**	sich

Manche Verben sind immer reflexiv.	*sich entschließen zu* + Dat., *sich fühlen, sich beschweren über* + Akk., *sich wundern über* + Akk. …
Manche Verben können reflexiv sein oder mit einer Akkusativergänzung stehen.	*(sich) verstehen, (sich) ärgern, (sich) treffen, (sich) ändern …*
Reflexivpronomen stehen normalerweise im Akkusativ. Gibt es eine Akkusativergänzung, steht das Reflexivpronomen im Dativ.	*sich anziehen, sich waschen, sich kämmen …*
Bei manchen Verben steht das Reflexivpronomen immer im Dativ. Diese Verben brauchen immer eine Akkusativergänzung.	*sich etw. wünschen, sich etw. leihen, sich etw. merken, sich etw. vorstellen, sich etw. denken …*

2 Relativsätze

Relativsätze geben genauere Informationen, beschreiben etwas oder jemanden.

	Singular			Plural
Nominativ	der	das	die	die
Akkusativ	den	das	die	die
Dativ	dem	dem	der	**denen**
Genitiv	**dessen**	**dessen**	**deren**	**deren**

Genus und Numerus des Relativpronomens richten sich nach dem Bezugswort.
Der Kasus richtet sich nach dem Verb oder der Präposition im Relativsatz.

Sie ist eine Freundin, die ich schon lange kenne. + Akk.

Sie ist eine Freundin, ***mit*** *der man immer Spaß hat.* **mit** + Dat.

Das Relativpronomen im Genitiv hat dieselbe Funktion wie ein Possessivpronomen.

Sie ist eine gute Freundin. Ich kann ihren Rat immer gut brauchen.

Sie ist eine gute Freundin, deren Rat ich immer gut brauchen kann.

Wenn ein Relativsatz einen Ort, eine Richtung oder einen Ausgangspunkt angibt, dann kann man statt Präposition und Relativpronomen auch *wo, wohin, woher* verwenden.

Ich habe Feli in dem Ort kennengelernt,	*…* ***wo*** *wir Englisch gelernt haben.*	**Ort**
	… ***wohin*** *ich gefahren bin.*	**Richtung**
	… ***woher*** *meine Tante kommt.*	**Ausgangspunkt**

Bei Städte- und Ländernamen benutzt man immer *wo, wohin, woher*: *Ich liebe England,* ***wo*** *ich Feli getroffen habe.*

Wenn sich das Relativpronomen auf einen ganzen Satz bezieht oder wenn die Pronomen *das, alles, etwas* und *nichts* im Hauptsatz stehen, dann verwendet man das Relativpronomen *was*.
Ich kann mit ihr über das/alles/etwas/nichts, ***was*** *mich beschäftigt, sprechen.*
Er hat immer für seinen Traum gekämpft, ***was*** *mir sehr imponiert.*

Komplimente machen – Freude schenken

1a **Seht euch das Foto an. Rosa Stark macht einen Test. Was für ein Test könnte das sein? Was könnte das Ergebnis sein?**

1

b **Seht die erste Filmsequenz. Waren eure Vermutungen richtig?**

c **Wie ist der Test in Berlin ausgefallen und welche Erfahrungen hat sie in Kalifornien gemacht? Welche Gründe könnte es für die Unterschiede geben?**

2

2a **Lest zuerst die Aussagen. Seht dann die zweite Filmsequenz. Sind die Aussagen richtig oder falsch?**

1. Im Blog „A compliment a day" berichtet Rosa von eigenen Erfahrungen.
2. Rosa hat den Blog seit sechs Monaten.
3. Der Blog hat ihr Leben kaum beeinflusst.
4. Rosa hat über den Blog und ihre neuen Freunde viele Geschichten geschrieben.
5. Wenn man offen für Kontakte ist und Leute anspricht, lohnt sich das.

b **Seht die zweite Filmsequenz noch einmal. Wofür haben diese Leute ein Kompliment bekommen?**

1. Junge Frau in der U-Bahn
2. Musiklehrer
3. Paar im Supermarkt
4. Kioskbesitzer

c **Welche Komplimente habt ihr schon mal gemacht? Wie reagiert ihr, wenn ihr ein Kompliment bekommt? Erzählt in der Klasse.**

3

3a **Seht die dritte Filmsequenz. Wie erklärt Christoph Wulf die kulturellen Unterschiede beim Komplimentemachen?**

b **Welche Umschreibung passt zu den Wörtern aus der Filmsequenz? Ordnet zu.**

1. reserviert sein	A sachlich und rational sein
2. die Interaktion	B verschlossen und distanziert sein
3. übertreiben	C etw. besser/schlechter/größer ... darstellen, als es ist
4. nüchtern sein	D die Verständigung, die Kommunikation

c **Welche Erfahrungen habt ihr in den Ferien in anderen Ländern gemacht? Machen die Menschen dort mehr oder weniger Komplimente als in eurem Land? Wie war das für euch?**

4

4a Seht die vierte Filmsequenz. Welche Tipps gibt Rosa Stark der Reporterin? Wie reagieren die Passanten auf ihre Komplimente?

b Seht die Filmsequenz noch einmal. Sammelt in der Klasse alle Komplimente.

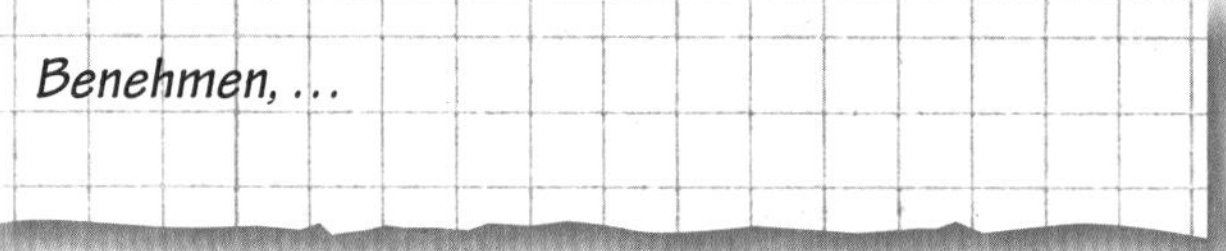

c Seht eure Sammlung aus 4b an. Wofür macht die Reporterin Komplimente? Welche anderen Kategorien fallen euch noch ein?

Benehmen, ...

d Welches Kompliment würdet ihr in den folgenden Situationen machen? Notiert für jedes Foto ein Kompliment.

e Spielt zu zweit die Situationen auf den Fotos in 4d. Macht Komplimente und reagiert darauf.

Kaufen, kaufen, kaufen

1

BREZE 0,45

WURST-SEMMEL 0,90

PLUNDERGEBÄCK 0,90

A

B

Ihr lernt

Modul 1 | Ein Produkt beschreiben

Modul 2 | Die Argumentation in einer Diskussion verstehen

Modul 3 | Ratschläge zum Thema „Schulden vermeiden" geben

Modul 4 | Einen Sachtext über Werbung und Radio-Werbung verstehen

Modul 4 | Eine Werbekampagne entwerfen

Grammatik

Modul 1 | Finalsätze

Modul 3 | Konjunktiv II

▶ ÜB Wortschatz

Cro: **Einmal um die Welt**

Baby bitte mach dir nie mehr Sorgen um Geld,
gib mir nur deine Hand, ich kauf dir morgen die Welt.
Egal wohin du willst, wir fliegen um die Welt,
haun' sofort wieder ab, wenn es dir hier nicht gefällt.

Ost, West oder Nord. Hab den Jackpot an Bord,
will von hier über London, direkt nach New York.
Denn ab heute leb' ich jeden Tag als ob ich morgen tot wäre,
laufe durch den Park und werf' mit Geld als ob es Brot wäre.

Nur noch Kaviar, Champagner oder Schampus,
Baby ich erfüll' dir wirklich jeden Wunsch mit Handkuss.
Frühstück in Paris und danach joggen auf Hawaii
und um das Ganze noch zu toppen, gehen wir shoppen in LA.

Also pack dir deine Zahnbürste ein,
denn ab heute bist du mehr als an nur einem Ort daheim.
Mit meinem Babe in der Hand und 'nem Safe an der Wand,
können wir tun was wir wollen und das Leben ist noch lang.
Also komm!

Baby bitte mach dir nie mehr Sorgen um Geld,
...

Sie will Kreditkarten und meinen Mietwagen,
sie will Designerschuhe und davon ganz schön viel haben.
Manolo Blahnik, Prada, Gucci, und Lacoste
kein Problem dann kauf' ich halt für deine Schuhe gleich ein ganzes Schloss.

Sie will in Geld baden und sie will Pelz tragen
und sie will schnell fahren, einmal um die Welt fahren.
Sie kann sich kaufen was sie wollte doch nie hatte,
denn ich hab jetzt die American Express und zwar die schwarze.
Also komm!

Baby bitte mach dir nie mehr Sorgen um Geld,
...

Baby du weißt Bescheid, komm einfach vorbei oder ruf mich an, kein Ding,
nur wir zwei, einmal um die Welt, ok.

1 Geht ihr gerne einkaufen oder shoppen? Oder ist euch das eher lästig? Berichtet.

2a Seht die Zeichnungen an und beschreibt die Situationen. Kennt ihr noch andere typische Situationen beim Einkaufen oder Shoppen?

b Was denken oder sagen die Personen? Notiert und vergleicht in der Klasse.

3a Lest den Text des Liedes „Einmal um die Welt" von Cro. Für wen könnte das Lied sein? Was verspricht der Sänger alles?

2.14

b Hört nun das Lied. Wie gefällt euch der Text, die Melodie, der Rhythmus, die Stimme?

Dinge, die die Welt (nicht) braucht

1a Was ist das und was macht man damit? Wenn ihr es nicht wisst, ratet.

b Lest die Produktbeschreibungen. Welcher Text passt zu welchem Foto?

A

Du bist zu Fuß oder mit Inlineskates unterwegs und plötzlich kommt von der Seite ein Radfahrer, der dich nicht sieht? Wenn du doch jetzt eine Klingel dabei hättest, mit der du auf dich aufmerksam machen könntest! Kein Problem, das gibt's. Den Klingelring steckst du dir einfach an den Finger, um sicher zu sein. Du musst nur leicht auf den Ring drücken, damit die Klingel laut ertönt. Und schon bist du nicht mehr zu überhören. Los geht's!

B

Wer kennt das nicht: Kekskrümel auf und in der Tastatur? Das ist nicht nur unappetitlich, manchmal funktionieren sogar die Tasten nicht mehr. Kein Problem für den kleinen, lustigen Tastaturstaubsauger. Mit einem fröhlichen Lächeln entfernt er schnell unerwünschten Staub und Dreck. Und er kommt auch in die kleinsten Ecken. Damit es auch immer was zu lachen gibt, stellt man ihn am besten für alle gut sichtbar neben den Computer.

C

Gerade erst gekauft und schon ist der neue Lieblingspulli voll mit kleinen Fusseln? Jetzt bloß nicht am Pulli rumzupfen, das macht alles nur noch schlimmer. Zum schonenden Entfernen der hässlichen Fussel und Knötchen kannst du einfach den Fusselrasierer benutzen. Dank der neuen und verbesserten Konstruktion eignet er sich auch für empfindliche Textilien und im Handumdrehen sieht der Pulli wieder aus wie neu.

D

Ihr habt euch schon immer etwas gewünscht, um den perfekten Durchblick zu haben? Das winzig kleine Monokular – nicht größer als eine Streichholzschachtel und nur 46 Gramm leicht – ist die Lösung: Es ist Fernglas und Lupe in einem und garantiert Durchblick in der Nähe und in der Ferne. Das Gerät ist so klein, dass man es jederzeit in der Hosentasche bei sich tragen kann.

▶ Ü 1 **c Sprecht in Gruppen: Welches Produkt würdet ihr kaufen? Warum?**

2a Lest die Texte noch einmal und notiert die Sätze mit den Konnektoren *damit* und *um … zu*. Markiert dann die Subjekte und ergänzt die Regel mit *damit* und *um … zu*.

G

Finalsätze mit *damit* und *um … zu*

Finalsätze drücken ein Ziel oder eine Absicht aus.
Subjekt im Hauptsatz = Subjekt im Nebensatz: ___ oder ___
Subjekt im Hauptsatz ≠ Subjekt im Nebensatz: ___
wollen, sollen und *möchten* stehen nie in Finalsätzen:
Ich spare Geld. Ich will das Monokular kaufen. → *Ich spare Geld,* ***um*** *das Monokular* ***zu*** *kaufen.*

b Welche Sätze kann man auch mit *um … zu* sagen? Formuliert diese Sätze um.

1. Ihr solltet gut auf das Monokular achten, damit ihr es nicht verliert.
2. Benutzt den kleinen Staubsauger, damit die Tastatur sauber wird.
3. Am besten nehmt ihr den Klingelring immer mit, damit ihr auf euch aufmerksam machen könnt.
4. Klingelt vor scharfen Kurven, damit andere Personen euch hören.
5. Kauft den Fusselrasierer, damit ihr lange Freude an euren Kleidern habt.

c Arbeitet zu zweit. Jeder notiert vier Fragen mit *Wozu?*. A beginnt, liest eine Frage vor und wirft dann eine Münze: Zahl = *damit*, Kopf = *um … zu*. B antwortet und stellt die nächste Frage.

Wozu kaufst du neue Joggingschuhe?

Damit ich schneller laufen kann.

SPRACHE IM ALLTAG 

Auf eine Frage mit *Warum?* kann man mit einem Finalsatz antworten:
- ○ *Warum gehst du in die Stadt?*
- ● *Um Freunde zu treffen.*

▶ Ü 2–5

3 Lest die Kundenbewertungen und die Regel. Notiert ein weiteres Beispiel aus den Bewertungen und formt es um.

★★★★★

Super! Ich teile mir einen Computer mit der ganzen Familie ... Die Tastatur ist meist ziemlich schmutzig. Ich mache sie sehr oft sauber und früher hat das lang gedauert. Um sie zu putzen, nehme ich jetzt nur noch den Tastaturstaubsauger. Das geht superschnell.  

★☆☆☆☆

Ich habe einen Tastaturstaubsauger geschenkt bekommen, aber er ist viel zu laut und saugt nicht gut. Zum Reinigen meines Laptops verwende ich ein feuchtes Taschentuch. Das funktioniert sowieso viel besser.

Nebensatz mit *um … zu*	***zum* + nominalisierter Infinitiv**
Um die Tastatur **zu** putzen, nehme ich nur noch den Tastaturstaubsauger.	**Zum** Putzen der Tastatur nehme ich nur noch den Tastaturstaubsauger.

Der Akkusativ im Satz mit *um … zu* wird beim nominalisierten Infinitiv oft zum Genitiv.

▶ Ü 6

4 Präsentiert ein Produkt, auf das ihr nicht verzichten wollt. Beschreibt es, ohne den Produktnamen zu nennen. Die anderen raten.

ETWAS BESCHREIBEN

Aussehen beschreiben	Funktion beschreiben
Es ist aus … / Es besteht aus …	Ich habe es gekauft, damit …
Es ist ungefähr so groß/breit/lang wie …	Besonders praktisch ist es, um …
Es ist rund/eckig/flach/oval/hohl/gebogen/…	Es eignet sich sehr gut zum …
Es ist schwer/leicht/dick/dünn/…	Ich finde es sehr nützlich, weil …
Es ist aus Holz/Metall/Plastik/Leder/…	Ich brauche/benutze es, um …
Es ist … mm/cm/m lang/hoch/breit.	Dafür/Dazu verwende ich …
Es ist billig/preiswert/teuer/…	

STRATEGIE

Mit Umschreibungen arbeiten

Ihr wisst nicht, wie etwas auf Deutsch heißt? Erklärt es:
- Wie sieht es aus (Größe, Farbe, Form)?
- Wo findet man es? Wo benutzt man es? Wo kommt es her?
- Wozu braucht man es? Was kann es oder was kann man damit machen?

Konsum heute

1 Seht die Fotos an. Sammelt in Gruppen Wörter und Begriffe, die euch zu den Fotos einfallen.

▶ Ü 1 *Foto 3: Kundenbewertungen lesen*

2 **Rund um den Konsum – Welches Verb passt? Ordnet zu und vergleicht mit einem Partner / einer Partnerin. Manchmal sind mehrere Lösungen möglich.**

achten	anziehen	ausgeben	beeindrucken	behandeln
dazugehören	gehen	informieren	leisten	machen
unternehmen	verdienen	verschwenden	bekommen	sein

A für Produkte Geld B etw. geschenkt C shoppen D etw. mit anderen E sich etw. Neues
F mit etw. Geld G immer im Trend H auf Markenprodukte I nicht immer die gleichen Sachen
J Geld für schlechte Produkte K Kleidung mit Chemie L sich im Internet und in Zeitschriften
M zu einer Gruppe N Freunde mit neuen Sachen O Werbung für ein Produkt

A für Produkte Geld ausgeben

▶ Ü 2

2.15

3a **Hört den ersten Abschnitt einer Gesprächsrunde im Radio und notiert: Was machen die drei Talkgäste?**

Alexa Podilski

Justin Bauer

Tamara Kusch

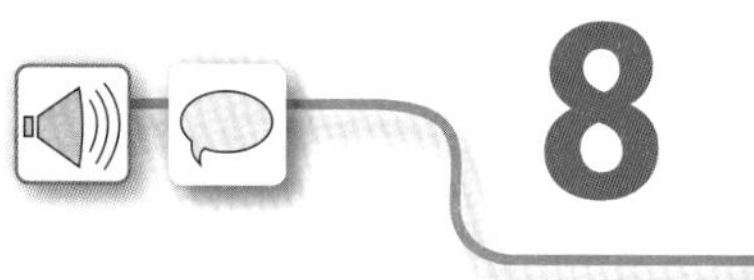

2.16

b **Hört den zweiten Abschnitt und beantwortet die Fragen.**

1. Was kaufen die drei Talkgäste?
2. Wie wichtig sind ihnen Trends und Markenklamotten?
3. Was erfahrt ihr über ihr Konsumverhalten?

2.17

4a Hört nun den dritten Abschnitt. Welche Themen werden im Zusammenhang mit Konsum angesprochen? Notiert.

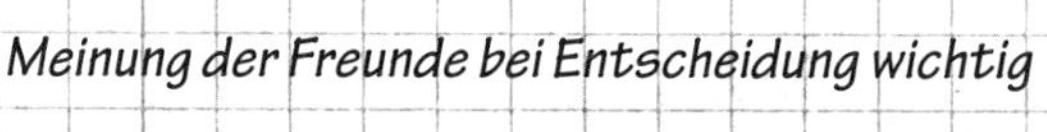

b **Hört den dritten Abschnitt der Diskussion noch einmal. Dazu löst ihr acht Aufgaben. Ordnet die Aussagen zu: Wer sagt was?**

1. Qualität ist nicht so wichtig, weil Kleidung nicht lange getragen wird.
2. Man sollte darüber nachdenken, unter welchen Bedingungen etwas hergestellt wurde.
3. Jugendliche sollten Markenkleidung keine zu große Bedeutung geben.
4. Bei vielen Jugendlichen geht es nicht um das Produkt, sondern darum, andere zu beeindrucken.
5. Konsumieren heißt vor allem, Spaß an Neuem zu haben.
6. Wer im Internet positiv über Produkte spricht, die er selbst konsumiert, macht indirekt Werbung dafür.
7. Konsumieren wirkt sich positiv auf die Wirtschaft aus.
8. Billige Kleidung zu kaufen und schnell wegzuwerfen, ist umweltschädlich.

Alexa Podilski	Justin Bauer	Tamara Kusch
1.		

c **Welchen Aussagen könnt ihr zustimmen, welchen nicht? Begründet.**

Der ersten Aussage stimme ich zu, da …

Ich denke, die Einstellung von … ist falsch, denn …

Ich finde, Tamara hat damit recht, dass …

d **Worauf könntet ihr verzichten? Worauf auf keinem Fall? Diskutiert in der Klasse.**

TATORT T-SHIRT
Tausch Dich Glücklich
NRW-weiter Aktionstag

5a Organisiert eine Tauschbörse. Jede/r bringt etwas zum Tauschen mit. Was ist an eurem Produkt für andere attraktiv? Werbt für euer Produkt.

b **Tauscht in der Klasse. Was ist euch euer Produkt wert? Welcher Tausch ist gut / nicht so gut?**

EIN VERKAUFS-/TAUSCHGESPRÄCH FÜHREN

ein Produkt bewerben/anpreisen	etwas aushandeln / Angebote bewerten
Ich habe es gekauft, weil …	Tut mir leid. Das habe ich schon.
Man kann es super gebrauchen, um … zu …	Das ist ein bisschen wenig/viel.
Das kannst du immer …	Ich würde lieber gegen … tauschen.
Das ist noch ganz neu / wenig gebraucht / …	Das finde ich einen guten Tausch / ein faires Angebot.
… steht dir super / ist total praktisch / …	

▶ Ü 3–4

In der Schuldenfalle

1a Seht die Anzeige an. Was könnten die Wörter „angepumpt" und „Schuldenfalle" bedeuten? An wen wendet sich die Anzeige?

Portemonnaie schon wieder leer?
Freunde zu oft angepumpt?
Keine Freunde mehr?
Allein in der Schuldenfalle?
Ruf uns an, wir wissen Rat!
0879 – 555 555 55

b Lest die Ausdrücke. Welche Umschreibung passt?

1. pleite sein
2. mit etw. nicht klarkommen
3. Überwindung kosten
4. Taschengeld bekommen
5. einsparen

A jdm. fällt es schwer, etw. zu tun
B regelmäßig einen Geldbetrag von den Eltern erhalten
C kein Geld mehr haben
D etw. nicht kaufen oder nicht verbrauchen
E Probleme mit etw. haben

2.18

c Hört das Telefongespräch und macht Notizen zu den folgenden Fragen.

- Wer spricht?
- Was ist das Problem?
- Was sind die nächsten Schritte?

▶ Ü 1 **d Wofür gebt ihr im Monat das meiste Geld aus? Kauft ihr Dinge, die ihr nicht unbedingt braucht?**

2a Lest die Sätze aus dem Telefongespräch und notiert, was sie ausdrücken: eine höfliche Bitte, Irreales, eine Vermutung oder einen Vorschlag.

1. Das Geld müsste eigentlich reichen, aber du bist immer pleite.
2. Ich denke, du solltest irgendwo Geld einsparen.
3. Mit einem anderen Vertrag würde ich wahrscheinlich Geld sparen.
4. Darum hätte ich mich schon längst kümmern sollen.
5. Wir könnten versuchen rauszufinden, wofür du dein Geld genau ausgibst.
6. Ich bräuchte wirklich ein paar gute Tipps.
7. Ginge es bei dir am Dienstag um halb vier?
8. Und könntest du deine Kontoauszüge mitbringen?

1. Irreales, 2. …

b Ergänzt die Regel mit *haben, haben, würde, sollen* und *sein*.

Konjunktiv II

Bildung Konjunktiv II der Gegenwart
___ + Infinitiv: *ich würde sparen*
Bei ___, *sein*, Modalverben und einigen wichtigen Verben: Präteritum + Umlaut (*a, o, u* → *ä, ö, ü*): *hätte, wäre, müsste, bräuchte, wüsste, gäbe, ginge, fände*
Ausnahme: *wollen* und ___ ohne Umlaut: *Sie* ***sollte*** *Geld sparen.*

Bildung Konjunktiv II der Vergangenheit
Konjunktiv II von ___ oder ___ + Partizip II: *ich hätte gespart, er wäre gekommen*
mit Modalverb: Konjunktiv II von *haben* + Infinitiv + Modalverb im Infinitiv: *ich hätte mich kümmern sollen*

▶ Ü 2–5

3a Was sollte Lisa machen? Formuliert Tipps im Konjunktiv II.

Handytarif wechseln | weniger Kleidung kaufen | kein Geld leihen | Geld für jede Woche einteilen | …

b Beim Beratungsgespräch bekommt Lisa einen Flyer mit Tipps. Welche Tipps sind für euch neu?

Raus aus der Schuldenfalle!

- ✓ Kleine Rechenaufgabe: Wie viel Geld hast du im Monat zur Verfügung? Wie viel gibst du auf jeden Fall jeden Monat aus (Fahrkarte, Handytarif, Zeitschriftenabo …)? Ziehe diese Ausgaben von deinem monatlichen Budget ab. Teile den Rest durch vier. Jetzt weißt du, wie viel du in der Woche ausgeben kannst.
- ✓ Bezahle immer bar und nicht mit Karte, dann hast du einen besseren Überblick!
- ✓ Je mehr Geld im Portemonnaie ist, desto schneller gibt man es aus. Nimm also nie zu viel Geld mit.
- ✓ Chaos: Gestern hast du einer Freundin 5 € geliehen, heute hast du dir von einem Freund 7 € geliehen und von deiner Freundin 2,50 € zurückbekommen. Deine Schwester hat dir heute Nachmittag noch 3 € für ein Eis geliehen. Blickst du noch durch? Also: Vorsicht beim Leihen und Verleihen! Schreib dir genau auf, wie viel du von wem geliehen oder an wen du es verliehen hast.
- ✓ Gehe nie hungrig einkaufen, sonst kaufst du zu viel. Überleg dir vorher, was du wirklich brauchst und kaufen willst. Kaufst du etwas, weil es billig ist, obwohl du es nicht brauchst, ist das Geld auch verschwendet.
- ✓ Manche Monate sind teurer: Im Dezember kaufst du Weihnachtsgeschenke, in manchen Monaten haben viele Freunde Geburtstag, im Urlaub kauft man Souvenirs … Spare Geld in den „billigen" Monaten für Extraausgaben. Leg dafür am Monatsanfang eine kleine Summe auf die Seite.
- ✓ Filme ausleihen und mit Freunden zu Hause ansehen, statt ins Kino gehen; selbst Nudeln kochen statt Pizza bestellen; Picknick machen statt Shoppingtour … Es gibt viele günstige Möglichkeiten, Spaß in der Freizeit zu haben.

c Arbeitet zu zweit. Wählt eine Situation und sammelt Tipps und Vorschläge, was die Person tun kann.

A Eure Freundin Laura gibt zu viel Geld aus. Sie sucht jeden Tag nach neuen Schnäppchen im Internet und weiß schon lange nicht mehr, was alles in ihrem Kleiderschrank ist.

B Euer Freund Linus hat ständig eine viel zu hohe Handyrechnung und jetzt auch Ärger mit seinen Eltern. Sie wollen ihm das Handy wegnehmen.

C Eure Klassenkameradin Eva leiht sich immer wieder Geld bei euch. Alle bekommen das Geld erst zurück, wenn sie mehrmals nachgefragt haben.

d Schreibt zu zweit eine E-Mail an die Person in 3c mit Vorschlägen und Tipps.

BITTEN ODER VERMUTUNGEN ÄUßERN	VORSCHLÄGE MACHEN UND TIPPS GEBEN
Wir wollten dich darum bitten, dass …	Du solltest vielleicht regelmäßig …
Wir fänden es gut, wenn du …	Es könnte gut für dich sein, wenn du dir zuerst überlegst, wie viel …
Könnte es sein, dass du vielleicht …?	Wir würden vorschlagen, dass du …
Wir haben den Eindruck, dass du zu viel/oft …	Du solltest auf keinen Fall …
Es wäre super, wenn …	Wir würden an deiner Stelle …
Uns wäre es lieber, wenn …	Du könntest doch …

Kauf mich!

1 **Was denkt ihr: Lasst ihr euch leicht durch Werbung beeinflussen? Was habt ihr in der Werbung gesehen und deshalb auch gekauft?** ▶ Ü 1

2a **Welche Mittel nutzt Werbung, um ein Produkt attraktiv zu machen? Sammelt in der Klasse.**

Fotos von glücklichen Menschen, tolle Versprechen

b **Arbeitet zu zweit. Lest den Zeitschriftentext und notiert, wo thematische Abschnitte beginnen und enden.**

So wickelt uns die Werbung ein

Bildschöne Frauen tanzen braungebrannt unter Palmen im Sonnenuntergang. Coole Typen sitzen nach einem langen Tag am Feuer in der einsamen Prärie, Babys lachen. Möwen segeln sanft über das Meer, Berge grüßen mit grünen Wiesen und weißen Gipfeln. Jede Menge Klischees: Aber diese Werbung wirkt.

Auch bei Ihnen. Die kritischen Kunden glauben, die Werbefallen zu kennen, und gehen auf Distanz. Damit sind sie nur selten erfolgreich, denn das, was wir in der Werbung zu sehen und zu hören bekommen, zeigt bei fast allen seine Wirkung. Die Werber sprechen mit ihren Botschaften das an, was wir sein wollen: frei, glücklich, beliebt, mutig. Wie die Botschaften sich in unseren Kopf schleichen, merken wir oft gar nicht. Versuche haben gezeigt, dass Männer besonders gut auf ein schönes Panorama reagieren. Folglich fahren sie ihre schicken Autos im Werbespot durch spektakuläre Bergszenen oder trinken ihr Bier gerne mit Blick ins Tal oder aufs Meer. Aber auch die Frauen sind nicht sicher vor Werbeklischees: Bei ihnen funktioniert der Blick aus großen Kinderaugen besonders gut – das Kindchenschema. Die süßen Kleinen servieren Kaffee oder einen schönen Kuchen für die Mama, wenn sie nicht gerade in Szenen für Waschpulver oder Süßigkeiten ihren Auftritt haben. Darüber hinaus gibt es aber eine noch erfolgreichere Strategie als den Appell an die Sehnsüchte. Sie lautet: Mach dem Kunden richtig Druck! Das Schnäppchen, für das Sie sich bis morgen entscheiden müssen, das Sonderangebot, von dem es nur einen begrenzten Vorrat gibt. Ein Limit bringt die erwünschte Entscheidung schnell voran. Im Kaufhaus können wir eine ganze Sammlung an Werbestrategien finden. Die Kaufhausmusik ist wohl die bekannteste davon. Werbepsychologen sind sich sicher, dass sie unseren Einkauf positiv beeinflusst. Sie entspannt und lenkt ab. Aber nicht nur unsere Ohren, sondern auch unsere Nasen haben die Werbenden entdeckt. Die zarten Düfte, die überall im Kaufhaus versprüht werden, streicheln unsere Nerven nicht nur in der Parfümerie im Erdgeschoss. Sie bringen uns auch zwei Etagen höher bei den Spielen und der Bettwäsche in Kauflaune. Und ist Ihnen schon einmal aufgefallen, dass am Eingang von Supermärkten ein Bäcker heute Standard ist? Beim Duft von frisch Gebackenem läuft so manchem Kunden das Wasser im Mund zusammen und er wird dazu animiert, mehr zu kaufen, als auf dem Einkaufszettel steht. Und unter Ihren Füßen gehen die Strategien weiter: Harter und glatter Boden für die Wege, um schnell zur Ware zu gehen. Dort angekommen, bleiben Sie lange und angenehm auf weichem Teppich stehen. Und auch die Hände sollen angesprochen werden. In letzter Zeit finden wir Kleidung oft schön auf Tischen sortiert und gestapelt. Sie müssen erst alles hochheben, um es richtig anzuschauen. Schon etwas lästig, aber die Werbung weiß: Haben wir das Produkt erst in der Hand, fällt die Entscheidung zum Kauf leichter. Und auch das Verkaufspersonal ist mit den neuesten Strategien geschult: „Nein, diese Farbe ist leider nichts für Sie." Das finden Sie ja auch und sind begeistert von so einem ehrlichen Verkaufsgespräch. „Ja, es steht Ihnen wirklich gut. Aber stimmt, das schöne Stück ist nicht ganz billig." Diese kritische Offenheit überrascht uns positiv – das muss man der netten Dame einfach abkaufen. Oder lieber doch nicht?

Abschnitt 1: Z. 1–12 („Auch bei Ihnen.")

c Gebt jedem thematischen Abschnitt aus 2b eine Überschrift. Welche Fotos passen zu euren Abschnitten? Vergleicht in der Klasse und begründet eure Einteilung der Abschnitte.

d Was bedeuten diese Ausdrücke aus dem Text? Ordnet die richtige Bedeutung zu.

1. jdn. einwickeln (Überschrift)
2. einen Auftritt haben (Z. 29–30)
3. jdm. Druck machen (Z. 32–33)
4. etw. voranbringen (Z. 35–36)
5. jdn. in Kauflaune bringen (Z. 45–46)
6. jdm. läuft das Wasser im Mund zusammen (Z. 49–50)
7. jdm. etw. abkaufen (Z. 74)

A Appetit auf etw. haben
B etw. weiterentwickeln
C jdn. durch Komplimente überzeugen
D jdm. Lust auf Einkaufen machen
E in einer Szene eine Rolle spielen
F jdm. glauben
G jdn. unter Stress setzen

e Lest den Text und die Aufgaben 1–7. Notiert zu jeder Aufgabe im Heft: „Richtig" (R), „Falsch" (F) oder „Der Text sagt nichts dazu" (X).

1. Werbung zeigt bei kritischen Kunden nur wenig Wirkung.
2. Die Botschaften der Werbung orientieren sich daran, wie wir selbst gerne wären.
3. Frauen spricht besonders Werbung an, in der es um das Thema „Familie" geht.
4. Unter Zeitdruck können sich Kunden nur schwer für ein Produkt entscheiden.
5. Wissenschaftliche Untersuchungen belegen, dass entspannende Musik das Kaufverhalten der Kunden beeinflusst.
6. Die Entscheidung zum Kauf fällt leichter, wenn wir ein Produkt schon angefasst haben.
7. Kritische Bemerkungen von Verkäufern halten uns vom Kauf ab.

▶ Ü 2–3

3 Welche Werbekampagnen waren oder sind bei euch besonders erfolgreich? Gibt es berühmte Werbefiguren oder berühmte Werbeslogans? Recherchiert Informationen und Abbildungen und stellt sie auf Deutsch vor.

Kauf mich!

4 Seht die Werbungen an. Wofür wird hier geworben? Welches Werbeplakat gefällt euch am besten? Welches gefällt euch nicht? Warum?

2.19-22

5a Hört die Radio-Werbungen. Welches Foto passt zu welchem Spot? Ordnet die Nummer des Spots dem passenden Foto zu.

A B C D E F

b Wofür werben die einzelnen Spots? Notiert.

c Hört die Radio-Werbungen noch einmal und korrigiert die Sätze.

1. Netec bietet Computerkurse an.
2. Weitere Informationen zu den Reisegutscheinen gibt es ausschließlich im Internet.
3. Apollo-Optik bedankt sich bei seinen Kunden für 1 Million verkaufte Brillen-Fassungen.
4. Der neue Tarif ist nur einen Monat gültig.

6a Arbeitet in Gruppen und entwickelt eine Werbung. Entscheidet:

- Für welches Produkt oder welche Dienstleistung wollt ihr werben?
- Wollt ihr eine Anzeige oder einen Radio-Spot entwerfen?

Anzeige:
- Fertigt eine Zeichnung an oder sucht/macht ein passendes Foto.
- Überlegt euch einen Werbeslogan, der die Kunden anspricht.

Radio-Spot:
- Überlegt euch einen kurzen Dialog, einen Text oder ein Lied.
- Überlegt euch einen Werbeslogan, der die Kunden anspricht.

b Präsentiert eure Werbung in der Klasse und entscheidet gemeinsam, welche besonders ansprechend ist. Nennt Gründe.

DaWanda

Eine Geschäftsidee für Kreative

Die DaWanda-Gründer Michael Pütz und Claudia Helming

Selbstgemachtes ist wieder in. Besonders wenn man etwas Besonderes sucht, das nicht jeder hat. Nachdem fast alles in Massenproduktion hergestellt wird, dreht sich die Welt jetzt wieder ein bisschen zurück. Im Netz entstehen Läden, in denen man Handgemachtes kaufen kann: Einzelstücke oder Kleinserien, in teuren Industrieländern gefertigt, womöglich im heimischen Wohnzimmer von Hobby-Schneiderinnen, die gleichzeitig Ladenbesitzerinnen sind. Oder von der Oma für ihren verkaufstüchtigen Enkel.

Für den Trend hat in Deutschland vor allem ein Internetportal gesorgt: DaWanda. Das Portal gibt es seit Dezember 2006 und es ist schnell gewachsen. Es trägt ein Herz im Logo, das Lieblingswort der Verkäufer lautet „süß" und das Angebot ist mit 3,5 Millionen Produkten schier unüberschaubar. 220.000 Menschen verkaufen auf DaWanda ihre Sachen – vom Schulranzen über Kapuzenpullis und selbstgeschriebene Gedichte bis hin zu irren Dingen wie Häkelbikinis oder einem Sarg als Bett. Alles handgemacht, so das Versprechen. In Zeiten, da man sich eher fünf Paar neue Socken kauft, als die alten zu stopfen – mal abgesehen davon, dass man gar nicht wüsste, wie das geht – ist die Rückkehr zum Selbstgemachten überraschend. Das bedeutet nicht, dass die Kunden jetzt den kratzigen Ringelpullunder von Tante Agathe tragen wollen. Aber sie suchen originelle Einzelstücke, mit denen sie ihre Grundausstattung aus H&M-Shirt, Ikea-Regal und Apple-Handy aufpeppen können. Gerne darf es auch witzig sein. Die weitaus meisten Liebhaber der selbstgemachten Dinge sind Frauen – auf DaWanda mehr als 90 Prozent der Käufer. DaWanda-Gründerin Claudia Helming erklärt sich das damit, dass Frauen mehr Lust zum Stöbern haben. Und auf DaWanda vergeht schnell eine Stunde mit Klicken, Gucken, Vergleichen und Weiterklicken. „Männer kaufen lieber zielgerichtet ein", sagt Helming. Auch die Verkäufer sind vor allem Frauen. Viel mit ihren Verkäufen verdienen, das schaffen sie allerdings selten. Denn – Handarbeit hin oder her – die Kundinnen sind jung und nicht gerade Millionäre. Deshalb ist vieles erstaunlich günstig.

Immer gut verstaut – der Schlüssel an der Kölner Skyline

www  Mehr Informationen zu DaWanda.

Sammelt Informationen über Firmen, Geschäftsideen oder Persönlichkeiten aus dem In- und Ausland, die für das Thema „Konsum" interessant sind, und stellt sie in der Klasse vor. Ihr könnt dazu die Vorlage „Porträt" im Anhang verwenden.

Beispiele aus dem deutschsprachigen Bereich: Vaude – Lala Berlin – Aldi (Karl und Theo Albrecht) – Nivea – Jakobs – dm (Götz Wolfgang Werner) – Saturn – Karl Lagerfeld

1 Finalsätze

Finale Nebensätze drücken ein Ziel oder eine Absicht aus. Sie geben Antwort auf die Frage *Wozu?* oder in der gesprochenen Sprache auch oft auf die Frage *Warum?*.

Gleiches Subjekt in Haupt- und Nebensatz → Nebensatz mit *um … zu* oder *damit*	
*Du klingelst, **damit** du auf dich aufmerksam machst.*	Im Nebensatz mit *damit* muss das Subjekt genannt werden.
*Du klingelst, **um** auf dich aufmerksam **zu** machen.*	Im Nebensatz mit *um … zu* entfällt das Subjekt, das Verb steht im Infinitiv. Bei gleichem Subjekt sind Formulierungen mit *um … zu* häufiger als mit *damit*.
Unterschiedliche Subjekte in Haupt- und Nebensatz → Nebensatz immer mit *damit*	
*Du klingelst, **damit** andere Personen dich hören.*	
Hauptsatz mit *zum* + nominalisierter Infinitiv	
***Zum** Putzen der Tastatur nehme ich nur noch den Tastaturstaubsauger.*	Alternative zu *um … zu* oder *damit* (bei gleichem Subjekt in Haupt- und Nebensatz). Der Akkusativ im Satz mit *um … zu* wird beim nominalisierten Infinitiv oft zum Genitiv.

wollen, *sollen* und *möchten* stehen nie in Finalsätzen:
Ich spare Geld. Ich will das Monokular kaufen. → *Ich spare Geld, **um** das Monokular **zu** kaufen.*
*Ich spare Geld, **damit** ich das Monokular kaufen kann.*

2 Konjunktiv II

Bitten höflich ausdrücken	*Könntest du deine Kontoauszüge mitbringen?*
Irreales ausdrücken	*Das Geld müsste eigentlich reichen.*
Vermutungen ausdrücken	*Mit einem anderen Vertrag würde ich wahrscheinlich Geld sparen.*
Vorschläge machen	*Wir könnten versuchen rauszufinden, wofür du dein Geld genau ausgibst.*

Konjunktiv II der Gegenwart
Die meisten Verben bilden den Konjunktiv II mit den Formen von *würde* + Infinitiv.

Singular	ich **würde** kaufen	du **würdest** kaufen	er/es/sie **würde** kaufen
Plural	wir **würden** kaufen	ihr **würdet** kaufen	sie/Sie **würden** kaufen

Die Modalverben, *haben*, *sein* und einige wichtige Verben bilden den Konjunktiv II aus der Präteritum-Form + Umlaut. Die 1. und 3. Person Singular bekommt die Endung *-e*.

Singular	ich w**ä**re, h**ä**tte, m**ü**sste, br**äu**chte, w**ü**sste, g**ä**be, ginge, f**ä**nde …	du w**ä**rst, h**ä**ttest, m**ü**sstest …	er/es/sie w**ä**re, h**ä**tte, m**ü**sste …
Plural	wir w**ä**ren, h**ä**tten, m**ü**ssten …	ihr w**ä**rt, h**ä**ttet, m**ü**sstet …	sie/Sie w**ä**ren, h**ä**tten, m**ü**ssten …

Aber: *ich s**o**llte, du s**o**lltest …; ich w**o**llte, du w**o**lltest …*

Konjunktiv II der Vergangenheit
Konjunktiv II von *haben* oder *sein* + Partizip II: *Ich **wäre gekommen**, aber ich hatte keine Zeit.*
*Ich **hätte mich** schon längst darum **gekümmert**.*

mit Modalverb: Konjunktiv II von *haben* + Infinitiv + Modalverb im Infinitiv: *Ich **hätte** das Geld **sparen können**.*

Generation Konsum?

1

1a Seht die erste Filmsequenz und erklärt kurz, worum es geht.

b Was bedeuten diese Begriffe? Ordnet die Erklärungen zu.

1. die Kaufkraft
2. das Statussymbol
3. das Kaufverhalten
4. die soziale Schicht

B damit will man anderen zeigen, wie viel Geld oder welche gesellschaftliche Stellung man hat

D wie viel man kaufen bzw. bezahlen kann

A was, wie, wo und warum man kauft

C ein Teil der Bevölkerung, der ähnlich viel verdient und unter ähnlichen Bedingungen lebt

c Seht die Filmsequenz noch einmal. Wer sagt was? Ordnet die Sätze den Personen zu. Welchen Aussagen aus dem Film würdet ihr (nicht) zustimmen?

Maria Stenzel, 17

Fern Campbell, 17

1. Vor allem in der Schule merkt man, dass es nur um Konsum geht.
2. Die Hälfte von dem, was Jugendliche kaufen, ist ihnen gar nicht wichtig.
3. Immer das Aktuellste zu haben ist für viele junge Leute ein Statussymbol.
4. Natürlich ist Konsum wichtig für mich – ich will mein Leben doch genießen!
5. Wie vernünftig man einkauft, hängt auch von der sozialen Schicht und Bildung ab.

Fabian Krüger, 24

Claus Tully

2a Sprecht in Gruppen: Was sind eurer Meinung nach typische Statussymbole? Warum?

2

b Seht die zweite Filmsequenz. Um welches Produkt geht es? Wozu nutzen die Jugendlichen es?

c Seht die Filmsequenz noch einmal. Warum ist Konsum auch kompliziert?

3 **Lest den Forumseintrag zum Thema „Konsum" und schreibt eine kurze Reaktion: Wie findet ihr die Idee? Könnt ihr euch einen solchen Verzicht auch vorstellen?**

Paul21 13.04. | 21:43 Uhr

Letzte Woche haben wir in der Schule ein Experiment gemacht: Alle konnten freiwillig für eine Woche auf ihr Handy verzichten. Am Anfang hatte ich ständig das Gefühl, dass mir etwas fehlt. Ab Mittwoch hat mich das Projekt dann genervt und ich fing an zu leiden. Ich bekomme doch sonst immer so viele Nachrichten ... Aber ich habe wirklich durchgehalten. Ich habe mich einfach abgelenkt, z. B. durch ein spannendes Buch abends im Bett. Am Ende habe ich mich richtig frei gefühlt, weil ich nicht immer auf mein Handy gucken musste. Das Schulprojekt war für mich ein voller Erfolg.

 3

4a **Lest die Aussagen und seht die dritte Filmsequenz. Korrigiert die falschen Aussagen. Seht die Filmsequenz noch einmal und vergleicht mit einem Partner / einer Partnerin.**

1. Für Jugendliche zwischen 12 und 19 Jahren sind Marken sehr wichtig.
2. Es ist leicht, Produkte aus Bio-Baumwolle von anderer Kleidung zu unterscheiden.
3. Fern Campbell wünscht sich, dass es mehr Produkte aus Bio-Baumwolle gibt.
4. Bei der konsumkritischen Stadtführung erfahren die Jugendlichen, woher ihre Kleidung kommt.
5. Für die Herstellung einer Jeans braucht man 40 Liter Wasser.
6. Den Jugendlichen ist bewusst, dass ein T-Shirt für 5 Euro wahrscheinlich unter schlechten Arbeitsbedingungen produziert wurde. Deshalb kaufen sie solche Kleidungsstücke nicht.
7. Konsum hat immer auch Auswirkungen auf die Umwelt, deshalb ist es wichtig, darüber nachzudenken, was und wie man kauft.

b **Arbeitet in Gruppen. Jede Gruppe wählt eine Aufgabe (A oder B) und diskutiert die Fragen. Sprecht dann in der Klasse über eure Ergebnisse.**

Gruppe A

- Wie wichtig findet ihr, dass Kleidergeschäfte Produkte aus Bio-Baumwolle anbieten?
- Würdet ihr beim Kleidungskauf gern mehr für die Umwelt tun? Was könnte man tun?
- Wie ist die Situation in Kleidergeschäften in eurem Land? Kann man dort Produkte aus Bio-Baumwolle kaufen?

Gruppe B

- Würdet ihr an einer konsumkritischen Stadtführung teilnehmen? Warum (nicht)?
- Glaubt ihr, dass die Stadtführung das Kaufverhalten der Teilnehmer ändern kann?
- Wie könnte man sein Konsumverhalten ändern, um der Umwelt weniger zu schaden?

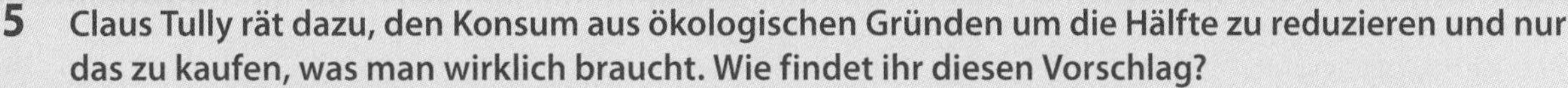

5 **Claus Tully rät dazu, den Konsum aus ökologischen Gründen um die Hälfte zu reduzieren und nur das zu kaufen, was man wirklich braucht. Wie findet ihr diesen Vorschlag?**

Endlich Ferien

Was für ein Reisetyp bist du?

1. Meine Planung:

4 Wir fahren einfach mit dem Zug oder dem Fahrrad los.
3 Mein Sportverein organisiert Ferienreisen. Die machen ein super Programm.
2 Mir ist egal, was wir machen. Hauptsache, ich bin mit meinen Freunden zusammen.
1 Den Urlaub verbringe ich mit meiner Familie. Meistens planen alles meine Eltern.

2. So muss meine Reise sein:

4 Ich fahre am liebsten in die Natur.
1 Im Urlaub möchte ich alles so haben wie zu Hause.
3 Ich will in anderen Ländern die Kultur kennenlernen.
2 Bei mir muss im Urlaub immer etwas los sein.

3. Dort übernachte ich am liebsten:

4 Campingplatz

2 Wanderhütte

3 Jugendherberge

1 Hotel

Ihr lernt

Modul 1 | Ein Interview zu einer Weltreise verstehen
Modul 2 | Seine Meinung zu Workcamps äußern
Modul 3 | Informationen über sich geben
Modul 4 | Informationen zu den Attraktionen einer Stadt verstehen
Modul 4 | Informationen auf Reisen erfragen und geben

Grammatik

Modul 1 | Konnektoren: Temporalsätze
Modul 3 | Temporale Präpositionen

4. Das muss auf jeden Fall mitkommen:

1 Mein Kopfkissen
4 Mein Fußball
3 Mein Lieblingskrimi
2 Mein Föhn

▶ ÜB Wortschatz

5. Zusammen oder allein?

1 Ich fahre am liebsten mit meinen Eltern immer an den gleichen Ort.

2 Auf Reisen möchte ich lustige Leute kennenlernen und Spaß haben.

4 Ich bin auch gerne alleine. Immer mit anderen zusammen zu sein nervt mich.

3 Wenn Aktivitäten in Gruppen angeboten werden, mache ich gerne mit.

6. Aus der Küche:

4 Exotische Spezialitäten? – Ich will alles probieren!

1 Essen im Ausland? – Lieber keine Experimente.

2 Ich esse fast alles. Hauptsache, ich bin satt!

3 Mein Lieblingsessen sind Spaghetti mit Muscheln. Wie in Italien. Lecker!

8. Das bringe ich von der Reise mit:

4 Die besten Mitbringsel sind meine schönen Erinnerungen.

1 Eine Kleinigkeit für meine Eltern, weil ich alleine wegfahren durfte.

3 Ein schickes Andenken für mich.

2 Ich kaufe nichts von dem Touristen-Kram. Das ist mir viel zu teuer!

7. So sieht mein Gepäck aus:

1a **Reisetypen. Macht den Test.**
Notiert die Zahl der jeweiligen Antwort, die am besten passt.

b **Zählt eure Punkte zusammen und lest auf Seite 188 nach, welcher Reisetyp ihr seid.**

c **Oder wärt ihr ein ganz anderer Typ, wenn ihr alleine entscheiden könntet? Welche anderen Reisetypen gibt es noch?**

Ich mache am liebsten Reisen in einer Gruppe, weil …
Ich verreise nicht so gerne, weil …
Am liebsten bin ich …

Einmal um die ganze Welt

1a In welche Länder, Städte, Gebiete oder Regionen seid ihr schon gereist oder möchtet ihr gern reisen? Berichtet in der Klasse.

b Welche Dinge würdet ihr einpacken, wenn ihr eine lange Reise machen würdet?

Ich würde einpacken: den Reisepass, mein Handy natürlich, …

2.23

2a Lest zuerst die Fragen. Hört dann den ersten Teil einer Radiosendung aus der Reihe „Endlich Ferien!" und beantwortet die Fragen.

1. Warum waren Marcels Ferien etwas Besonderes?
2. Wie kam es zu dieser Idee?
3. Wie hat Marcel die Reise finanziert?
4. Welche Eckdaten nennt er?

2.24

b Hört den zweiten Teil und macht zu den Punkten Notizen.

Thema 1: Planung und Organisation der Reise
1. Reisepartner festlegen
2. …

Thema 2: Streitpunkte bei der Planung
1. Reisedauer: …
2. …

c Arbeitet zu zweit. Vergleicht und ergänzt eure Notizen aus 2b.

2.25

d Lest zuerst die Aussagen. Hört dann den dritten Teil des Interviews. Welche Aussagen sind richtig, welche falsch? Notiert.

1. Marcel würde gern an einem tollen Strand leben.
2. Das Schönste auf der Reise waren für Marcel die vielen interessanten Sehenswürdigkeiten.
3. Marcel hat viele Freundschaften geschlossen.
4. Eine Weltreise ist oft anstrengender als das Leben zu Hause.
5. Das Internet bietet immer die Möglichkeit, sich über alles zu informieren.
6. Wenn man in einer Gruppe reist, ist es wichtig, Kompromisse zu finden.
7. Im Laufe einer Reise möchte man immer mehr Dinge sehen.

▶ Ü 1

e Würdet ihr auch so eine lange Reise machen? Welche Länder würdet ihr auf einer Weltreise besuchen?

2.26

3a Lest die Sätze. Entscheidet, welcher Konnektor richtig ist. Hört dann zur Kontrolle.

1. Fast immer ▒▒ es Streit gab, hatte das mit organisatorischen Problemen zu tun. (bevor / wenn)
2. ▒▒ ich für die Prüfungen gelernt habe, gab es für mich wenig Freizeit. (während / nachdem)
3. ▒▒ die Reise für mich wirklich feststand, habe ich gleich drei Freunde gefragt. (solange / als)
4. ▒▒ wir alle unsere Vorstellungen geäußert hatten, sah das nach zwei verschiedenen Reisen aus. (wenn / nachdem)
5. ▒▒ ich nicht in die Schule musste, war ich einfach glücklich. (solange / bevor)
6. ▒▒ unsere Reisen losgingen, nervte ich meinen Vater ständig mit Fragen. (während / bevor)

b Temporale Nebensätze drücken aus, ob das Geschehen im Haupt- und im Nebensatz gleichzeitig oder nicht gleichzeitig stattfindet. Ergänzt bei A und B die Konnektoren aus 3a.

G

zeitliche Abfolge von Geschehen in Haupt- und Nebensatz	**Beispiel**	**Konnektoren**
A Nebensatz und Hauptsatz: gleichzeitig	*Fast immer wenn es …*	*wenn, …*
B Nebensatz und Hauptsatz: nicht gleichzeitig	*Bevor unsere Reisen …*	*bevor, …*

▶ Ü 2–3

c Lest die Regel und schreibt die Sätze 1–3 in Gegenwart und Vergangenheit.

G

Sätze mit *nachdem*

Das Geschehen im Nebensatz mit *nachdem* passiert vor dem Geschehen im Hauptsatz. Im Haupt- und Nebensatz steht nicht dieselbe Zeitform.

	Zuerst: Abitur → Dann: Weltreise	
Gegenwart	***Nachdem*** *ich das Abitur geschafft habe,*	Perfekt
	mache ich eine Weltreise.	Präsens
Vergangenheit	***Nachdem*** *ich das Abitur geschafft hatte,*	Plusquamperfekt
	machte ich eine Weltreise.	Präteritum

1. Zuerst spare ich Geld. Dann mache ich eine Reise.
2. Zuerst plane ich den Urlaub. Dann kaufe ich das Flugticket.
3. Zuerst gebe ich das Gepäck ab. Dann steige ich in das Flugzeug ein.

▶ Ü 4

4 Die Konnektoren *seitdem/seit* und *bis* beschreiben einen Zeitraum. Lest die Regel und schreibt die Sätze 1 bis 4 zu Ende.

G

Sätze mit *seitdem/seit* und *bis*

Seitdem *ich wieder zu Hause bin, berichte ich täglich über meine Reiseerlebnisse.*	**Zeitraum vom Anfang der Handlung**
Bis *die Reise beginnen konnte, mussten einige Entscheidungen getroffen werden.*	**Zeitraum bis zum Ende der Handlung**

1. Seitdem ich zur Schule gehe, …
2. Bis ich meine Traumreise machen kann, …
3. Seit ich einen Sprachkurs besuche, …
4. Bis die nächsten Ferien beginnen, …

▶ Ü 5–8

5 Erfindet in Gruppen eine Reisegeschichte. Schreibt einen Satzanfang mit einem temporalen Konnektor und gebt ihn weiter. Die nächste Gruppe beendet den Satz und formuliert einen neuen Satzanfang.

Als ich einmal in der Sahara war,
ritt ich auf einem Kamel.
Nachdem das Kamel …

▶ Ü 9

Urlaub mal anders

1a **Lest die Überschrift und seht euch die Fotos an. Was hat das mit Urlaub zu tun? Wofür könnten sich die Menschen hier engagieren?**

Sich engagieren in internationalen Gruppen

b **Lest den Artikel. Warum engagieren sich Jugendliche in Workcamps?**

Anpacken im Urlaub

Morgens früh aufstehen, motiviert an die Arbeit gehen und jeden Tag fünf bis sieben Stunden engagiert sein Bestes geben. Daran denken wohl die wenigsten, wenn sie das Wort „Urlaub" hören. Und dennoch finden sich in den internationalen Workcamps meist junge Menschen aus aller Welt, um mit viel Begeisterung genau so ihre freien Tage zu verbringen.

Was macht diese Camps so beliebt? Den meisten „Workcampern" gefällt daran, dass sie zusammen mit anderen eine Sache anpacken und weiterbringen. In Wäldern, auf Feldern, beim Bauen von Straßen und Häusern oder in Kindergärten und Schulen arbeiten sie gemeinsam und unterstützen gesellschaftlich oder sozial wichtige Projekte. Dabei lernt jeder Teilnehmer sich selbst, andere Teilnehmer und Land und Leute aus einer ganz neuen Perspektive kennen. Und darum sind die „Workcamper" nicht für Geld, sondern aus Interesse und Engagement – für die Umwelt, für ein Kulturprojekt oder für die Friedensarbeit – mit dabei.

2.27

2a **Ihr hört gleich ein Interview mit Britta Kühlmann, die sich in einem Workcamp engagiert hat. Lest jetzt die Aufgaben (1–7). Ihr habt dafür zwei Minuten Zeit. Notiert beim Hören bei jeder Aufgabe die richtige Lösung (a, b oder c). Ihr hört das Interview einmal.**

1. Im indischen Workcamp hat Britta …
   a) in einer Schule gearbeitet.
   b) bei den Bauarbeiten an einer Schule mitgeholfen.
   c) eine alte Schule renoviert.
2. Neben dem gemeinsamen Ziel fand Britta wichtig, …
   a) ehrenamtlich zu arbeiten.
   b) etwas Geld zu verdienen.
   c) Kontakt zu anderen Menschen zu bekommen.
3. Britta hat …
   a) wenig Kontakt zur Bevölkerung gehabt.
   b) durch ihre Nachbarn viel von der Kultur mitbekommen.
   c) die Abende im Dorf meist allein verbracht.
4. Die Fremdheit im Alltag …
   a) haben alle Teilnehmer faszinierend gefunden.
   b) hat Britta selten erfahren.
   c) war für manche im Workcamp schwierig.
5. Britta hat für das Workcamp …
   a) die Reise- und Gesundheitskosten selbst finanziert.
   b) nur das bezahlt, was sie für Verpflegung und Übernachtung brauchte.
   c) die Gebühren für das Visum von der Vermittlungsagentur zurückbekommen.

6. Wer in einem Workcamp mitmachen will, der sollte …
   a) sich einem Team anschließen.
   b) Leute in dem Land kennen.
   c) selbstständig sein.

7. Rückblickend würde Britta sagen, dass …
   a) sie während des Camps eine Menge Spaß hatte.
   b) es gut tut, wenn man ein Ziel hat.
   c) sie den Kontakt zum Land zu intensiv fand.

b Was ist eure Meinung zu den Aussagen 1–5? Diskutiert in Gruppen und benutzt die Redemittel.

1. Arbeit und Erholung sind zweierlei.
2. Land und Leute lernt man am besten im normalen Alltag kennen.
3. Sehr viele Menschen engagieren sich ehrenamtlich.
4. Leute in Workcamps werden für die Projekte ausgenutzt.
5. Für Menschen über 25 sind Workcamps zu anstrengend.

ZUSTIMMUNG AUSDRÜCKEN	STARKE ZWEIFEL AUSDRÜCKEN	ABLEHNUNG AUSDRÜCKEN
Ja, das kann ich mir (gut) vorstellen.	Ich glaube/denke kaum, dass …	Es kann nicht sein, dass …
Es ist mit Sicherheit so, dass …	Ich bezweifle, dass …	Es ist ganz sicher nicht so, dass …
Dem stimme ich zu, denn …	Ich habe da so meine Zweifel, denn …	Das kann ich mir überhaupt nicht vorstellen, weil …
Ja, das sehe ich auch so …	… halte ich für völlig übertrieben.	Ich sehe das anders, da …

▶ Ü 1–2

3a Tolle Erfahrung oder Ausbeutung? Lest die Blogbeiträge. Welcher Beitrag trifft eure Meinung?

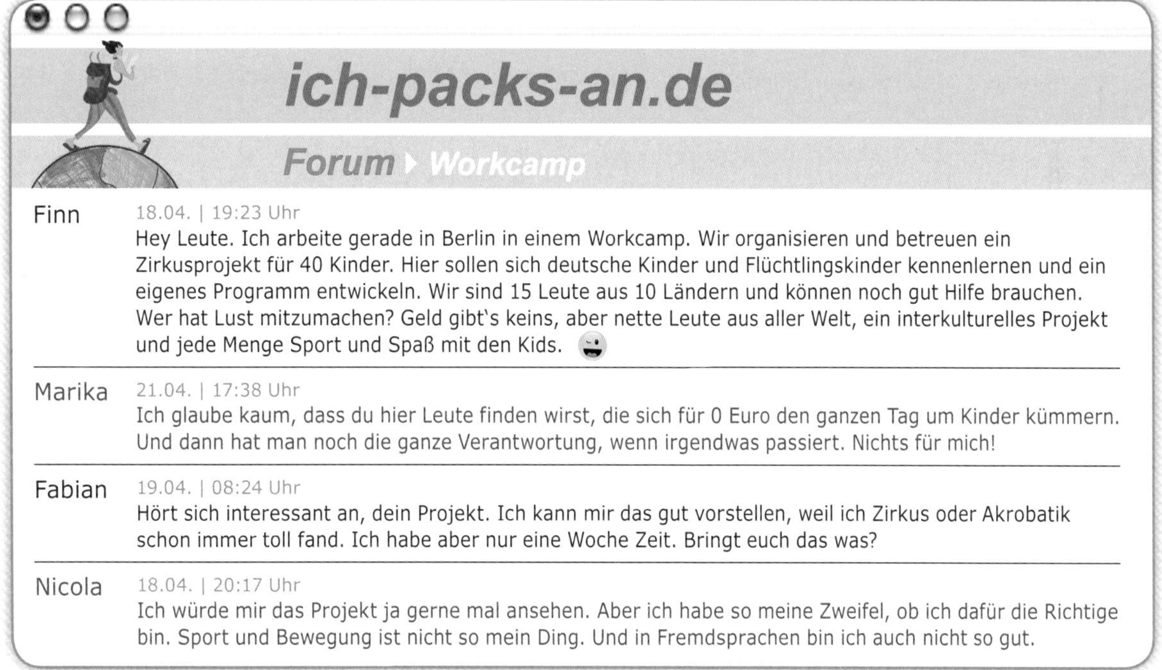

ich-packs-an.de

Forum ▸ Workcamp

Finn 18.04. | 19:23 Uhr
Hey Leute. Ich arbeite gerade in Berlin in einem Workcamp. Wir organisieren und betreuen ein Zirkusprojekt für 40 Kinder. Hier sollen sich deutsche Kinder und Flüchtlingskinder kennenlernen und ein eigenes Programm entwickeln. Wir sind 15 Leute aus 10 Ländern und können noch gut Hilfe brauchen. Wer hat Lust mitzumachen? Geld gibt's keins, aber nette Leute aus aller Welt, ein interkulturelles Projekt und jede Menge Sport und Spaß mit den Kids.

Marika 21.04. | 17:38 Uhr
Ich glaube kaum, dass du hier Leute finden wirst, die sich für 0 Euro den ganzen Tag um Kinder kümmern. Und dann hat man noch die ganze Verantwortung, wenn irgendwas passiert. Nichts für mich!

Fabian 19.04. | 08:24 Uhr
Hört sich interessant an, dein Projekt. Ich kann mir das gut vorstellen, weil ich Zirkus oder Akrobatik schon immer toll fand. Ich habe aber nur eine Woche Zeit. Bringt euch das was?

Nicola 18.04. | 20:17 Uhr
Ich würde mir das Projekt ja gerne mal ansehen. Aber ich habe so meine Zweifel, ob ich dafür die Richtige bin. Sport und Bewegung ist nicht so mein Ding. Und in Fremdsprachen bin ich auch nicht so gut.

▶ Ü 3

b Schreibt selbst einen Beitrag an Finn. Vergleicht eure Beiträge im Kurs.

Hallo Finn! Wo finde ich euch? Das ist eine …

Hi Finn, ich bezweifle, dass das ein sinnvolles Projekt ist. Ich …

4 Wart ihr schon einmal weit weg von zu Hause? Berichtet über eure Erfahrungen.

Ich war schon mal als Austauschschülerin in der Schweiz. Die Familie war wirklich nett, aber …

Sprachen lernen unterwegs

1 **Ihr möchtet in den Ferien eure Deutschkenntnisse verbessern. Was könntet ihr tun?**

Ich würde einen Online-Sprachkurs machen.

2 **Lest die Webseite. Welche Informationen bekommt ihr über die Reisen?**

Koffer packen – und ab geht's!

Dein Sprachkurs wartet auf dich!

- Sprachreisen für Schüler und Jugendliche
- Tolle Kursorte: Berlin, Hamburg, München und Wien
- Großes Freizeitprogramm
- Intensive Betreuung an allen Kursorten
- Unterbringung bei Gastfamilien

✓ *vormittags: Sprachkurs*
✓ *nachmittags: Ausflüge, Sport, ...*
✓ *freies Sprechen lernen*
✓ *speziell ausgebildete Sprachlehrer*
✓ *Unterricht bei Muttersprachlern*
✓ *spielerisches Lernen*

- kleine Gruppen
- Intensivkurse und Super-Intensivkurse
- Prüfungs- und Zertifikatskurse

Informiert euch unter www.sprachen-auf-reisen.de oder telefonisch unter 030 / 800600400

3a **Lest weitere Informationen aus dem Reiseangebot. In welchen Abschnitten findet ihr Informationen zu den folgenden Themen?**

Anreise	Unterbringung	Beratung	Mahlzeiten	Abholung	Unterricht	Vertrag	Preise

A Alle Sprachreisen können einfach und bequem über unsere Agentur gebucht werden. Natürlich beraten wir dich vor der Buchung gern im persönlichen Gespräch per Chat oder telefonisch.
Schick uns einfach eine E-Mail und wir vereinbaren mit dir und deinen Eltern einen Termin. Die Sprachreise wird dann auf unserer Webseite gebucht. Bei der Buchung müssen Ort, Dauer und die Art deiner Sprachreise angegeben werden. Nach der Eingabe aller Daten schicken wir dir und deinen Eltern den Vertrag zu. Das Original mit der Unterschrift deiner Eltern schickst du uns innerhalb einer Woche zurück.

B Unsere Agentur ist Partner aller bekannten Fluggesellschaften. Wenn du deine Sprachreise gebucht hast, kümmern wir uns schnellstens um die Buchung aller Flüge. Wir handeln seit Jahren für unsere Kunden günstige Preise für Flugtickets aus. Für den Preis der Tickets ist allerdings auch entscheidend, ob du innerhalb oder außerhalb der Saison fliegst und wie kurzfristig die Sprachreise stattfinden soll.
Sollte deine Sprachreise mindestens vier Wochen dauern, werden die Tickets in der Regel günstiger und können dann bis eine Woche vor Reiseantritt noch geändert werden.

C Damit du von Anfang an viel sprichst und den Alltag deines Gastlandes kennenlernst, wirst du während deines Aufenthalts bei einer Gastfamilie untergebracht. Unsere Gastfamilien sind freundlich, kommunikativ und werden dich herzlich aufnehmen. Das Essen nimmst du ab dem Ankunftstag zusammen mit der Familie ein. Beim Frühstück und Abendessen berücksichtigt deine Gastfamilie gerne auch deine Wünsche. Um dich schon vorher ein bisschen näher kennenzulernen, wäre es toll, wenn du der Gastfamilie schreibst. Wir sind dir gern auch bei der Formulierung einer E-Mail in der Fremdsprache behilflich.

D Am Ankunftstag erwarten dich ein Mitarbeiter der Agentur und deine Gastfamilie am Flughafen. Solltest du in der Nacht ankommen (zwischen 22 Uhr und 6 Uhr), fährt dich der Mitarbeiter direkt zur Gastfamilie, die dich dann zu Hause erwartet. Für den Transfer berechnen wir einmalig 30 €. Ab einem Aufenthalt von vier Wochen entfällt diese Gebühr. Der Sprachkurs beginnt immer sofort am nächsten Tag um 10 Uhr mit einem ersten Kennenlernen. Die Unterrichtszeiten sind ansonsten montags bis freitags von 9 Uhr bis 14 Uhr. Deine Gastfamilie zeigt dir den Weg und erklärt dir die öffentlichen Verkehrsmittel. Ein Ticket dafür erhältst du für den gesamten Zeitraum von der Agentur.

b Temporale Präpositionen. Ordnet die Ausdrücke in eine Tabelle und schreibt für jede Kategorie zwei Beispielsätze.

~~ab dem Ankunftstag~~ bei der Buchung während deines Aufenthalts nach der Eingabe aller Daten innerhalb einer Woche außerhalb der Saison vor der Buchung bis eine Woche vorher von Anfang an beim Frühstück am Ankunftstag in der Nacht ab einem Aufenthalt von vier Wochen für den gesamten Zeitraum zwischen 22 und 6 Uhr seit Jahren von 9 bis 14 Uhr

temporale Präpositionen

mit Dativ	**mit Akkusativ**	**mit Genitiv**
ab dem Ankunftstag ...		

▶ Ü 1–3

4a Ihr interessiert euch für eine Sprachreise. Die Reiseagentur benötigt deshalb nähere Angaben von euch. Schreibt mithilfe der Fragen einen Steckbrief. Überlegt euch zuerst eine sinnvolle Reihenfolge. Korrigiert eure Texte dann gegenseitig.

Was isst du am liebsten?
Was möchtest du werden?
Was isst du überhaupt nicht gern?
Wie alt bist du?
Hast du Geschwister?
In welche Klasse gehst du?
Was sind deine Hobbys?
Was ist typisch für dich?
Welche Sprachen sprichst du?
Was ist dein Lieblingsfach?
Warum willst du einen Sprachkurs machen?
Welche Musik hörst du am liebsten?
Wie heißt du?
Welche Sprache möchtest du lernen?
Woher kommst du?

b Xiao Wang hat einen Sprachkurs in Deutschland gebucht. Sie hat eine E-Mail an ihre Gastfamilie geschrieben. Lest die E-Mail. Über welche Punkte aus 4a schreibt sie?

Liebe Gastfamilie,
mein Name ist Xiao Wang. Ich bin 15 Jahre alt und komme aus China. Ich bin in einem kleinen Ort in der Nähe von Beijing geboren. Dort lebe ich mit meinen Eltern und Großeltern. Ich gehe in die 10. Klasse und möchte noch mehr Deutsch lernen. Mein Ziel ist es, besser zu sprechen. In Grammatik bin ich schon ganz gut, aber das Sprechen ist für mich sehr schwer. Deshalb freue ich mich, dass ich bei Ihnen in Berlin wohnen kann. Ich hoffe, dass wir uns viel unterhalten und ich im Sprachkurs viel lerne. Ich kann viel über China erzählen und auch viele Fotos mitbringen. Ein Foto von mir und meiner Familie hänge ich an.
Ich möchte natürlich auch die deutsche Hauptstadt kennenlernen. Es wäre sehr schön, wenn Sie mir Berlin zeigen könnten. Ich habe schon ganz viel über die Geschichte von Berlin gelesen. Geschichte ist mein Hobby. Ich möchte später Geschichte studieren. Vielleicht in Berlin ...
Das wäre toll! ☺ Aber ich muss dafür gut Deutsch sprechen.
Ich würde mich freuen, wenn Sie mir bald antworten und ein Foto schicken könnten.
Viele Grüße aus China
Xiao Wang

c Schreibt mithilfe eures Steckbriefs aus 4a selbst einen Brief an eure Gastfamilie. Überlegt zuerst, über welche Punkte ihr schreiben wollt. Vergesst nicht Anrede und Gruß am Schluss.

▶ Ü 4

Eine Reise nach Hamburg

1a Was wisst ihr schon über Hamburg? Sammelt in der Klasse.

b Typisch Hamburg: Klärt diese Wörter und Ausdrücke.

die Elbe	das Schmuddelwetter	der Reeder	die Alster	der Hanseat	schick	das Dienstleistungszentrum

c Lest den Text aus einem Reiseführer. Wählt vier Orte aus, die ihr besuchen möchtet. Vergleicht dann in der Gruppe: Wer möchte wohin?

Hamburg – Stadt an der Elbe, großer Hafen, das „Tor zur Welt". Das fällt den meisten Deutschen ein, wenn sie an die Großstadt im Norden denken. Wenn ihr sie nach Hamburg fragt, dann sprechen sie von großen Schiffen, vom Hamburger Michel (die St. Michaelis Kirche) oder vom großen Fischmarkt an den Landungsbrücken gleich nebenan.

Die Landungsbrücken

Andere denken an die reichen Hamburger Hanseaten, die als Reeder mit ihren Schiffen oder mit Waren aus fernen Ländern viel Geld verdient haben. Und bei „reich" fällt vielen auch der Jungfernstieg ein, eine der teuersten Einkaufsstraßen Hamburgs. Was noch?
Ach ja ... Natürlich auch das Schmuddelwetter mit Nebel, Regen und Wind, das aber niemanden davon abhält, den Hamburger „Dom" zu besuchen.

Hamburger DOM

Zum größten Volksfest im Norden strömen dreimal im Jahr Tausende von Menschen.

Der Michel (St. Michaelis Kirche)

Hafen, Schiffe, Fischmarkt ... typisch Hamburg? Stimmt das heute noch? Wir checken das:
Wer heute nach Hamburg reist, der wird vieles davon wiederfinden. Die großen Schiffe, die eleganten Geschäfte, viele Kneipen und Restaurants, Theater und Kultur. Beim Stichwort „Hafen" stellen sich viele große Segelschiffe und Ozeanriesen vor. Aber die sieht man heute vor allem beim Hafengeburtstag und anderen Festen. Der heutige Hafen liegt am Rand des Zentrums. Und statt

Der Hamburger Fischmarkt

Segelschiffen sieht man dort Containerschiffe, die im hochmodernen Terminal automatisch be- und entladen werden. Seeleute findet man heute sel-

Die Binnenalster mit Rathaus

tener im Stadtbild. Früher haben sie ihr Geld in den Vierteln am Hafen, zum Beispiel in St. Pauli, ausgegeben, heute trefft ihr dort vor allem Touristen. Nicht weit weg vom Hafen, in den schicken Vierteln entlang der Elbe oder an der Alster zu wohnen, können sich heute nur noch die wenigsten Hamburger leisten. Aber Geld gibt man in Hamburg gerne aus: Neben den eleganten Geschäften am Jungfernstieg sind heute auch die modernen Hamburger Passagen oder die HafenCity, ein neu gestaltetes Viertel, ein Publikumsmagnet.

Die Stadt hat sich also verändert. Die Hamburger auch? Na sicher: Der Handel mit Waren oder Transporte mit Schiffen sind weiterhin wichtig. Für die Hamburger Wirtschaft spielen heute aber die Dienstleistungen eine viel größere Rolle. Hier haben sich Finanz- und Versicherungszentren, Medienfirmen und Verlage einen festen Platz geschaffen. Und so wird aus dem Hanseaten, der früher vielleicht Reeder war, heute eher ein Manager oder Verleger.

Hamburg ist aber nicht nur zum Arbeiten attraktiv. Hier ist immer was los. Kulturfans haben richtig viel Auswahl zwischen zahlreichen Museen, Theatern, den großen Musical-Bühnen oder der extravaganten Elbphilharmonie in der HafenCity.

Hamburg hat auch viele Sehenswürdigkeiten wie das Rathaus, den Michel oder die alten Handelshäuser (Kontore) zu bieten. Auf Stadtführungen könnt ihr mit Bus, zu Fuß oder mit dem Fahrrad viel über die bewegte Stadtgeschichte und die Sehenswürdigkeiten erfahren. Und wer nicht mehr unterwegs sein will, der setzt sich in ein Schiff und macht eine Tour über die Alster. Geht doch auch mal auf Entdeckungstour. Los geht's!

Die Elbphilharmonie

d Lest die Aussagen. Welche Information stimmt? Notiert jeweils die korrekte Information.

1. Das meiste Geld wird heute mit Handel / Dienstleistungen verdient.
2. Der Michel steht in der Nähe der Landungsbrücken / an der Binnenalster.
3. Der Dom findet zweimal / dreimal im Jahr statt.
4. Die HafenCity ist ein Containerterminal / ein neuer Stadtteil.
5. Auf dem Jungfernstieg kann man Seeleute finden / teuer einkaufen gehen.

▶ Ü 1

2a Im Hotel in Hamburg – Ihr seid gerade mit euren Eltern in Hamburg angekommen. Ihr habt noch ein paar Fragen an der Rezeption. Ordnet die Antworten den Fragen zu.

1. Wie lautet das WLAN-Passwort?
2. Wo und wann gibt es morgen Frühstück?
3. Können Sie uns ein Taxi rufen?
4. Hätten Sie einen Stadtplan für uns?
5. Wo ist die nächste U-Bahn-Station?
6. Haben Sie auch englische Fernsehsender?
7. Meine Mutter hätte noch gerne ein zweites Kopfkissen.

a) Ja, wir haben Programme in verschiedenen Sprachen.
b) Selbstverständlich. In diesem finden Sie das ganze Stadtzentrum.
c) Im ersten Stock. Von 7 Uhr bis 10 Uhr.
d) Kein Problem. Unser Zimmerservice bringt gleich eines.
e) Es steht auf einem Zettel in Ihrem Zimmer.
f) Natürlich. Wann soll es hier sein?
g) Gleich 100 Meter links von unserem Hotel.

b Schreibt und sprecht Minidialoge an der Rezeption. Ihr könnt die Fragen und Antworten aus 2a und/oder Varianten verwenden.

Eine Reise nach Hamburg

2.28

3a Etwas in Hamburg unternehmen – Informationen erfragen. Lest die Fragen. Hört dann das Gespräch und notiert die Antworten der Touristeninformation.

1. Könnten Sie mir bitte sagen, wann und wo es morgen Stadtführungen gibt?
2. Wie lange dauert eine Führung?
3. Das ist ziemlich lang. Gibt es auch Bustouren?
4. Was würden Sie denn empfehlen?
5. Wo könnte ich mich denn anmelden?
6. Eine Frage hätte ich noch: Wissen Sie auch, was man Typisches in Hamburg essen kann?
7. Könnten Sie mir sagen, wo man am Nachmittag am besten eine Pause machen kann?

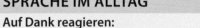

SPRACHE IM ALLTAG

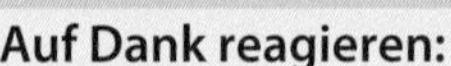

Auf Dank reagieren:
Gern. / Gerne. / Gern geschehen.
Bitte. / Bitte schön.
Keine Ursache. / Kein Problem.
Nichts zu danken.
Nicht der Rede wert.

b Wonach könnte man in der Touristeninformation noch fragen?

c Höflich nach etwas fragen: Sammelt weitere Redemittel in Gruppen, schreibt sie auf ein Blatt und hängt sie auf.

HÖFLICHE FRAGEN

Ich wüsste gerne, ob …

Ich hätte eine Frage / Bitte: …

Könnten Sie mir weiterhelfen?

4a Arbeitet zu zweit und erfragt abwechselnd die fehlenden Informationen. A fragt als Tourist, B antwortet als Touristeninformation.

A Tourist
- Aufenthalt Hamburg am 28. Juli, Doppelzimmer frei? Max. 80 €?
- Hamburger Fischmarkt: Wann? Wo?
- Musical „König der Löwen": Wo? Wann? Preis?

B Touristeninformation
- Am 28. Juli frei: Hotel Hansa (DZ 79,- €) / Pension Alsterrose (DZ 65,- €)
- Fischmarkt: St. Pauli / So. 5.00–9.30 Uhr
- Musical: Sa. 15.00 und 20.00 Uhr, ab 67 €, *Stage Theater im Hafen Hamburg*

b Wechselt jetzt die Rollen. Fragt und antwortet weiter.

A Touristeninformation
- S-Bahn, Linie 1, 25 Minuten vom Flughafen zum Hauptbahnhof, Kosten: 3,20 € einfache Fahrt
- Hamburg Card: Tageskarte ab 9,90 €
- Ab Hauptbahnhof: Linie U2, Richtung Niendorf Nord, Station Hagenbecks Tierpark
- Kulturtermine: Zeitschrift *Szene Hamburg* oder www.hamburg-magazin.de

B Tourist
- Vom Flughafen zur Innenstadt? Dauer? Preis?
- Günstige Fahrten mit Bus, U- und S-Bahn für 24 Stunden?
- Weg zu Hagenbecks Tierpark?
- Kultur-Infos?

▶ Ü 2

5a **Stadtgeschichte mal anders. Im *Hamburg Dungeon*. Seht das Bild an. Wie präsentiert dieses Museum historische Geschichten? Sammelt Ideen in der Klasse.**

Dungeon (engl.) = Verlies / dunkles Gefängnis

b **Lest die Wörter im Kasten. Was passt zusammen? Bildet Paare. Das Wörterbuch hilft.**

gruselig	schlimm	das Feuer	wegnehmen	das Mittelalter	schlecht
gefährliche Krankheit	der Räuber	etw. macht Angst	ca. 6.–15. Jahrhundert		
die Pest	kaputt machen	stehlen	der Brand	der Dieb	zerstören

gruselig – etw. macht Angst

2.29

c **Leon war im *Hamburg Dungeon*. Was berichtet er über die folgenden Themen? Hört zu und macht Notizen. Vergleicht dann zu zweit.**

Themen aus Hamburgs Geschichte   Emotionen   Schauspieler

d **Hört noch einmal. Was sagt Leon? Welche Aussagen sind richtig, welche sind falsch? Sprecht in Gruppen.**

1. Geschichte ist Leons Lieblingsfach.
2. Das ist das lustigste Museum, das Leon kennt.
3. Die Szenen fühlten sich sehr real an.
4. Die Schüler mussten Kranke spielen.
5. Beim Großen Brand wurde Leon seine Tasche gestohlen.
6. Leon kann sich an wichtige Jahreszahlen erinnern.

STRATEGIE
Mit Schlüsselwörtern arbeiten
Notiert Schlüsselwörter aus den Aussagen (Geschichte: Lieblingsfach, ...). Die Schlüsselwörter helfen, euch beim Hören auf das Wesentliche zu konzentrieren und die Aussagen zu überprüfen.

e **Kennt ihr auch ein besonderes Museum? Würdet ihr ein Museum wie das *Hamburg Dungeon* gerne besuchen? Sprecht in der Klasse.** ▶ Ü 3

6 **Projekt: Sucht eine deutschsprachige Stadt aus, die euch interessiert. Sammelt Informationen im Internet für eine fünftägige Klassenfahrt.**

Städte:
www.berlin.de
www.zuerich.ch

An- und Abreise:
www.flug.de
www.oebb.at

Programm:
www.theater.de
www.tourismus-schweiz.ch

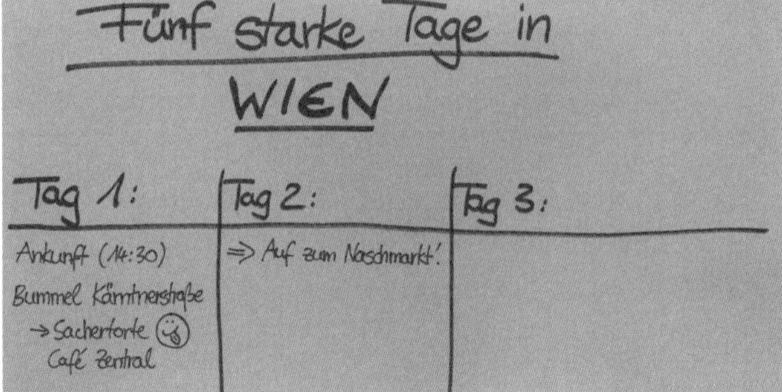

D-A-CH: Touristenattraktionen für Jugendliche

Der Europapark in Rust

... ist der am meisten besuchte Freizeit- und Themenpark im deutschsprachigen Raum. Er liegt in der Nähe von Freiburg und bietet seinen Besuchern auf einer Fläche von über 950.000 m² mehr als 100 Attraktionen in 17 Themenbereichen an. Hier ist für jeden etwas dabei: Angefangen von internationalen Shows über das 4D-Filmabenteuer im Magic Cinema bis hin zum Nervenkitzel auf den verschiedenen Achterbahnen wie zum Beispiel der Silver Star, eine der höchsten Achterbahnen Europas. Hier wird man in kürzester Zeit auf 100 km/h beschleunigt und durch vier Loopings geschossen. Mit fünf eigenen Erlebnishotels ist der Park ein einzigartiges Kurzurlaubsziel.

Das Hobbit-Dorf im Atzmännig

Atzmännig ist ein Sport- und Freizeitgebiet im schweizerischen Kanton St. Gallen mit einer Rodelbahn, einem Seilpark und einem Freizeitpark. Die wichtigste Hauptattraktion ist aber das Hobbit-Dorf. Es besteht aus Holz-Iglus, die je nach Größe Platz für zwei bis sechs Personen bieten. Sie sind mit richtigen Betten ausgestattet. Der Gast bringt nur seinen Schlafsack mit. Dank der guten Isolation und Elektroheizung sind die Iglus auch im Winter ein tolles Erlebnis. Zusätzlich kann ein Frühstück im Restaurant gebucht werden. Das Hobbit-Dorf ist insgesamt mit 27 Schlafplätzen ausgestattet und ist für Schulklassen und Klassenfahrten gut geeignet.

Time Travel in Wien

Unter der jahrhundertalten Michaeliskirche mitten in Wien begibt man sich auf eine faszinierende Reise durch 2.000 Jahre Wiener Geschichte und betritt eine mysteriöse unterirdische Welt, wo Time Travel Vienna seinen Sitz hat. In der 1.300 m² großen Erlebniswelt mit zahlreichen Attraktionen und multimedialen Shows und außergewöhnlichen Sound- und Lichteffekten sowie einem 5-D-Kino erfährt man jede Menge über die Geschichte Wiens. So unternimmt man im Kino eine Zeitreise in die Vergangenheit bis zurück zur Ära der römischen Eroberer. Man nimmt anschließend im Kaiserlichen Theater Platz, um zu erleben, wie die Geschichte der Habsburger Herrscher auf lustige Weise erzählt wird. Natürlich kann man Wiener Musik lauschen und sogar Mozart und Strauss treffen.

www  Mehr Informationen zum Europapark Rust, Hobbit-Dorf und Time Travel.

Sammelt Informationen über Attraktionen aus dem In- und Ausland, die zum Thema „Reisen" interessant sind, und stellt sie in der Klasse vor. Ihr könnt dazu die Vorlage „Porträt" im Anhang verwenden.

Beispiele aus dem deutschsprachigen Bereich: Babelsberg – Bernina Express – Wiener Prater – Sea Life – Spreepark

1a Temporalsätze

Fragewort	Beispiel
Wann? Wie lange? Geschehen im Hauptsatz **gleichzeitig** mit Nebensatz	*Fast immer **wenn** es Streit gab, hatte das mit organisatorischen Problemen zu tun.* **wenn:** wiederholter Vorgang in der Vergangenheit ***Als** die Reise für mich wirklich feststand, habe ich gleich drei Freunde gefragt.* **als:** einmaliger Vorgang in der Vergangenheit ***Während** ich für die Prüfungen gelernt habe, gab es für mich wenig Ablenkung, Freizeit und Spaß.* **während:** andauernder Vorgang ***Solange** ich nicht in die Schule musste, war ich einfach glücklich.* **solange:** gleichzeitiges Ende beider Vorgänge
Geschehen im Hauptsatz **nicht gleichzeitig** mit Nebensatz	***Nachdem** wir alle unsere Vorstellungen geäußert hatten, schien eine schnelle Einigung unmöglich zu sein.* ***Bevor** unsere Reisen losgingen, nervte ich meinen Vater ständig mit Fragen.*
Seit wann?	***Seitdem** ich wieder zu Hause bin, berichte ich täglich über meine Reiseerlebnisse.*
Bis wann?	***Bis** die Reise beginnen konnte, mussten einige Entscheidungen getroffen werden.*

b Zeitenwechsel bei *nachdem*

Das Geschehen im Nebensatz mit *nachdem* passiert vor dem Geschehen im Hauptsatz. Im Haupt- und Nebensatz steht nicht dieselbe Zeitform.

Gegenwart:	*Nachdem wir alle unsere Vorstellungen geäußert haben,* *scheint eine schnelle Einigung unmöglich zu sein.*	Perfekt Präsens
Vergangenheit:	*Nachdem wir alle unsere Vorstellungen geäußert hatten,* *schien eine schnelle Einigung unmöglich zu sein.*	Plusquamperfekt Präteritum

2 Temporale Präpositionen

mit Akkusativ	mit Dativ	mit Genitiv
bis eine Woche vorher **für** mindestens vier Wochen **gegen** 21 Uhr **um** Viertel nach sieben **um** Ostern **herum** **über** den Zeitraum der Reise	**ab** dem Ankunftstag **an** einem Sonntag **beim** Frühstück **in** der Nacht **nach** der Buchung **seit** einem Monat **von** Anfang **an** **von** Montag **bis** Freitag **vor** Reiseantritt **zu** Weihnachten **zwischen** 9 und 16 Uhr	**außerhalb** der Saison **innerhalb** der Saison **während** der Buchung

Erfurt

1 Informiert euch über die Stadt Erfurt.

Wo liegt die Stadt? Von welchem Bundesland ist Erfurt die Hauptstadt?
Welche Bundesländer sind in der Nachbarschaft? …

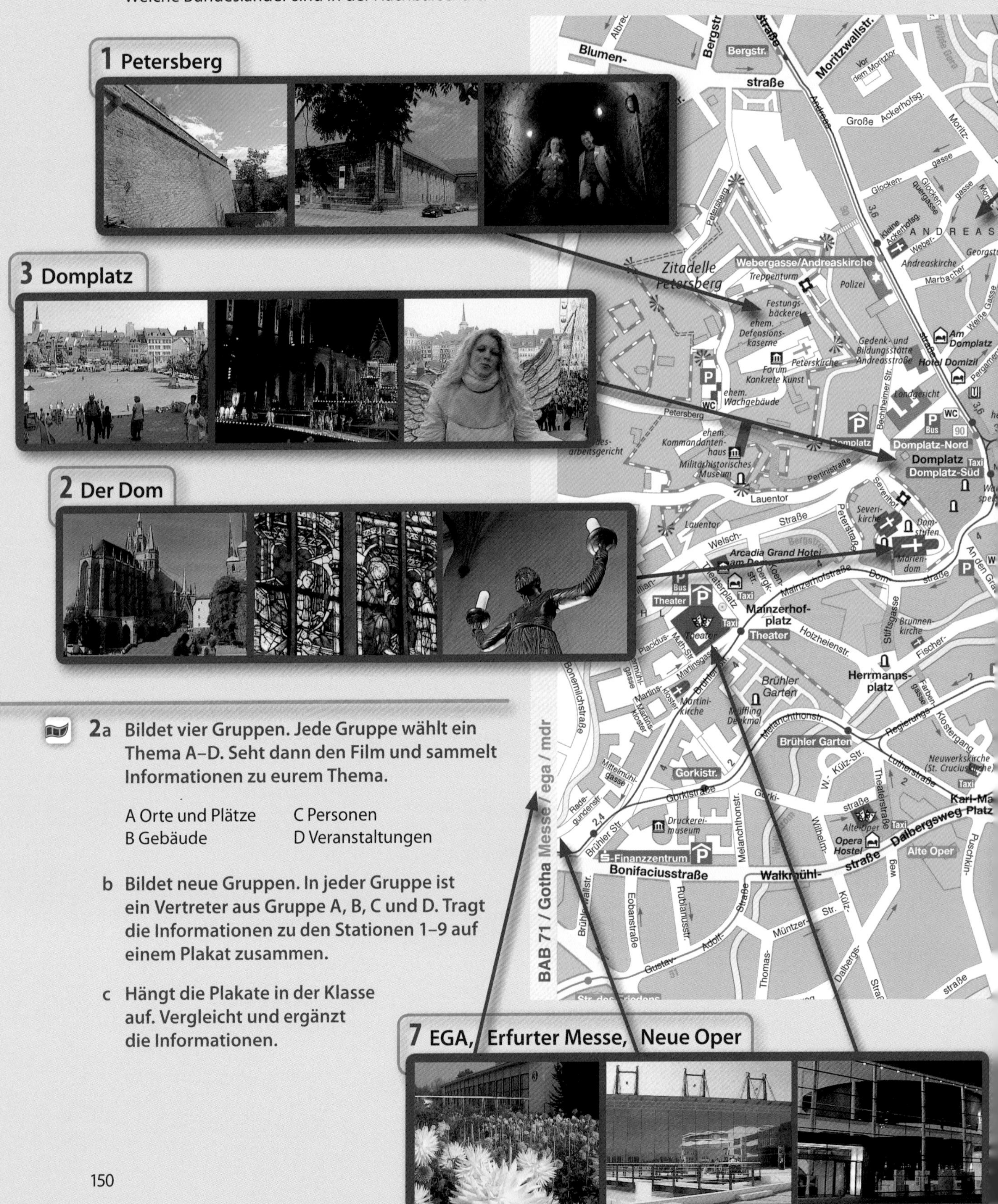

2a Bildet vier Gruppen. Jede Gruppe wählt ein Thema A–D. Seht dann den Film und sammelt Informationen zu eurem Thema.

A Orte und Plätze	C Personen
B Gebäude	D Veranstaltungen

b Bildet neue Gruppen. In jeder Gruppe ist ein Vertreter aus Gruppe A, B, C und D. Tragt die Informationen zu den Stationen 1–9 auf einem Plakat zusammen.

c Hängt die Plakate in der Klasse auf. Vergleicht und ergänzt die Informationen.

3 Was solltet Besucher in eurer Stadt kennenlernen? Sammelt besondere Veranstaltungen, Attraktionen oder Feste und stellt sie vor.

Natürlich Natur!

Spielt das Umwelt-Spiel. Ihr könnt mit 4–6 Spielern spielen.

Anleitung

Ihr braucht einen Würfel und für jeden Spieler / jede Spielerin eine Spielfigur (z. B. eine Münze oder einen Radiergummi) und einen „Experten", der die Lösungen aus dem Lehrerhandbuch hat. Es gibt drei verschiedene Typen von Spielfeldern.

Orange Felder: Wenn ihr auf ein oranges Feld kommt, habt ihr entweder etwas falsch gemacht und müsst auf ein anderes Feld zurückgehen oder ihr habt etwas sehr gut gemacht und dürft noch einmal würfeln.

Blaue Felder: Hier erklärt ihr etwas oder spielt es vor. Eure Gruppe entscheidet:

- Die Lösung ist nicht umweltfreundlich. Bleibt stehen.
- Die Lösung ist umweltfreundlich. Geht zwei Felder vor und löst die Aufgabe.

Grüne Felder: Welche Antwort ist richtig? Wenn ihr die Aufgabe richtig löst, dürft ihr noch mal würfeln. Wenn nicht, bleibt ihr stehen, bis ihr wieder dran seid.

Gewonnen hat, wer zuerst im Ziel ist.

Start

1 Du sollst mit deiner Mutter einkaufen gehen. 500 Meter von deiner Wohnung entfernt ist eine Bäckerei mit sehr leckerem Brot und 1.000 Meter von deiner Wohnung entfernt ist ein Supermarkt, in dem ihr sonst alles bekommt. Spiel vor, wie ihr zum Bäcker und zum Supermarkt kommt.

2 Prima, du hast die Pfandflaschen zurück zum Supermarkt gebracht. Würfle noch einmal.

3 Wie viel weniger Strom braucht eine LED-Lampe im Vergleich zu einer Glühbirne?
A ca. 3 Mal weniger
B ca. 7 Mal weniger
C ca. 10 Mal weniger

4 Wieder mal hat jemand in deiner Familie die Waschmaschine mit nur einer Jeans und zwei T-Shirts angemacht! Geh auf Feld 1.

16 Sehr schön! Du hast das Fahrrad genommen und nicht den Bus. Würfle noch einmal.

17 Erkläre, was du mit leeren Batterien machst.

18 Aus welcher Energiequelle ist Strom umweltfreundlich?
A Kohle
B Atomkraft
C Sonne

19 Du willst mit deiner Tante eine Reise machen und 500 Kilometer zurücklegen. Welches Verkehrsmittel ist am umweltfreundlichsten?
A Auto
B Bahn
C Flugzeug

20 Du lässt alle elektronischen Geräte immer auf Stand-by, anstatt sie richtig auszuschalten. Geh auf Feld 17.

Ziel

Ihr lernt

Modul 1 | Einen Text über Recycling verstehen
Modul 2 | Eine Talkshow zum Thema „Tiere" spielen
Modul 3 | Einen kurzen Bericht über ein Umweltprojekt schreiben
Modul 4 | Detailinformationen eines Referats zum Thema „Wasser" verstehen
Modul 4 | Ein Kurzreferat halten

Grammatik

Modul 1 | Passiv
Modul 3 | Indirekte Rede: Konjunktiv I

▶ ÜB Wortschatz

Was ist Recycling?
A eine umweltfreundliche Fahrradsportart
B das Wiederverwenden von Rohstoffen
C umweltschonendes Verbrennen von Abfall

5

Oh nein, du hast zwei große Kartons in die Papiertonne geworfen und die Kartons vorher nicht klein gemacht. Jetzt ist die Tonne schon wieder voll! Geh auf Feld 3.

6

Du hast mit Freunden gekocht: Es gibt Salat und einen Auflauf. Wohin kommt der Müll? Vor dir liegt eine Plastiktüte, eine fettige Papiertüte, Zwiebel- und Kartoffelschalen, eine kaputte Porzellantasse und ein leeres Glas. Sortiere den Müll:
Altpapier – Glas – Plastik – Biomüll – Restmüll

7

Nicht schon wieder … Du hast gestern Abend noch am Computer gesessen und den Rechner die ganze Nacht angelassen. Geh auf Feld 5.

8

Du liest jede Woche ein Buch. Wie kommst du am umweltfreundlichsten an Lesestoff?
A Du gehst in die Bücherei und leihst dir Bücher.
B Du gehst in die Buchhandlung und kaufst dir Bücher.
C Du kaufst einen E-Book-Reader und lädst die Bücher aus dem Internet herunter.

9

Du findest im Kühlschrank einen Joghurt. Das Datum mit der Mindesthaltbarkeit ist seit einem Tag abgelaufen. Was machst du?
A Du stellst ihn wieder in den Kühlschrank.
B Du isst ihn.
C Du wirfst ihn in den Müll.

10

Oh nein! Es ist Winter und sehr kalt. Du hast wieder den ganzen Tag das Fenster in deinem Zimmer gekippt und die Heizung angelassen, statt für zehn Minuten das Fenster richtig aufzumachen. Geh auf Feld 7.

11

Es ist Herbst. Du bist in einem Supermarkt in Deutschland und es gibt Äpfel aus Neuseeland und Äpfel aus Deutschland. Erkläre, warum der Kauf von Äpfeln aus Deutschland umweltfreundlicher ist.

12

Super, du hast den Biomüll runtergebracht! Würfle noch einmal.

13

Welche Energien sind erneuerbar?
A Kohle
B Erdöl und Erdgas
C Wind, Sonne und Wasser

14

Was macht man am besten mit einem alten, kaputten Kühlschrank?
A Man bringt ihn zur Sammelstelle für Problemmüll.
B Man wirft ihn in einen Müllcontainer.
C Man stellt ihn vor die Mülltonne.

15

Aus alt mach neu

1a **Seht euch die Fotos an: Was könnten diese drei Produkte gemeinsam haben?**

b **Lest den Artikel und verbindet die Satzteile.**

Recycling – wie aus Flaschen Pullis werden

In jedem Supermarkt steht ein Pfandautomat, in den man leere Plastikflaschen stecken kann. 25 Cent bekommt der Kunde für jede Einwegpfandflasche aus dem Kunststoff Poly-Ethylen-Terephthalat, kurz PET, zurück. Aber was passiert mit dem Plastikmüll aus dem Automaten?

Von sogenannten Entsorgungsunternehmen werden die Flaschen nach Farben sortiert und die Etiketten werden entfernt. Danach werden die Flaschen in Flakes zerkleinert. Das sind kleine Teile wie Frühstücksflocken, die dann weiterverkauft werden. Ein Teil der Flakes bleibt in Deutschland, der andere Teil wird nach Asien gebracht.

Unternehmen in Deutschland kaufen besonders gut sortierte, farblose Flakes, mit denen dann neue PET-Flaschen hergestellt werden können. Sie schmelzen die Flocken ein, mischen sie mit neuem PET und formen neue Flaschen. Durch dieses „Von Flasche zu Flasche"-Recycling wird die Umwelt am besten geschont. Der Aufwand ist relativ gering und der Transportweg ist kurz. Es wird also wenig Energie benötigt. Ungefähr 20 Prozent aller zurückgegebenen PET-Flaschen enden wieder als Flasche.

Das gilt allerdings nicht für die Flakes, die nach Asien reisen, meistens nach China. Aus denen entstehen keine neuen Flaschen, sondern z. B. Pullover. Circa 70.000 Tonnen PET werden jährlich mit dem Schiff nach China transportiert. Dort werden die Flakes geschmolzen, gefärbt und zu dünnen Fäden verarbeitet. Dann wird aus den Fäden Fleece hergestellt.

16 Flaschen braucht man für einen Pulli, schon aus ein paar mehr können Zelte, Schlafsäcke, Taschen oder Jacken genäht werden. Auch Schuhe oder Rucksäcke werden daraus gefertigt. Klingt gut, oder? Immerhin werfen wir diese Produkte im Gegensatz zu Flaschen nicht gleich weg, wenn wir sie einmal genutzt haben. Aber die Reise der Flaschen von Europa bis Asien ist weit und dabei wird von den Schiffen eine Menge CO_2 ausgestoßen, was der Umwelt schadet.

Zwölf Milliarden PET-Einwegflaschen werden in Deutschland jährlich verkauft. Für die Umwelt ist das nicht so gut: In Deutschland werden zwar 91 Prozent wiederverwertet, aber in ganz Europa sind es gerade einmal rund 50 Prozent und weltweit sogar noch weniger.

1. Deutsche Firmen kaufen die Flakes
2. Bei dem langen Transport der Flakes nach Asien
3. PET-Flaschen sind nicht besonders gut für die Umwelt,
4. PET-Flaschen, die im Supermarkt abgegeben werden,
5. Aus den nach Asien gebrachten Flakes

A werden zu kleinen Flakes verarbeitet.
B da weltweit weniger als die Hälfte recycelt wird.
C und machen daraus neue PET-Flaschen.
D wird viel CO_2 produziert.
E werden Pullis, Taschen oder Schlafsäcke hergestellt.

▶ Ü 1 **c** **Bringt die Sätze aus 1b in die Reihenfolge des Artikels.**

d **Umweltfreundlich leben. Was könnt ihr in eurem Zuhause tun, um Energie zu sparen und Müll zu vermeiden? Sammelt in Gruppen und vergleicht in der Klasse.**

2a Aktiv und Passiv. Wann verwendet man was? Welche Erklärungen und Beispiele passen zu welchem Bild?

A Wichtig ist der Vorgang / die Aktion: Was passiert?

B Wichtig ist die handelnde Person: Wer/Was macht etwas?

C *Der Arbeiter stellt Pullover her.*

D *Pullover werden hergestellt.*

▶ Ü 2

b Lest die Sätze. Welche Passivform findet ihr in welchem Satz? Notiert.

1. Die Flakes werden nach Asien gebracht.
2. Die Pfandflaschen wurden im Supermarkt abgegeben.
3. In den letzten Jahren sind viele Produkte aus recycelten Materialien entwickelt worden.
4. Auf der ganzen Welt wird viel Plastik weggeworfen.
5. Vor dreißig Jahren wurde noch nicht so viel Müll produziert.
6. Über Recyclingideen ist schon oft diskutiert worden.

Gegenwart:
Passiv Präsens: 1,

Vergangenheit:
Passiv Präteritum:
Passiv Perfekt:

c Wie wird das Passiv gebildet? Ergänzt die Regel.

Tempusformen des Passivs

Passiv Präsens: ___ + Partizip II
Passiv Präteritum: ___ + Partizip II
Passiv Perfekt: *sein* + Partizip II + ___

d Formuliert für jede Zeitform des Passivs einen Beispielsatz. Tauscht mit einem Partner / einer Partnerin und korrigiert seine/ihre Sätze.

Abfall reduzieren – Plastik recyceln – Glasflaschen wieder verwenden – neue Produkte produzieren – Energie sparen – Flaschen reinigen – Müllberge verkleinern – …

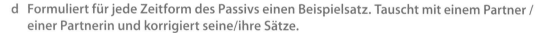

▶ Ü 3

e Lest die Sätze und schreibt einen eigenen Passivsatz mit Modalverb.

Passiv mit Modalverben

Modalverb + Partizip II + *werden* im Infinitiv
Plastik kann wiederverwertet werden.
Pfandflaschen sollen im Supermarkt zurückgegeben werden.
Der Plastikmüll muss reduziert werden.

▶ Ü 4–5

3 Geht zu zweit durch eure Schule und beschreibt alles, was gemacht wird, wurde oder werden muss.

Die Türen werden geöffnet.
Die Übungen wurden kopiert.
Die Tafel muss gewischt werden.

Tierisch tierlieb?

1a Wählt ein Foto und macht Notizen: Was seht ihr? Was haltet ihr davon?

b Wer hat das gleiche Foto gewählt? Bildet Gruppen. Tauscht eure Meinungen zu dem Foto aus.

▶ Ü 1 **c** Diskutiert in der Klasse: Welches Foto findet ihr am interessantesten, welches am schönsten und welches am erschreckendsten?

▶ Ü 2

> **SPRACHE IM ALLTAG**
>
> Im Deutschen verwendet man viele Tiernamen als Kosewörter:
> *Maus/Mäuschen, Hase/Häschen, Bärchen, Spatz …*
> Aber auch als Schimpfwörter:
> *dumme Kuh, blöde Ziege/Gans, Esel, fauler Hund …*

2a Vom Umgang mit Tieren. Welche Beschreibung passt? Notiert.

1. der Tierschützer
2. bei sich aufnehmen
3. traumatisiert sein
4. herrenlos
5. aussetzen
6. verwahrlost
7. das Tierheim
8. der Animal Hoarder
9. die Tierquälerei

A etwas Schlimmes erlebt haben und darunter leiden
B schmutzig und ungepflegt sein
C ein Haus für Tiere, die keinen Besitzer haben
D eine Person, die Tieren hilft und für sie kämpft
E eine Person, die zu viele Tiere sammelt
F einem Tier Schmerzen zufügen
G jemanden bei sich wohnen lassen
H ein Tier irgendwo hinbringen, dort alleine lassen und nicht mehr zurückkommen
I ohne Besitzer

2.30

b Hört den ersten Teil des Interviews mit Manuel Tucher. Wo arbeitet er, was macht er dort und warum macht er diese Arbeit?

2.31

c Hört nun den zweiten Teil des Interviews. Aus welchen Gründen kommen Tiere ins Tierheim? Macht Notizen und vergleicht in der Klasse.

▶ Ü 3

3 Was habt ihr schon einmal mit Tieren erlebt (Tier gefunden/gerettet, seltenes/gefährliches Tier gesehen, verrückte Tierbesitzer …)? Schreibt eine E-Mail an einen Freund / eine Freundin.

Liebe Chiara,
wir sind zurück aus dem Urlaub und ich muss dir eine Geschichte erzählen. Ich lag gerade am Strand, als plötzlich eine Frau wie verrückt schrie: „Hilfe, mein Hund, mein Hund! Hilfe!!!" …

4a Wie soll man mit Tieren umgehen? Spielt eine Talkshow. Lest die Rollenkarten und bildet vier Gruppen. Jede Gruppe wählt eine Rolle und gibt der Person einen Namen.

Talkmasterin
- sehr freundlich
- stellt jedem kritische Fragen
- achtet darauf, dass jeder etwas sagt
- mag Tiere, will aber keins zu Hause haben

Sohn eines Landwirts
- ist sehr ernst und engagiert, findet Tierschutz wichtig
- hat auf dem Bauernhof der Eltern Kühe, Ziegen, Schweine und Hühner
- ist für fairen Umgang mit Tieren: genug Platz, gutes Futter, sauberer Stall, Auslauf im Freien
- ist dafür, dass Tierhaltung auf zu engem Raum verboten wird

Schüler aus der Stadt
- sportlicher Typ, der Tiere mag, aber allergisch auf Tierhaare ist
- stört es, wenn jemand in der U-Bahn einen Hund dabei hat
- ist genervt von Leuten, die mit ihren Tieren zum Friseur gehen und ihnen Kleider kaufen
- findet Tierhaltung auf engem Raum in der Landwirtschaft zwar schade für die Tiere, aber in Ordnung, weil nur so Fleisch und Milchprodukte billig sein können

Schülerin mit Hund
- ist sofort gereizt, wenn jemand etwas gegen Tiere sagt
- macht ihrem Hund oft neue Frisuren und geht mit ihm zum Dogdance
- hat eine Homepage für den Hund, postet ständig neue Fotos von sich und ihrem Hund
- findet es unfair, dass ihr Hund oft an der Leine sein muss
- ärgert sich darüber, dass sie ihren Hund nicht mit in die Schule nehmen darf

b Überlegt in eurer Gruppe: Was könnte „eure Person" in der Talkshow sagen? Macht Notizen.

c Mischt die Gruppen so, dass in jeder neuen Gruppe je eine Person aus der alten Gruppe ist. Spielt die Talkshow. Die Redemittel helfen.

UM DAS WORT BITTEN / DAS WORT ERGREIFEN	SICH NICHT UNTERBRECHEN LASSEN
Dürfte ich dazu auch etwas sagen?	Lass mich bitte ausreden.
Ich möchte dazu etwas ergänzen.	Ich möchte nur noch eines sagen: …
Ich verstehe das schon, aber …	Einen Moment bitte, ich möchte nur noch …
Glaubst/Meinst du wirklich, dass …?	Augenblick noch, ich bin gleich fertig.
Da muss/möchte ich kurz einhaken: …	Lass mich noch den Gedanken/Satz zu Ende bringen.
Entschuldige, wenn ich dich unterbreche, …	

Alles für die Umwelt?

1a Lest die Überschriften A–G und die nachstehenden Umweltprojekte. Welche Überschrift passt zu welchem Projekt? Ihr könnt jeden Buchstaben nur einmal wählen. Drei Buchstaben bleiben übrig.

A Strickt mit! Unsere aktuelle Aktion
B Grüne Fußgängerbrücken
C Alles Müll?
D Jetzt wird's bunt!
E Sicher über die Straße
F Eine Stadt räumt auf
G Mode produziert Abfall

1 Wie jedes Jahr sammeln Freiwillige Müll in und um Kassel – und finden dabei auch brauchbare Küchengeräte, Autoreifen und eine alte Matratze.
Warum werfen Menschen ihre Abfälle einfach auf die Straße? „Ziel der Aktion *Sauberhaftes Hessen* ist es, Bürgerinnen und Bürger zu einem verantwortungsvollen Umgang mit der Umwelt anzuhalten", erklärt ein engagierter Teilnehmer. Mit der Aktion möchte man auf eine einfache Verhaltensregel aufmerksam machen: Müll gehört in den Abfalleimer!

2 Guerilla-Stricken – ein neuer Trend ist jetzt auch in Deutschland angekommen. Und man lernt: Stricken ist nicht nur was für Omas! Eine Schülerin erklärt uns fröhlich: „Beim Guerilla-Stricken geht es darum, Gegenstände im öffentlichen Raum zu verändern und zwar durch gestrickte oder gehäkelte, meist farbenfrohe Überzüge oder Decken. Deswegen stricke ich."
Nicht allen gefällt es, wenn eine lustige Strickmütze auf einer Straßenlaterne thront oder geblümte Deckchen um Baumstämme gewickelt sind. Dabei ist das Guerilla-Stricken als witziger Weg gedacht, den grauen Stadtalltag fröhlicher zu machen.

3 Ab in die Tonne – oder doch nicht? Lieber noch einmal genauer hinsehen und mit ein bisschen Fantasie wird aus so manchem Abfall relativ einfach ein tolles Mode-Accessoire oder Einrichtungsstück: Taschen aus Fahrradschläuchen, Schmuck aus Kaffeekapseln oder hübsche bunte Schalen aus Altpapier. „Eine Lösung für das Müllproblem ist diese Zweitverwertung von Abfall zwar nicht, aber man muss auch kleine Beiträge loben. Und ich habe zu Hause nur noch Schmuck aus Abfall", meint die Schmuckkünstlerin Anne Rosmann.

4 Autobahnen sind gefährlich – nicht nur für Menschen. Rund 250.000 Rehe, Hirsche und Wildschweine sowie unzählige weitere Kleintiere sterben jedes Jahr beim Versuch, z. B. eine Autobahn zu überqueren. „Um dies zu ändern, gibt es sogenannte Grünbrücken. Eine Grünbrücke verbindet die Lebensräume der Tiere und vermindert somit die Unfallgefahr – auch für Autofahrer", argumentiert ein Mitbegründer der Grünbrücken-Initiative. Die Tiere können über die Brücke laufen und sie nutzen das Angebot: Die Grünbrücke über die A72 zwischen Chemnitz und Leipzig wird seit ihrer Eröffnung eifrig von Wildtieren benutzt.

b Welches Projekt findet ihr am interessantesten? Warum?

2a **Konjunktiv I. Vergleicht die Sätze in der indirekten Rede mit den Aussagen in direkter Rede. Was ist anders? Ergänzt dann die Regel.**

Indirekte Rede	Direkte Rede
 Ein engagierter Teilnehmer erklärt, das Ziel der Aktion *Sauberhaftes Hessen* sei es, Bürgerinnen und Bürger zu einem verantwortungsvollen Umgang mit der Umwelt anzuhalten.	*Ziel der Aktion* Sauberhaftes Hessen *ist es, Bürgerinnen und Bürger zu einem verantwortungsvollen Umgang mit der Umwelt anzuhalten.*
 Eine Schülerin erklärt, beim Guerilla-Stricken gehe es darum, Gegenstände im öffentlichen Raum zu verändern, deswegen stricke sie.	*Beim Guerilla-Stricken geht es darum, Gegenstände im öffentlichen Raum zu verändern, deswegen stricke ich.*
 Eine Lösung für das Müllproblem sei diese Zweitverwertung von Abfall zwar nicht, aber man müsse auch kleine Beiträge loben. Und sie habe zu Hause nur noch Schmuck aus Abfall, meint die Schmuckkünstlerin Anne Rosmann.	*Eine Lösung für das Müllproblem ist diese Zweitverwertung von Abfall zwar nicht, aber man muss auch kleine Beiträge loben. Und ich habe zu Hause nur noch Schmuck aus Abfall.*
 Um dies zu ändern, gebe es sogenannte Grünbrücken. Eine Grünbrücke verbinde die Lebensräume der Tiere und vermindere somit die Unfallgefahr, argumentiert ein Mitbegründer der Initiative.	*Um dies zu ändern, gibt es sogenannte Grünbrücken. Eine Grünbrücke verbindet die Lebensräume der Tiere und vermindert somit die Unfallgefahr.*

Indirekte Rede: Konjunktiv I

In der indirekten Rede verwendet man den Konjunktiv I, um deutlich zu machen, dass man die Worte eines anderen wiedergibt und nicht seine eigene Meinung.
Bildung des Konjunktiv I meistens: Infinitivstamm + Endung

3. Person Singular: Endung ___	3. Person Plural: Endung *-en*
sein: er/es/sie ___	*sein: sie seien*
haben: er/es/sie ___	*haben: sie hätten**

* Sind die Formen von Konjunktiv I und Indikativ identisch, verwendet man den Konjunktiv II oder die *würde*-Umschreibung: *sie haben → sie hätten; sie gehen → sie gingen / sie würden gehen*

b **Arbeitet zu zweit. Formuliert die Aussagen in indirekter Rede. Achtet auch auf die Pronomen.**

Isabell:
„Grünbrücken sind Geldverschwendung."
„Schmuck aus Papier ist eine tolle Sache."
„Ich will nicht stricken. Ich finde stricken langweilig."
„Wir müssen noch mehr Müll trennen."

Oskar:
„Bei uns gibt es keine Grünbrücken."
„Meine Schwester hat Schmuck aus Plastikmüll."
„Ich will mein Fahrrad bunter machen."
„Heute sammle ich im Wald Müll ein."

▶ Ü 1–4

Isabell ist der Meinung, Grünbrücken …

3a **Recherchiert ein Umweltprojekt aus eurer Stadt oder eurem Land. Macht Notizen zu Zielen und Problemen.**

b **Ordnet eure Notizen in eine sinnvolle Reihenfolge und schreibt einen kurzen Bericht zu eurem Projekt. Hängt die Berichte auf. Sprecht in der Klasse: Wen interessiert welches Projekt?**

▶ Ü 5

Kostbares Nass

1a Arbeitet zu zweit. Seht euch die Fotos an und beschreibt sie euch gegenseitig.

b Ordnet die Begriffe den Fotos zu.

das Süßwasser | das Salzwasser | austrocknen | die Überschwemmung | die Dürre | die Wasserknappheit | fließendes Wasser | verseuchtes Wasser | der Wassermangel | der Strand | durstig sein | baden | die Wüste | das Trinkwasser | vertrocknen | verschmutzen | der Schlamm | das Hochwasser | die Wasserverschmutzung | knappe Ressource

c Was wisst ihr über Wasser? Wozu braucht man Wasser? Was kann man mit Wasser alles tun? Sammelt in der Klasse.

▶ Ü 1

2a Lest die Texte. Welcher Text passt zu welchem Foto in 1a?

A Die Trinkwasserqualität ist in Deutschland sehr gut und wird ständig kontrolliert. Das Trinkwasser muss absolut einwandfrei sein, was Geschmack, Geruch und Aussehen betrifft. Auch die Bevölkerung ist mit der Trinkwasserqualität zufrieden.

B Weltweit leben Millionen von Menschen ständig mit der Bedrohung durch Hochwasser. An Küsten entsteht Hochwasser oft durch hohe Wellen, die sich durch Wirbelstürme oder Seebeben bilden. Im Landesinneren entstehen Hochwasser und Überschwemmungen meist durch starke und lang anhaltende Regenfälle.

C Trockenperioden mit Regenmangel und hohen Temperaturen schädigen die Vegetation, da die Pflanzen keine Feuchtigkeit mehr aus dem Boden ziehen können. Die Folgen: ausgetrocknete Landschaften, zu wenig Trinkwasser, Ernteausfälle und hungernde Menschen.

D Viele Bäche und Flüsse wurden jahrelang verschmutzt, bis kein Fisch mehr in ihnen gelebt hat. Mittlerweile hat sich die Lage bei vielen Gewässern gebessert. So sah es z. B. vor vielen Jahren so aus, als sei der Rhein tot. Seit hundert Jahren als Abwasserkanal missbraucht, kämpfte der Fluss ums Überleben. Dank zahlreicher Aktionen ist der Rhein wieder ein lebendiger Fluss.

E Gesteine werden über Jahrmillionen zu Sand und Staub. Über den Regen, Bäche und Flüsse kommen diese kleinen Teilchen ins Meer und werden dort weiter bearbeitet. Gesteinsüberreste mit einem Durchmesser zwischen zwei und 0,063 Millimetern werden als Sand bezeichnet. Dieser wird dann an der Küste von den Wellen als Strand abgelagert.

b Arbeitet zu fünft. Jede/r wählt einen Text und liest ihn noch einmal. Macht dann das Buch zu und fasst den Inhalt des Textes für die anderen zusammen.

2.32-34 **3a** Hört ein Referat zum Thema „Wasser". Es besteht aus einer Einleitung und zwei Hauptteilen. Worum geht es in jedem Teil? Notiert jeweils drei Stichpunkte und vergleicht mit eurem Partner / eurer Partnerin.

Teil 1	Teil 2
Wassermenge	

b Hört die Hauptteile des Referats noch einmal in Abschnitten.

2.33 **Teil 1: Notiert die Informationen.**

1. Gesamtwassermenge auf der Erde: …
2. Süßwasseranteil: …
3. Zwei Drittel des Süßwassers befinden sich in: …
4. Süßwasseranteil für Menschen leicht zugänglich: …

2.34 **Teil 2: Lest die Sätze und korrigiert sie.**

1. Es gibt immer mehr Menschen auf der Welt und auch genug Süßwasserreserven.
2. Über eine Million Menschen können täglich nicht mehr als 20 Liter Wasser verbrauchen.
3. Zwei Milliarden Menschen haben leichten Zugang zu sauberem Wasser.
4. Der tägliche Wasserverbrauch in Deutschland liegt bei 60 Litern pro Person.
5. Besonders viel Wasser wird von der Waschmittelindustrie verbraucht.
6. Das Wasser wird zunehmend sauberer.

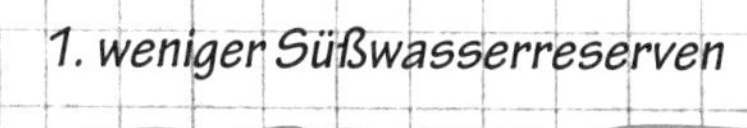

c Vergleicht eure Antworten aus 3b mit einem Partner / einer Partnerin und ergänzt oder korrigiert die Informationen.

d Wie ist die Situation in eurem Land? Gibt es genug Wasser? Wie kann man Wasser sparen? Sammelt Ideen in Gruppen und stellt sie vor.

Kostbares Nass

4 **Strategie: Ein Referat vorbereiten. Arbeitet in folgenden Schritten:**

Schritt 1:
Sucht ein Thema aus einem Bereich, der euch interessiert. Ihr könnt zum Beispiel ein Referat über die Natur in eurem Land oder Tierschutz oder umweltfreundlichen Tourismus halten.

Schritt 2:
Sammelt Ideen zu eurem Thema und macht eine Mindmap wie im Beispiel. Ihr könnt auch mit dem Wörterbuch arbeiten.

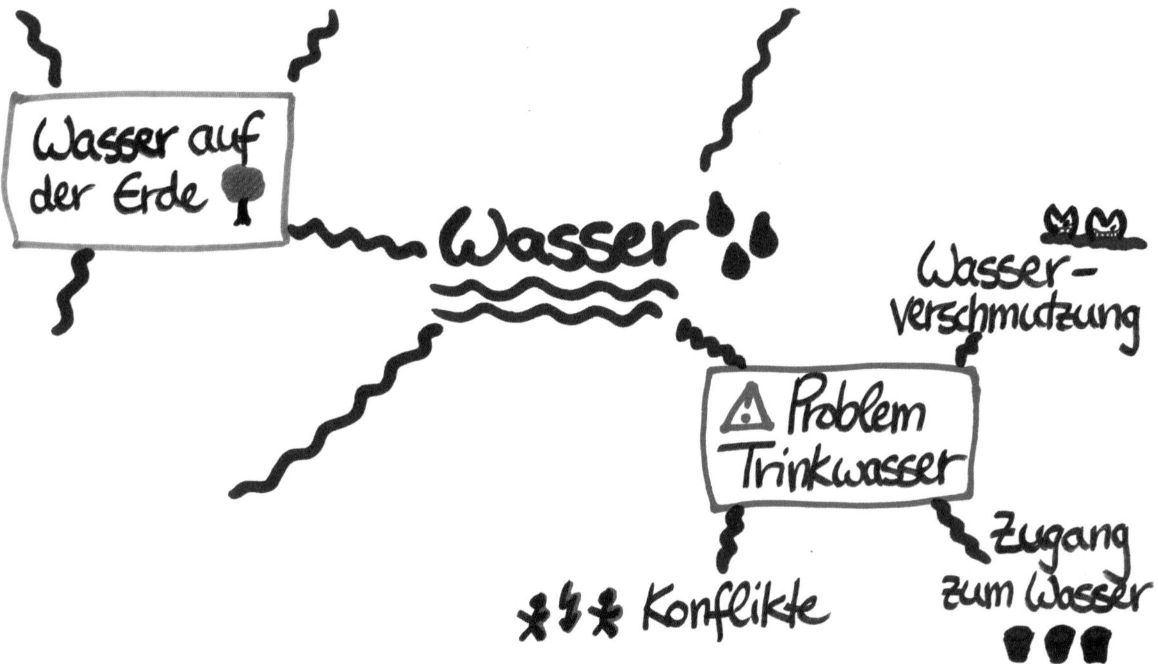

Schritt 3:
Recherchiert Informationen zu den einzelnen Teilthemen. Ergänzt gegebenenfalls eure Mindmap.

Schritt 4:
Notiert alle Informationen am besten auf Karten. Entscheidet dann, in welcher Reihenfolge ihr worüber sprechen möchtet, und nummeriert die Karten.

Oder erstellt eine Gliederung mit den wichtigsten Informationen auf einem Blatt. Schreibt keine Sätze, sondern nur Stichpunkte.

① Einleitung
→ Leben auf der Erde: immer mit Wasser verbunden
→ …

② Wassermenge: 1,4–1,6 Mrd. km³
Erde bedeckt mit Wasser: 70 %
…

Einleitung
– „Wasser" → ohne Wasser kein Leben auf der Erde

Teilthema 1: Wasser auf der Erde
– Wassermenge: 1,4–1,6 Mrd. km³
– 70 % der Erde mit Wasser bedeckt
– Süßwasseranteil: 2,6 %
– …

Schritt 5:
Erstellt geeignete Materialien, die euer Referat unterstützen, z. B. PowerPoint-Folien oder Plakate. Diese müssen klar und übersichtlich gestaltet sein. Achtet darauf, dass man alles gut erkennen kann. Bilder und Schrift dürfen nicht zu klein sein und auf den Folien oder Plakaten sollte nicht zu viel Text stehen.

Schritt 6:
Lest die Redemittel und überlegt, welche Redemittel ihr verwenden wollt und in welchem Teil des Referats ihr sie verwenden könnt. Notiert aus jeder Kategorie mindestens eine Formulierung.

EIN REFERAT / EINEN VORTRAG HALTEN	
Einleitung Das Thema meines Referats lautet … Ich spreche heute über das Thema … Ich möchte euch heute folgendes Thema präsentieren: …	**Strukturierung** Mein Referat/Vortrag besteht aus drei Teilen: … Ich möchte einen kurzen Überblick über … geben. Zuerst spreche ich über …, dann komme ich im zweiten Teil zu … und zuletzt befasse ich mich mit …
Interesse wecken Wusstet ihr eigentlich, dass …? Ist euch schon mal aufgefallen, dass …? Findet ihr nicht auch, dass …?	**Übergänge** So weit der erste Teil. Jetzt beginne ich mit dem zweiten Teil. Nun spreche ich über … Ich komme jetzt zum zweiten/nächsten Teil.
Wichtige Punkte hervorheben Das ist besonders wichtig/interessant, weil … Ich möchte betonen, dass … Man darf nicht vergessen, dass …	**Dank und Schluss** Ich komme jetzt zum Schluss. Zusammenfassend möchte ich sagen, … Abschließend möchte ich noch erwähnen, … Habt ihr / Gibt es noch Fragen? Vielen Dank für eure Aufmerksamkeit!

Schritt 7:
Arbeitet zu zweit. Präsentiert euch gegenseitig eure Referate und achtet dabei auf folgende Punkte:

- Verständlichkeit
- Aussprache und Intonation
- Sprechtempo
- Lautstärke
- Blickkontakt

Gebt eurem Partner / eurer Partnerin Rückmeldung: Was hat er/sie gut gemacht? Was muss er/sie noch verbessern?

Übt so lange, bis ihr euch sicher fühlt.

Schritt 8:
Haltet euer Referat in der Klasse.

▶ Ü 2–3

Porträt

Andreas Kieling *(* 4. November 1959)*

Abenteurer und Tierfilmer

Andreas Kieling, 1959 im thüringischen Gotha geboren, floh 1976 als Sechzehnjähriger aus der DDR. Er reiste durch Grönland, fuhr mit dem Mountainbike durch den Himalaja, arbeitete als Seemann und Förster. Seit 1990 bereist Kieling als Naturfotograf und Dokumentarfilmer die Welt. Für ihn sind Abenteuer nicht Selbstzweck; sie dienen ihm dazu, das Leben in der Wildnis zu dokumentieren, davon zu lernen, ohne die eigenen Grenzen zu vergessen.

Heute ist Andreas Kieling einer der bekanntesten deutschen Tierfilmer; seine Filme wurden vielfach preisgekrönt. Vor allem den großen Grizzlys kam er bei seiner Arbeit besonders nahe. Kaum jemand hat so viel Zeit mit den braunen Riesen verbracht und ist mit den Gewohnheiten und Eigenarten so vertraut wie er.

Mehrere Monate im Jahr ist er auf Expeditionen und Drehreisen rund um den Globus unterwegs, vorwiegend in den dünn besiedelten Gegenden Alaskas. Die restliche Zeit lebt Andreas Kieling mit seiner Familie auf einem Bauernhof in der Eifel.

Er veröffentlichte Reportagen und Aufnahmen in zahlreichen Tageszeitungen sowie großen Magazinen wie „Geo“ und „Stern“. Seine Filme werden weltweit über den National Geographic Channel ausgestrahlt. Dem deutschen Publikum ist er u. a. durch die ZDF-Serie „Terra X: Kieling – Expeditionen zu den Letzten ihrer Art“ bekannt. Für den ARD Dreiteiler „Abenteuer Erde – Yukon River“ wurde er mit dem Panda Award, dem Oscar des Tierfilms, ausgezeichnet. Für seine Arbeit als Tierfilmer und Autor erhielt er zudem im Oktober 2015 das Bundesverdienstkreuz.

Die Jagdhündin Cleo ist Andreas Kielings treue Begleiterin. Sie ist „seine Spürnase“ und macht ihn auf seinen Reisen auf viele Dinge aufmerksam, die er ohne sie nicht bemerkt hätte.

www  Mehr Informationen zu Andreas Kieling.

Sammelt Informationen über Persönlichkeiten und Institutionen aus dem In- und Ausland, die für das Thema „Umwelt und Natur“ interessant sind, und stellt sie in der Klasse vor. Ihr könnt dazu die Vorlage „Porträt“ im Anhang verwenden.

Beispiele aus dem deutschsprachigen Bereich: Reinhold Messner – Karin Duve – BUNDjugend (Bund für Umweltschutz und Natur) – Jugend des Deutschen Alpenvereins (JDAV) – WWF-Jugend – Greenpeace Jugend – Freiwilliges Ökologisches Jahr (FÖJ)

1 Passiv

Verwendung
Man verwendet das Passiv, wenn ein Vorgang oder eine Aktion im Vordergrund stehen (und nicht eine handelnde Person).
Das Aktiv verwendet man, wenn wichtig ist, wer oder was etwas macht.

Bildung des Passivs

Präsens	*Die Pullover werden in Asien hergestellt.*	*werden* im Präsens + Partizip II
Präteritum	*Die Pullover wurden in Asien hergestellt.*	*werden* im Präteritum + Partizip II
Perfekt	*Die Pullover sind in Asien hergestellt worden.*	*sein* + Partizip II + *worden*

Aktiv-Satz	**Passiv-Satz**
Die Firma produziert die Pullover. Nominativ Akkusativ	*Die Pullover werden (von der Firma) produziert.* Nominativ (*von* + Dativ)

Die meisten Verben mit Akkusativ können das Passiv bilden. Der Akkusativ im Aktivsatz wird im Passivsatz zum Nominativ.

Andere Ergänzungen bleiben im Aktiv und im Passiv im gleichen Kasus.

Plastikmüll schadet der Umwelt. Nominativ Dativ	*Der Umwelt wird geschadet.* Dativ

Passiv mit Modalverben
Modalverb im Präsens/Präteritum + Partizip II + *werden* im Infinitiv

Pfandflaschen sollen im Supermarkt zurückgegeben werden.
Im letzten Jahr konnten große Mengen an Plastikmüll recycelt werden.

2 Indirekte Rede: Konjunktiv I

In der indirekten Rede verwendet man den Konjunktiv I, um deutlich zu machen, dass man die Worte eines anderen wiedergibt und nicht seine eigene Meinung.
Er sagt, Mülltrennung sei wichtig.
In der gesprochenen Sprache benutzt man in der indirekten Rede auch häufig den Indikativ.
Er sagt, Mülltrennung ist wichtig.

Bildung des Konjunktiv I:
bei den meisten Verben: Infinitivstamm + Endung

3. Person Singular: Endung *-e*
er/es/sie gebe, gehe, wisse, trenne, mache

sein: er/es/sie sei
haben: er/es/sie habe

3. Person Plural: Endung *-en*
gehen: sie gingen / sie würden gehen,*
*können: sie könnten**
sein: sie seien
*haben: sie hätten**

* Sind die Formen von Konjunktiv I und Indikativ identisch, verwendet man den Konjunktiv II oder die *würde*-Umschreibung: *sie haben* → *sie hätten; sie gehen* → *sie gingen / sie würden gehen*

Der Konjunktiv I wird meist in der 3. Person verwendet.

Wildtiere in Berlin

1 Was wisst ihr über diese Wildtiere? Macht eine Tabelle und sammelt Informationen zu jedem Tier. Arbeitet in Gruppen und vergleicht eure Informationen in der Klasse.

	das Wildschwein	*der Waschbär*	*der Fuchs*
Aussehen	*groß, braun/grau, kräftig*	*weiches Fell*	
Lebensraum			*Feld …*
Nahrung	*Wurzeln …*		*Mäuse …*
…		*kommt aus Nordamerika*	

1

2a Seht die erste Filmsequenz ohne Ton. Arbeitet in Gruppen. Was passiert hier? Welche Probleme gibt es? Was macht der Mann?

b Seht jetzt die Filmsequenz mit Ton. Waren eure Vermutungen zu Derk Ehlert richtig?

3a Lest und klärt diese Ausdrücke.

A Beinbruch
B inspizieren
C im Laub liegen
D in Ordnung sein
E Platz umgraben
F sich angegriffen fühlen
G umrennen
H Wildschwein
I Zaun

2

b Jochen Viol hatte einen Unfall. Was ist passiert? Seht die zweite Filmsequenz und notiert für die Ausdrücke aus 3a die richtige Reihenfolge.

c Arbeitet in Gruppen und fasst zusammen, was genau passiert ist.

3

4 Seht die dritte Filmsequenz. Stellt euch vor, ihr wärt bei dem Vorfall dabei gewesen. Erzählt den Vorfall aus der Sicht der Tierärztin.

Container Nahrung suchen Abfälle Kescher zu wenig Müll befreien Park Mutter Baum

4

5a Seht die vierte Filmsequenz. Was erfahrt ihr über den Stadtfuchs? Notiert.

b Bildet zwei Gruppen und formuliert Fragen zum Stadtfuchs (Verhalten, Ernährung, Überlebenschancen in der Wildnis, idealer Wohnort ...).

c Die Gruppen stellen abwechselnd ihre Fragen. Jede richtige Antwort gibt einen Punkt. Wer ist der Fuchs-Experte?

6 Gibt es Probleme mit Wildtieren in eurem Land / eurer Stadt? Berichtet: Welche Tiere? Welche Schwierigkeiten? Welche Lösungen? ...

7 Die Zukunft – ein „Großstadtdschungel"? Schreibt eine Zeitungsmeldung.

12. Dezember 2057

Wildtier-Alarm!!!

Ist unsere Stadt nicht mehr zu retten?

Immer mehr

Lokales 01.April 2035

Wieder Krokodile im Stadtbad

Schon vor einem Monat

.... Aus aller Welt ....

Unglaublich! – Tauben greifen Kinder an

Was soll noch passieren, damit die Politiker

Redemittel

Meinungen ausdrücken K1M2/K1M4/K3M2

Ich bin der Meinung/Ansicht, dass …
Ich denke/meine/glaube/finde, dass …
Meiner Meinung nach …
Ich stehe auf dem Standpunkt, dass …
Ich bin davon überzeugt, dass …
Für mich ist absolut klar, dass man ...
Ich bin unbedingt dafür, dass ...
Ich finde es richtig, dass ...

eine Begründung ausdrücken K2M4/K5M2/K6M4

Für mich ist es praktischer, wenn …
Das kann man daran sehen, dass …
Das ist genau das Richtige, weil …
Es ist doch viel gerechter, wenn …
Ich finde, ich bin alt genug, um …
Deshalb/Darum / Aus diesem Grund …
Ich würde bestimmt besser lernen, denn …

Zustimmung ausdrücken K1M4/K3M2/K5M2/K5M4/K8M2/K9M2

Der Meinung/Ansicht bin ich auch.
Das stimmt. / Das ist richtig. / Ja, genau.
Das ist eine gute Idee.
Es ist mit Sicherheit so, dass …
Ja, das sehe ich auch so …
Ich finde, … hat damit recht, dass …
Den Vorschlag finde ich super.
Ich bin ganz deiner/Ihrer Meinung.
Da hast du / haben Sie völlig recht.
Ja, das kann ich mir (gut) vorstellen.
Dem stimme ich zu, denn …
Ich finde es auch (nicht) richtig, dass …
Dafür spricht die Tatsache, dass …
Der (ersten) Aussage stimme ich zu, da …

Widerspruch ausdrücken K1M4/K2M4/K3M2/K5M2/K6M4

Das stimmt meiner Meinung nach nicht.
Ich sehe das anders.
… finde ich gut, aber es sollte doch jeder …
Bei Problemen kann ich doch immer …
Dagegen spricht die Tatsache, dass …
Das ist nicht richtig.
Da muss ich dir/Ihnen aber widersprechen.
Vielleicht findest du die Sache ja verrückt. Trotzdem …
Ich bin auf keinen Fall dafür, dass …
Versteh mich nicht falsch, aber …

(starke) Zweifel ausdrücken K1M4/K2M4/K3M2/K6M4//K9M2

Also, ich weiß nicht …
Ob das wirklich so ist?
Ich glaube/denke kaum, dass …
… halte ich für völlig übertrieben.
Ich finde es gut, dass du …, aber …
Meinst du nicht, dass …?
Ich habe da so meine Zweifel, denn …
Stimmt das wirklich?
Ich bezweifle, dass …
Ja, aber ich bin mir noch nicht sicher …
Denk doch bitte mal darüber nach, was …
Könnte man nicht auch sagen, dass ...?
Eigentlich denke ich nicht, dass ...
Vielleicht sollte man bedenken, dass ...

Ablehnung ausdrücken K3M2/K8M2/K9M2

Es kann nicht sein, dass …
Ich sehe das anders, da …
Ich denke, die Einstellung von … ist falsch, denn …
Es ist ganz sicher nicht so, dass …
Das kann ich mir überhaupt nicht vorstellen, weil …
Man kann wirklich nicht sagen, dass ...

über Aufgabenverteilung sprechen K6M4

Für unser Referat / … habe ich schon …
Ich finde, du kannst jetzt auch mal …
Es ist doch viel gerechter, wenn …
Wenn wir … machen, wird …
Ich habe das Gefühl, dass du …
Ich finde es toll, wenn alle …
Ich finde, dass jeder …
Wir können es doch wenigstens versuchen, dann …

sich rückversichern / nachfragen K2M4

Wie meinst du das?

Habe ich dich richtig verstanden, dass ...?

Unsicherheit/Sorge ausdrücken K2M4

Ich bin mir noch nicht sicher.
Ich befürchte nur, ...
... solltest du nicht unterschätzen.

Überleg dir das gut.
Ich denke, dass es besser wäre, wenn ...
Ich habe kein gutes Gefühl, wenn du ...

Verständnis äußern K3M4

Ich kann gut verstehen, dass ...
Es ist verständlich, dass ...

Es ist ganz natürlich, dass ...

streiten K2M4

Ich habe die Nase voll!
Ist das schon zu viel verlangt?
Das darf doch wohl nicht wahr sein!

Jetzt reicht's aber wirklich!
Ich bin das jetzt wirklich leid.
Das stimmt doch gar nicht!

Wünsche und Ziele ausdrücken K2M4/K5M1

Ich möchte (endlich mal) ...
Ich versuche einfach, ...
Ich hätte Lust, ...
Ich hätte Spaß daran, ...
Ich habe vor, ...

Ich würde gern ...
Für mich ist es wichtig, ...
Ich hätte Zeit, ...
Ich wünsche mir, ...
Für mich wäre es gut, ...

eine Wunschvorstellung ausdrücken K1M1

Er/Sie hat schon als Kind davon geträumt, ...
Sein/Ihr großer Traum ist ...

Er/Sie wollte schon immer ...
Er/Sie möchte unbedingt ...

gute Wünsche aussprechen / gratulieren K1M4

Herzlichen Glückwunsch zu ...!
Ich wünsche dir ...!

Viel Glück!
Alles Gute!

Freude ausdrücken K1M4/K2M4

Es freut mich, dass ...
Ich freue mich sehr/riesig für dich.
Endlich habe ich ...

Das ist eine tolle Nachricht!
Ich bin sehr froh, dass ...

Erstaunen/Überraschung ausdrücken K3M1/K10M2

Mich hat total überrascht, dass ...
Erstaunlich finde ich ...
Besonders interessant finde ich ...
Für mich war neu ...

Mich überrascht, wie ...
Ich finde es erstaunlich, wie ...
Ich kann überhaupt nicht nachvollziehen, wie jemand ...

Redemittel

Vermutungen ausdrücken K8M3

Könnte es sein, dass du vielleicht …?
Wir haben den Eindruck, dass du zu viel/oft …

Ratschläge/Tipps geben K2M4/K3M4/K5M1/K5M3/K5M4/K7M2/K8M3

Am besten wäre es, …
An deiner Stelle würde ich / würden wir …
Da sollte man am besten …
Du solltest/könntest (vielleicht regelmäßig) …
Ich kann dir/euch nur raten, …
Man kann …
Mir hat … sehr geholfen.
… ist wirklich empfehlenswert.
Dabei sollte man beachten, dass …
Ich denke, dass es besser wäre, wenn …
Es ist besser, wenn …
Es ist höchste Zeit, dass …
Wie wäre es, wenn …?
Wir würden vorschlagen, dass du …
Es ist empfehlenswert, ...
Es ist wichtig, ...
Vergiss nicht, ...
Wenn ich du wäre, …
Auf keinen Fall solltest du …
Ich würde dir raten, … / Wir würden raten …
Meiner Meinung nach solltest du …
Oft hilft …
Wenn du mich fragst, dann …
Versuch doch mal, …
Du solltest auf keinen Fall …
Wir schlagen vor, …
Vielleicht könntest du …
Sinnvoll/Hilfreich/Nützlich wäre, wenn …
Du kommst schon damit klar, dass …
Du könntest doch …
Es könnte für dich gut sein, wenn du dir zuerst überlegst, wie viel …
Es ist ratsam, ...

Vorschläge machen K2M4/K4M4/K5M4/K6M4/K8M3

Ich würde vorschlagen, dass …
Wir könnten doch …
Dann kannst du ja jetzt …
Könntest du nicht …?
Hast du (nicht) Lust …?
Was hältst du von …?
Ich hätte da eine tolle Idee: …
Wie wäre es, wenn wir …?

Gegenvorschläge machen K4M4/K5M4

Sollten wir nicht lieber …?
Lass uns doch lieber …
Ich denke, dass es besser wäre, wenn …
Es wäre bestimmt viel besser, wenn wir …
Ich fände es besser, wenn wir …
Das finde ich nicht so gut. Wie wäre es, wenn wir …?

Probleme beschreiben K5M4

Für viele ist es problematisch, wenn …
… macht vielen (große) Schwierigkeiten.
Es ist immer schwierig, …
… ist ein großes Problem.

über Erfahrungen berichten K3M4/K5M4

Ich habe ähnliche Erfahrungen gemacht, als …
Mir ging es ganz ähnlich, denn …
Wir haben oft bemerkt, dass …
Wir haben gute/schlechte Erfahrungen gemacht mit …
Es gibt viele Leute, die …
Bei mir war das damals so: …
Uns ging es mit/bei … so, dass …

Beispiele nennen K5M2

Wir haben zum Beispiel …
Wenn …, dann …
Früher/Einmal/Oft/Damals habe/bin ich …
Beispielsweise gibt es …
Dass … (un)wichtig/schwer/leicht ist, zeigt auch …

etwas vergleichen K3M1/K3M4

Über Ähnlichkeiten sprechen
Bei uns ist … ähnlich / fast gleich.
Wir beide gehen um 8:30 Uhr …
Genau wie … gehe/esse/liege/… ich um …
Unsere Nachmittage/Abende sind auch vergleichbar, weil …

Über Unterschiede sprechen
Im Gegensatz zu … mache/bin ich am Nachmittag/Abend immer …
Bei mir ist das (ganz) anders/unterschiedlich, denn …
Während er/sie morgens/abends …, mache ich …
In … gibt es andere Süßigkeiten: …
Hier ist … genauso beliebt, aber …
Bei uns isst man mehr/weniger/(überhaupt) kein …

eine Grafik beschreiben K4M1

Einleitung
Die Grafik zeigt, …
Die Grafik informiert über …

Hauptpunkte beschreiben
Die meisten/wenigsten …
Über die Hälfte …
Auffällig ist, dass …
Im Gegensatz/Unterschied zu …
… Prozent finden/sagen/meinen/verbringen ihre Zeit mit/in …
Besonders wichtig ist …
Ich finde interessant, dass …

Argumente nennen K5M2

Ich bin der Ansicht/Meinung, dass …
Man kann beobachten/sehen, dass …
Ein weiteres Argument dafür/dagegen ist, dass ...
Viele ... finden, dass ..., weil ...
Es ist (auch) anzunehmen, dass …
Einer der wichtigsten Gründe für ... ist ...
... halte ich für einen wichtigen Aspekt.

Interesse ausdrücken K10M2

Mich interessiert, wie/ob ...
Ich finde es wichtig, zu wissen, wie/ob ...

eine formelle E-Mail schreiben K5M1

Ich möchte Ihnen mitteilen, dass ...
Vielleicht könnten Sie mir ... per E-Mail schicken?
Vielen Dank im Voraus.
Leider kann ich nicht zu ... kommen.
Ich würde mich freuen, wenn Sie mich bald über ... informieren könnten.

eine E-Mail einleiten/beenden K2M4

einleiten
Danke für deine E-Mail.
Schön, von dir zu hören …
Ich habe mich sehr über deine E-Mail gefreut.

beenden
Ich freue mich auf eine Nachricht von dir.
Mach's gut und bis bald!
Mach dir noch eine schöne Woche und alles Gute.

ein Verkaufs-/Tauschgespräch führen K8M2

ein Produkt bewerben/anpreisen
Ich habe es gekauft, weil …
Das kannst du immer …
Das ist noch ganz neu / wenig gebraucht / …
… steht dir super / ist total praktisch / …
Man kann es super gebrauchen, um … zu …

etwas aushandeln / Angebote bewerten
Tut mir leid. Das habe ich schon.
Das ist ein bisschen wenig/viel.
Ich würde lieber gegen … tauschen.
Das finde ich einen guten Tausch / ein faires Angebot.

Redemittel

höfliche Bitten ausdrücken K8M3/K9M4

Könnten Sie mir weiterhelfen? …
Ich hätte eine Frage/Bitte: …
Wir wollten dich darum bitten, dass …
Es wäre super, wenn …
Entschuldigung, können Sie …
Wir fänden es gut, wenn du …
Uns wäre es lieber, wenn …
Ich wüsste gerne, ob ...

eine Diskussion führen K10M2

um das Wort bitten / das Wort ergreifen
Dürfte ich dazu auch etwas sagen?
Ich möchte dazu etwas ergänzen.
Ich verstehe das schon, aber …
Glaubst/Meinst du wirklich, dass …?
Da muss/möchte ich kurz einhaken: …
Entschuldige, wenn ich dich unterbreche, …

sich nicht unterbrechen lassen
Lass mich bitte ausreden.
Ich möchte nur noch eines sagen: …
Einen Moment bitte, ich möchte nur noch …
Augenblick noch, ich bin gleich fertig.
Lass mich noch den Gedanken/Satz zu Ende bringen.

Gefallen/Missfallen ausdrücken K10M2

Ich freue mich, wenn ich ... sehe.
Ich finde es sehr gut, wenn jemand ...
Ich finde es ganz besonders schön, wenn ...
Mich nervt es, wenn ...
Ich finde es schockierend, wenn ...
Ich finde es wirklich schlimm, wenn ...
Ich habe den Eindruck, dass es sehr/etwas übertrieben ist, wenn ...

ein Referat / einen Vortrag halten K10M4

Einleitung
Das Thema meines Referats lautet …
Ich spreche heute über das Thema …
Ich möchte euch heute folgendes Thema präsentieren: …

Übergänge
Soweit der erste Teil. Jetzt beginne ich mit dem zweiten Teil.
Nun spreche ich über …
Ich komme jetzt zum zweiten/nächsten Teil.

wichtige Punkte hervorheben
Das ist besonders wichtig/interessant, weil …
Ich möchte betonen, dass …
Man darf nicht vergessen, dass …

Strukturierung
Mein Referat/Vortrag besteht aus drei Teilen: …
Ich möchte einen kurzen Überblick über … geben.
Zuerst spreche ich über …, dann komme ich im zweiten Teil zu … und zuletzt befasse ich mich mit …

Interesse wecken
Wusstet ihr eigentlich, dass …?
Ist euch schon mal aufgefallen, dass …?
Findet ihr nicht auch, dass …?

Dank und Schluss
Ich komme jetzt zum Schluss.
Zusammenfassend möchte ich sagen, …
Abschließend möchte ich noch erwähnen, …
Habt ihr / Gibt es noch Fragen?
Vielen Dank für eure Aufmerksamkeit!

etwas beschreiben K8M1

Aussehen/Art beschreiben
Es ist/besteht aus …
Es ist ungefähr so groß/breit/lang wie …
Es ist rund/eckig/flach/oval/hohl/gebogen/…
Es ist schwer/leicht/dick/dünn/…
Es ist aus Holz/Metall/Plastik/Leder/…
Es ist … mm/cm/m lang/hoch/breit.
Es ist billig/preiswert/teuer/…

Funktion beschreiben
Ich habe es gekauft, damit …
Besonders praktisch ist es, um …
Es eignet sich sehr gut zum …
Ich finde es sehr nützlich, weil …
Ich brauche/benutze es, um …
Dafür/Dazu verwende ich …

über einen Text schreiben

K3M3

Thema nennen
In dem Zeitungsartikel geht es um …
Das Thema des Artikels ist/lautet: …

neue Erkenntnisse nennen
Für mich war (ganz) neu, dass …
Ich habe nicht gewusst, dass …
Wusstest du, dass …?

Interessantes aufzählen
Für mich war spannend, dass …
… hat mich sehr interessiert.
Ich fand interessant, dass …

eine Stellungnahme schreiben

K5M2

Stellungnahme einleiten
Wenn es um das Thema … geht, dann …
Heute möchte ich zum Thema … Stellung nehmen.

Stellungnahme abschließen
Zum Schluss möchte ich sagen, dass …
Abschließend möchte ich …

Argumente verbinden
Ein weiterer Grund / Ein weiteres Argument für/gegen … ist, dass …
Noch wichtiger ist der Aspekt, dass …
Daraus folgt auch, dass …
Außerdem …

einen Film besprechen

K4M4

Der Film heißt …
Der Film „…" ist eine moderne Komödie / ein Spielfilm / …
In dem Film geht es um … / Er handelt von … / Im Mittelpunkt steht …
Der Film spielt in … / Schauplatz des Films ist …
Die Hauptpersonen im Film sind … / Der Hauptdarsteller ist …
Die Regisseurin ist … / Den Regisseur kennt man bereits von den Filmen „…" und „…"
Besonders die Schauspieler sind überzeugend/hervorragend/…
Man sieht deutlich, dass … / … stört nicht, denn …

eine Kulturstätte beschreiben

K4M4

Das … gibt es seit …
Es liegt/ist in der … Straße …
Viele Leute schätzen das … wegen …
Die Eintrittskarten kosten zwischen … und … Euro/Franken.
… wurde im Jahr … gebaut/eröffnet.
Es ist bekannt für …
Auf dem Programm stehen oft …
Hier treten oft … auf.

eine Person präsentieren

K1M3

Herkunft/Biografisches
Ich möchte gern … vorstellen.
Er/Sie kommt aus … und wurde … geboren.
Er/Sie lebt in …
Von Beruf ist er/sie …
Seine/Ihre Eltern sind …
Er/Sie kommt aus einer … Familie.

Leistungen
Er/Sie wurde bekannt, weil …
Er/Sie entdeckte/erforschte/erfand …
Er/Sie rettete/hilft/unterstützt …
Er/Sie arbeitet freiwillig …
Er/Sie setzt sich für … ein.
Er/Sie engagiert sich für …
Er/Sie kämpft für/gegen …

Über Vergangenes berichten

Kapitel 1

Bildung

Präteritum	**Perfekt**	**Plusquamperfekt**
regelmäßige Verben Verbstamm + -**t**- + Endung: *träumen:* *ich träumte* — *wir träumten* *du träumtest* — *ihr träumtet* *er/es/sie träumte* — *sie/Sie träumten* **unregelmäßige Verben** Präteritumstamm + Endung: *kommen:* *ich kam** — *wir kamen* *du kamst* — *ihr kamt* *er/es/sie kam** — *sie/Sie kamen* * keine Endung in der 1. und 3. Person Singular	*haben/sein* im Präsens + Partizip II: *er hat gesagt, er ist gekommen* **Partizip II** **regelmäßige Verben** ohne Präfix: *sagen – **ge**sag**t*** trennbares Verb: *aufhören – auf**ge**hör**t*** untrennbares Verb: *verdienen – verdien**t*** Verben auf *-ieren*: *faszinieren – fasziniert* **unregelmäßige Verben** ohne Präfix: *nehmen – **ge**nomm**en*** trennbares Verb: *aufgeben – auf**ge**geb**en*** untrennbares Verb: *verstehen – verstand**en***	*haben/sein* im Präteritum + Partizip II: *er hatte gesagt, er war gekommen*

Ausnahmen: *kennen – kannte – habe gekannt*, *denken – dachte – habe gedacht*, *bringen – brachte – habe gebracht*, *wissen – wusste – habe gewusst*

Funktion

Präteritum	**Perfekt**	**Plusquamperfekt**
• von vergangenen Ereignissen schriftlich berichten, z. B. in Zeitungsartikeln, Romanen • mit Hilfs- und Modalverben berichten	von vergangenen Ereignissen mündlich oder schriftlich berichten, z. B. in E-Mails, Briefen	von Ereignissen berichten, die vor einem anderen Ereignis in der Vergangenheit passiert sind

Zukünftiges ausdrücken

Kapitel 6

Zukünftiges kann man mit zwei Tempusformen ausdrücken.

Präsens (oft mit Zeitangabe)	*Ich **habe** nächste Woche viel Stress.*
Futur I (*werden* + Infinitiv)	*Ich **werde** (nächste Woche) viel Stress **haben**.*

Das Futur I wird auch oft verwendet, um in der Gegenwart Vermutungen oder Aufforderungen auszudrücken.
*Hast du Marco gesehen? – Ach, er **wird** schon zu Hause **sein**.* Vermutung
*Ihr **werdet** sofort euren Müll **wegräumen**.* Aufforderung

Aufforderungen im Futur I sind sehr direkt und können unhöflich wirken.

Modalverben: Tempus und Bedeutung

Bedeutungen

Modalverb	**Bedeutung**	**Alternativen (immer mit *zu* + Infinitiv)**
dürfen	Erlaubnis	*es ist erlaubt, es ist gestattet, die Erlaubnis / das Recht haben*
nicht dürfen	Verbot	*es ist verboten, es ist nicht erlaubt, keine Erlaubnis haben*
können	a) Möglichkeit b) Fähigkeit	*die Möglichkeit/Gelegenheit haben, es ist möglich* *die Fähigkeit haben/besitzen, in der Lage sein, imstande sein*
möchten	Wunsch, Lust	*Lust haben, den Wunsch haben*
müssen	Notwendigkeit	*es ist notwendig, es ist erforderlich, gezwungen sein, haben, verpflichtet sein*
sollen	Forderung	*den Auftrag / die Aufgabe haben, aufgefordert sein*
wollen	eigener Wille, Absicht	*die Absicht haben, beabsichtigen, vorhaben, planen*

Beispiele:
Wir dürfen in der Prüfung das Handy nicht dabei haben. – Es ist verboten, in der Prüfung das Handy dabei zu haben.
Man muss sich schriftlich anmelden. – Es ist erforderlich, sich schriftlich anzumelden.

Tempus
Präsens: Simon kann nicht an der Prüfung teilnehmen. Er ist krank.
Präteritum: Simon konnte nicht an der Prüfung teilnehmen. Er war krank.

	wollen	**können**	**müssen**	**dürfen**	**sollen**
ich	will wollte	kann konnte	muss musste	darf durfte	soll sollte
du	willst wolltest	kannst konntest	musst musstest	darfst durftest	sollst solltest
er/es/sie	will wollte	kann konnte	muss musste	darf durfte	soll sollte
wir	wollen wollten	können konnten	müssen mussten	dürfen durften	sollen sollten
ihr	wollt wolltet	könnt konntet	müsst musstet	dürft durftet	sollt solltet
sie/Sie	wollen wollten	können konnten	müssen mussten	dürfen durften	sollen sollten

Perfekt: Simon hat nicht an der Prüfung teilnehmen können. Er war krank.

Die Modalverben bilden das Perfekt mit *haben* + Infinitiv + Infinitiv (Modalverb). Sie bilden kein Partizip. Wenn man über die Vergangenheit spricht, benutzt man die Modalverben aber meist im Präteritum.

Indirekte Rede: Konjunktiv I — Kapitel 10

In der indirekten Rede verwendet man den Konjunktiv I um deutlich zu machen, dass man die Worte eines anderen wiedergibt und nicht seine eigene Meinung.
Er sagt, Mülltrennung sei wichtig.
In der gesprochenen Sprache benutzt man in der indirekten Rede auch häufig den Indikativ.
Er sagt, Mülltrennung ist wichtig.

Bildung des Konjunktiv I
bei den meisten Verben: Infinitivstamm + Endung

3. Person Singular: Endung *-e*
er/es/sie gebe, gehe, wisse, trenne, mache
*können: sie könnten**
sein: er/es/sie sei
haben: er/es/sie habe

3. Person Plural: Endung *-en*
gehen: sie gingen / sie würden gehen,*
sein: sie seien
*haben: sie hätten**

* Sind die Formen von Konjunktiv I und Indikativ identisch, verwendet man den Konjunktiv II oder die *würde*-Umschreibung: *sie haben* → *sie hätten; sie gehen* → *sie gingen / sie würden gehen*

Der Konjunktiv I wird meist in der 3. Person verwendet.

Konjunktiv II — Kapitel 8

Mit dem Konjunktiv II kann man:

Bitten höflich ausdrücken	*Könntest du ein Brot / meine Tasche / deine Kontoauszüge mitbringen?*
Irreales ausdrücken	*Das Geld müsste eigentlich reichen, wenn ich sparsamer wäre.* *Die Klassenarbeit müsste zu schaffen sein, aber du lernst ja nie.*
Vermutungen ausdrücken	*Mit einem anderen Vertrag würde ich wahrscheinlich Geld sparen.*
Vorschläge machen	*Wir könnten versuchen herauszufinden, wofür du dein Geld genau ausgibst.*

Konjunktiv II der Gegenwart
Die meisten Verben bilden den Konjunktiv II mit den Formen von *würde* + Infinitiv.

Singular	ich **würde** kaufen	du **würdest** kaufen	er/es/sie **würde** kaufen
Plural	wir **würden** kaufen	ihr **würdet** kaufen	sie/Sie **würden** kaufen

Die Modalverben, *haben, sein, brauchen* und *wissen* bilden den Konjunktiv II aus den Präteritum-Formen + Umlaut. Die 1. und 3. Person Singular bekommt die Endung *-e*.

Singular	ich w**ä**re, h**ä**tte, m**ü**sste, k**ö**nnte, d**ü**rfte, br**ä**uchte, w**ü**sste …	du w**ä**rst, h**ä**ttest, m**ü**sstest, k**ö**nntest, d**ü**rftest …	er/es/sie w**ä**re, h**ä**tte, m**ü**sste, k**ö**nnte, d**ü**rfte …
Plural	wir w**ä**ren, h**ä**tten, m**ü**ssten, k**ö**nnten, d**ü**rften …	ihr w**ä**rt, h**ä**ttet, m**ü**sstet, k**ö**nntet, d**ü**rftet …	sie/Sie w**ä**ren, h**ä**tten, m**ü**ssten, k**ö**nnten, d**ü**rften …

Aber: *ich s**o**llte, du s**o**lltest …; ich w**o**llte, du w**o**lltest …*

Viele unregelmäßige Verben können den Konjunktiv II wie die Modalverben bilden, meistens verwendet man jedoch die Umschreibung mit *würde* + Infinitiv:
*Ich **käme** gern zu euch.* → *Ich **würde** gern zu euch **kommen**.*

Konjunktiv II der Vergangenheit:
Konjunktiv II von *haben* oder *sein* + Partizip II:
*Ich **wäre gekommen**, aber ich hatte keine Zeit.*
*Ich **hätte** mich schon längst darum **gekümmert**.*

mit Modalverb: Konjunktiv II von *haben* + Infinitiv + Modalverb im Infinitiv:
*Ich **hätte** das Geld **sparen können**.*

Passiv

Kapitel 10

Verwendung

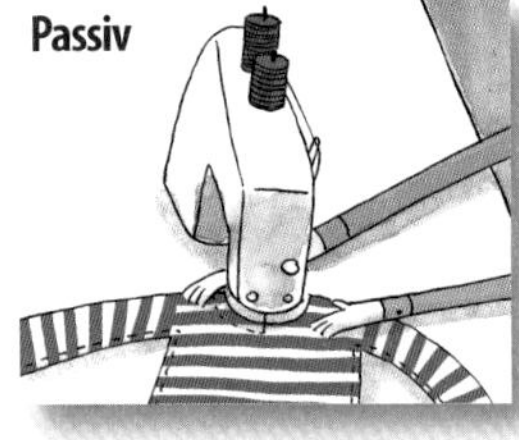

Man verwendet das Passiv, wenn ein Vorgang oder eine Aktion im Vordergrund stehen (und nicht eine handelnde Person).
Pullover werden hergestellt.

Das Aktiv verwendet man, wenn wichtig ist, wer oder was etwas macht.
Der Arbeiter stellt Pullover her.

Bildung des Passivs

Präsens	*Die Pullover werden in Asien hergestellt.*	*werden* im Präsens + Partizip II
Präteritum	*Die Pullover wurden in Asien hergestellt.*	*werden* im Präteritum + Partizip II
Perfekt	*Die Pullover sind in Asien hergestellt worden.*	*sein* + Partizip II + *worden*

Aktivsatz	Passivsatz
Die Firma produziert die Pullover. Nominativ Akkusativ	*Die Pullover werden (von der Firma) produziert.* Nominativ (*von* + Dativ)

Die meisten Verben mit Akkusativ können das Passiv bilden. Der Akkusativ im Aktivsatz wird im Passivsatz zum Nominativ.

Andere Ergänzungen bleiben im Aktiv und im Passiv im gleichen Kasus.

Plastikmüll schadet der Umwelt. Nominativ Dativ	*Der Umwelt wird geschadet.* Dativ

Passiv mit Modalverben

Modalverb im Präsens/Präteritum + Partizip II + *werden* im Infinitiv

Pfandflaschen können im Supermarkt zurückgegeben werden.
Im letzten Jahr konnten große Mengen an Plastikmüll recycelt werden.

Verben und Ergänzungen Kapitel 1

Das Verb bestimmt, wie viele Ergänzungen in einem Satz stehen müssen und welchen Kasus sie haben.

Verb + Nominativ	Die beiden Jungen sind jetzt Helden.
Verb + Akkusativ	Oleg rief die Feuerwehr.
Verb + Dativ	Ich helfe kranken und behinderten Reisenden.
Verb + Dativ + Akkusativ	Ich erkläre ihnen ihre weitere Reiseverbindung.
Verb + **Präposition** + Akkusativ	Ich interessiere mich **für** meine Mitmenschen.
Verb + **Präposition** + Dativ	Ich erkundige mich **nach** ihren Anschlüssen.

Die Reihenfolge der Objekte im Satz ist von der Wortart der Objekte abhängig:

Die Objekte sind:	**Beispiel**	**Reihenfolge**
Nomen	*Ich erkläre den Reisenden ihre Verbindung.*	erst Dativ, dann Akkusativ
Nomen und Pronomen	*Ich erkläre ihnen ihre Verbindung.* *Ich erkläre sie den Reisenden.*	erst Pronomen, dann Nomen
Pronomen	*Ich erkläre sie ihnen.*	erst Akkusativ, dann Dativ

Eine Übersicht über Verben mit Ergänzungen findet ihr im Anhang des Übungsbuchs.

Verben mit Präpositionen Kapitel 6

Viele Verben stehen mit einer oder mehreren Präpositionen. Bei Verben mit Präpositionen bestimmt die Präposition den Kasus der Ergänzungen.
Bei Verben mit mehreren Präpositionen steht die Präposition mit Dativergänzung (Person/Institution) vor der Präposition mit Akkusativergänzung (Sache).

*sprechen **mit*** + Dativ	Ich spreche **mit** dem Lehrer.
*sprechen **über*** + Akkusativ	Ich spreche **über** das Praktikum.
*sprechen **mit*** + Dativ ***über*** + Akkusativ	Ich spreche **mit** dem Lehrer **über** das Praktikum.

Eine Übersicht über Verben mit Präpositionen findet ihr im Anhang des Übungsbuchs.

Infinitiv mit und ohne *zu*

Kapitel 5

Infinitiv ohne *zu* nach:	**Infinitiv mit *zu* nach:**
1. Modalverben: *Er muss lernen.* 2. *werden* (Futur I): *Ich werde das Buch lesen.* 3. *bleiben*: *Wir bleiben im Bus sitzen.* 4. *lassen*: *Er lässt seine Tasche liegen.* 5. *hören*: *Sie hört ihn rufen.* 6. *sehen*: *Ich sehe das Auto losfahren.* 7. *gehen*: *Wir gehen baden.*	1. Nomen + Verb: *den Wunsch haben, die Möglichkeit haben, die Absicht haben, die Hoffnung haben, Lust haben, Zeit haben, Spaß machen …* → *Er hat den Wunsch, Medizin **zu** studieren.* 2. Verb: *anfangen, aufhören, beabsichtigen, beginnen, bitten, empfehlen, erlauben, sich freuen, gestatten, raten, verbieten, versuchen, vorhaben …* → *Wir haben vor, die Prüfung **zu** machen.* 3. *sein* + Adjektiv: *wichtig, notwendig, schlecht, gut, richtig, falsch …* → *Es ist wichtig, regelmäßig Sport **zu** treiben.*

Nach manchen Verben können Infinitive mit und ohne *zu* folgen:
lernen: *Johann lernt Auto fahren.* *Johann lernt, Auto **zu** fahren.*
helfen: *Ich helfe dir das Auto reparieren.* *Ich helfe dir, das Auto **zu** reparieren.*

Reflexive Verben

Kapitel 7

Personal-pronomen	**Reflexivpronomen im Akkusativ**	**im Dativ**	**Personal-pronomen**	**Reflexivpronomen im Akkusativ und Dativ**
ich	mich	mir	**wir**	uns
du	dich	dir	**ihr**	euch
er/es/sie	sich		**sie/Sie**	sich

Manche Verben sind immer reflexiv. *Ich habe mich entschlossen, bei meiner Mutter zu bleiben.*	*sich entschließen zu* + Dat., *sich fühlen, sich beschweren über* + Akk., *sich wundern über* + Akk. …
Manche Verben können reflexiv sein: *Ich verstehe mich gut mit Marie.* oder mit einer Akkusativergänzung stehen: *Ich verstehe meine Mutter einfach nicht.*	*(sich) verstehen, (sich) ärgern, (sich) treffen, (sich) ändern …*
Reflexivpronomen stehen normalerweise im Akkusativ. *Ich ziehe mich an.* Gibt es eine Akkusativergänzung, steht das Reflexivpronomen im Dativ. *Ich ziehe mir die Jacke an.*	*sich anziehen, sich waschen, sich kämmen …*
Bei manchen Verben steht das Reflexivpronomen immer im Dativ. Diese Verben brauchen immer eine Akkusativergänzung. *Ich wünsche mir eine glückliche Familie.*	*sich etw. wünschen, sich etw. leihen, sich etw. merken, sich etw. vorstellen, sich etw. denken …*

Eine Übersicht über reflexive Verben findet ihr im Anhang des Übungsbuchs.

Deklination

Kapitel 2

Singular	Maskulinum	Neutrum	Femininum
Nominativ	der Traum	das Haus	die Unterkunft
Akkusativ	den Traum	das Haus	die Unterkunft
Dativ	dem Traum	dem Haus	der Unterkunft
Genitiv	des Traum**es***	des Haus**es***	der Unterkunft
Plural			
Nominativ	die Träume	die Häuser	die Unterkünfte
Akkusativ	die Träume	die Häuser	die Unterkünfte
Dativ	den Träume**n****	den Häuser**n****	den Unterkünfte**n****
Genitiv	der Träume	der Häuser	der Unterkünfte

* Im Genitiv Singular enden Nomen im Maskulinum und Neutrum auf *-(e)s*.
Ausnahmen: Nomen der n-Deklination und Adjektive als Nomen (z. B. *das Gute – des Guten*).

** Im Dativ Plural enden die meisten Nomen auf *-n*.
Ausnahme: Nomen, die im Plural auf *-s* enden (*Wo sind die Auto**s**? – Kommt ihr mit den Auto**s**?*)

Die n-Deklination

Zur n-Deklination gehören:

- nur maskuline Nomen mit folgenden Endungen:

-e: der Junge, der Name | *-ant*: der Praktikant | *-graf*: der Fotograf
-and: der Doktorand | *-it*: der Bandit | *-at*: der Soldat
-soph: der Philosoph | *-ot*: der Pilot | *-ist*: der Polizist
-ent: der Student | *-loge*: der Psychologe | *-agoge*: der Pädagoge

- einige maskuline Nomen ohne Endung:
der Mensch, der Herr, der Nachbar, der Held, der Bauer …

	Singular	Plural	Singular	Plural
Nominativ	der Kunde	die Kunden	der Mensch	die Menschen
Akkusativ	den Kunde**n**	die Kunden	den Mensch**en**	die Menschen
Dativ	dem Kunde**n**	den Kunden	dem Mensch**en**	den Menschen
Genitiv	des Kunde**n**	der Kunden	des Mensch**en**	der Menschen

Einige Nomen haben im Genitiv Singular die Endung *-ns* (Mischformen):
der Name, des Namens
der Glaube, des Glaubens
der Buchstabe, des Buchstabens
der Wille, des Willens
***! das** Herz, des Herzens*

Deklination der nominalisierten Adjektive und Partizipien — Kapitel 3 (AB)

Adjektive und Partizipien können zu Nomen werden. Sie werden aber trotzdem wie Adjektive dekliniert: Der Arzt hilft kranken Menschen. – Der Arzt hilft Kranken.

	Maskulinum	**Femininum**	**Neutrum**	**Plural**
Nominativ	der Deutsche	die Deutsche	das Deutsche	die Deutschen
Akkusativ	den Deutschen	die Deutsche	das Deutsche	die Deutschen
Dativ	dem Deutschen	der Deutschen	dem Deutschen	den Deutschen
Genitiv	des Deutschen	der Deutschen	des Deutschen	der Deutschen

Pluralbildung der Nomen — Kapitel 3

	Nomen	**Pluralendung**	**Beispiele**
1.	• maskuline Nomen auf *-en/-er/-el* • neutrale Nomen auf *-chen/-lein*	-(")Ø	*der Norweger – die Norweger* *der Laden – die L**ä**den*
2.	• fast alle femininen Nomen (ca. 96 %) • maskuline Nomen auf *-or* • alle Nomen der n-Deklination	-(e)n	*die Tafel – die Tafel**n*** *die Tradition – die Tradition**en***
3.	• die meisten maskulinen und neutralen Nomen (ca. 70 %)	-(")e	*der Bestandteil – die Bestandteil**e*** *der Einfluss – die Einfl**ü**ss**e***
4.	• einsilbige neutrale Nomen • Nomen auf *-tum*	-(")er	*das Kind – die Kind**er*** *das Dorf – die D**ö**rf**er***
5.	• viele Fremdwörter • Abkürzungen • Nomen mit *-a/-i/-o/-u* am Wortende	-s	*der Fan – die Fan**s*** *die CD – die CD**s*** *der Lolli – die Lolli**s***

Präpositionaladverbien und Fragewörter

davon, daran, darauf, … und *wovon, woran, worauf …* — Kapitel 6

Sachen/Ereignisse	**Personen/Institutionen**
wo(r) + Präposition	**Präposition + Fragewort**
○ **Woran** denkst du? ● **An** das Praktikum! ○ **Wovon** redet er? ● **Von** seinem Praktikum.	○ **An wen** denkst du? ● **An** meine Freundin. ○ **Mit wem** redet er? ● **Mit** dem Lehrer.
da(r) + Präposition	**Präposition + Pronomen**
○ Erinnerst du dich **an deinen ersten Praktikumstag**? ● Natürlich erinnere ich mich **daran**. Ich erinnere ich mich auch gut **daran**, wie nervös ich war.	○ Erinnerst du dich **an Lisa**? ● Natürlich erinnere ich mich **an sie**.

Nach *wo…* und *da…* wird ein *r* eingefügt, wenn die Präposition mit einem Vokal beginnt: *auf* → *wo**r**auf/da**r**auf*

da(r)… steht auch vor Nebensätzen (dass-Sätze, Infinitiv mit *zu*, indirekter Fragesatz).
*Ich freue mich **darauf**, dass das Praktikum bald beginnt.*

Temporale Präpositionen

Kapitel 9

mit Akkusativ	mit Dativ	mit Genitiv
bis eine Woche vorher **für** mindestens vier Wochen **gegen** 21 Uhr **um** Viertel nach sieben **um** Ostern **herum** **über** den Zeitraum der Reise	**ab** dem Ankunftstag **an** einem Sonntag **beim** Frühstück **in** der Nacht **nach** der Buchung **seit** einem Monat **von** Anfang **an** **von** Montag **bis** Freitag **vor** Reiseantritt **zu** Weihnachten **zwischen** 9 und 16 Uhr	**außerhalb** der Saison **innerhalb** der Saison **während** der Buchung

Lokale Präpositionen

Kapitel 2

	Wo?	Wohin?	Woher?
mit Akkusativ	die Straße entlang*, um den See herum	bis Hamburg, durch die Tür, gegen die Wand, um die Ecke	
mit Dativ	ab der Brücke, an der Straße entlang, bei der Apotheke, gegenüber dem Kino, von der Kreuzung aus	nach der Kreuzung, zu → zur Schule	aus der Schule, von → vom Arzt
mit Genitiv	außerhalb der Stadt, entlang* der Straße, innerhalb des Stadtzentrums, jenseits der Brücke		

* *Wir gehen den Weg entlang.* nachgestellt mit Akkusativ
Wir gehen entlang des Weges. vorangestellt mit Genitiv

Einige lokale Präpositionen werden sowohl mit Dativ als auch mit Akkusativ verwendet. Man nennt sie „Wechselpräpositionen".

Frage *Wo?*	Frage *Wohin?*
Wechselpräposition mit Dativ ○ ***Wo*** *ist Leon?* ● ***In der*** *Schule.*	Wechselpräposition mit Akkusativ ○ ***Wohin*** *geht Leon?* ● ***In die*** *Schule.*

Deklination der Adjektive

Kapitel 3

Typ I: mit bestimmtem Artikel

	der Körper	das Fachgebiet	die Wirkung	Körper (Pl.)
N	der menschlich**e**	das neu**e**	die therapeutisch**e**	die menschlich**en**
A	den menschlich**en**	das neu**e**	die therapeutisch**e**	die menschlich**en**
D	dem menschlich**en**	dem neu**en**	der therapeutisch**en**	den menschlich**en**
G	des menschlich**en**	des neu**en**	der therapeutisch**en**	der menschlich**en**

auch nach:
- Fragewörtern: *welcher, welches, welche*
- Demonstrativartikeln: *dieser, dieses, diese; jener, jenes, jene*
- Indefinitartikeln: *jeder, jedes, jede; alle* (Pl.)
- Negationsartikeln und Possessivartikeln im Plural: *keine* (Pl.), *meine* (Pl.)

Typ II: mit unbestimmtem Artikel

	der Körper	das Fachgebiet	die Wirkung	Körper (Pl.)
N	ein menschlich**er**	ein neu**es**	eine therapeutisch**e**	menschlich**e**
A	einen menschlich**en**	ein neu**es**	eine therapeutisch**e**	menschlich**e**
D	einem menschlich**en**	einem neu**en**	einer therapeutisch**en**	menschlich**en**
G	eines menschlich**en**	eines neu**en**	einer therapeutisch**en**	menschlich**er**

auch nach:
- Negationsartikeln: *kein, kein, keine* (Sg.)
- Possessivartikeln: *mein, mein, meine* (Sg.)

Typ III: ohne Artikel

	der Körper	das Fachgebiet	die Wirkung	Körper (Pl.)
N	menschlich**er**	neu**es**	therapeutisch**e**	menschlich**e**
A	menschlich**en**	neu**es**	therapeutisch**e**	menschlich**e**
D	menschlich**em**	neu**em**	therapeutisch**er**	menschlich**en**
G	menschlich**en**	neu**en**	therapeutisch**er**	menschlich**er**

auch nach:
- Zahlen: *zwei, drei, vier …*
- Indefinitartikeln im Plural: *viele, einige, wenige, andere*

Komparativ und Superlativ

Kapitel 4

Komparativ	**Superlativ**
Adjektiv + Endung -***er*** *aktiv –aktiv**er** – am aktivsten* Einsilbige Adjektive: *a, o, u* wird meistens zu ä, ö, ü (*k**u**rz – k**ü**rzer*) Adjektive auf -*el* und -*er*: -*e*- fällt weg (*teu**er** – teu**r**er*)	*am* + Adjektiv + Endung -***sten*** *schön – schöner – am schön**sten*** Adjektive auf -*d*, -*s*, -*sch*, -*st*, -*ß*, -*t*, -*x*, -*z*: meistens Endung -***esten*** (*am interessant**esten**;* Ausnahme: *groß – am größten*)
besondere Formen: *gut – besser – am besten* *gern – lieber – am liebsten* *viel – mehr – am meisten* *hoch – höher – am höchsten* *nah – näher – am nächsten*	
Vergleiche mit *als/wie* Grundform + *wie*: *Meine Geschwister gehen (genau)so gern in die Kletterhalle **wie** ich.* Komparativ + *als*: *Im Sommer bin ich viel aktiver **als** im Winter.*	

Vor Nomen müssen Komparative und Superlative wie alle Adjektive dekliniert werden.

*das interessant**ere** Hobby* — *das interessant**este** Hobby*
*ein toll**eres** Hobby* — *mein lieb**stes** Hobby*

Ausnahmen:
*Ich würde gern **mehr** Filme sehen.*
*Jetzt habe ich noch **weniger** Zeit.*

Satz

Konnektoren: Kausal-, Konzessiv- und Konsekutivsätze

Kapitel 4

Hauptsatz + Nebensatz: *Er ruft nicht um Hilfe, **obwohl** er Angst hat.*
Hauptsatz + Hauptsatz: *Nach Hilfe rufen war lächerlich, **denn** die Freunde waren nicht weit.*
Hauptsatz + Hauptsatz mit Inversion (Verb direkt hinter dem Konnektor): *Heute ist sein Geburtstag, **deshalb** feiern sie zusammen.*

	Grund (kausal)	**Gegengrund (konzessiv)**	**Folge (konsekutiv)**
Hauptsatz + Nebensatz	*weil* *da*	*obwohl*	*sodass* *so …, dass*
Hauptsatz + Hauptsatz	*denn*		
Hauptsatz + Hauptsatz mit Inversion		*trotzdem*	*deshalb* *darum* *daher* *deswegen*

Relativsätze

Kapitel 7

Relativpronomen *der, das, die*
Relativsätze geben genauere Informationen, beschreiben etwas oder jemanden.

	Singular			**Plural**
Nominativ	der	das	die	die
Akkusativ	den	das	die	die
Dativ	dem	dem	der	**denen**
Genitiv	**dessen**	**dessen**	**deren**	**deren**

Genus und Numerus des Relativpronomens richten sich nach dem Bezugswort.
Der Kasus richtet sich nach dem Verb oder der Präposition im Relativsatz.

Sie ist eine Freundin, die ich schon lange kenne. + Akk.

*Sie ist eine Freundin, **mit** der man immer Spaß hat.* **mit** + Dat.

Das Relativpronomen im Genitiv hat dieselbe Funktion wie ein Possessivpronomen.
*Sie ist eine gute Freundin. Ich kann **ihren** Rat immer gut brauchen.*
*Sie ist eine gute Freundin, **deren** Rat ich immer gut brauchen kann.*

Relativpronomen *wo, wohin, woher*
Gibt ein Relativsatz einen Ort, eine Richtung oder einen Ausgangspunkt an, kann man statt Präposition und Relativpronomen auch *wo, wohin, woher* verwenden.

Ich habe Feli in dem Ort kennengelernt, … ***wo** wir einen Sprachkurs gemacht haben.* **Ort**
… ***wohin** ich letzten Sommer gefahren bin.* **Richtung**
… ***woher** meine Tante kommt.* **Ausgangspunkt**

Bei Städte- und Ländernamen benutzt man immer *wo, wohin, woher*:
*Ich liebe England, **wo** ich auch Feli kennengelernt habe.*

Relativpronomen *was*
Bezieht sich das Relativpronomen auf einen ganzen Satz oder stehen die Pronomen *das, etwas, alles* und *nichts* im Hauptsatz, dann verwendet man das Relativpronomen *was*.

*Das, **was** ich in einer Freundschaft wichtig finde, habe ich mit Feli zu einhundert Prozent.*
*Ich kann mit ihr wirklich über alles, **was** mich beschäftigt, sprechen.*
*Ein Idol zu haben ist etwas, **was** Leute oft komisch finden.*
*Es gibt nichts, **was** wichtiger für mich ist.*
*Er hat immer für seinen Traum gekämpft, **was** mir sehr imponiert.*

Finalsätze

Kapitel 8

Finale Nebensätze drücken ein Ziel oder eine Absicht aus. Sie geben Antworten auf die Frage *Wozu?* oder in der gesprochenen Sprache auch oft auf die Frage *Warum?*.

Gleiches Subjekt in Haupt- und Nebensatz → Nebensatz mit *um ... zu* oder *damit*	
*Du klingelst, **damit** du auf dich aufmerksam machst.*	Im Nebensatz mit *damit* muss das Subjekt genannt werden.
*Du klingelst, **um** auf dich aufmerksam **zu** machen.*	Im Nebensatz mit *um ... zu* entfällt das Subjekt, das Verb steht im Infinitiv. Bei gleichem Subjekt sind Formulierungen mit *um ... zu* häufiger als mit *damit*.
Unterschiedliche Subjekte in Haupt- und Nebensatz → Nebensatz immer mit *damit*	
*Du klingelst, **damit** andere Personen dich hören.*	
Hauptsatz mit *zum* + nominalisierter Infinitiv	
***Zum** Putzen der Tastatur nehme ich nur noch den Tastaturstaubsauger.*	Alternative zu *um ... zu* oder *damit* (bei gleichem Subjekt in Haupt- und Nebensatz). Der Akkusativ im Satz mit *um ... zu* wird beim nominalisierten Infinitiv oft zum Genitiv.

wollen, sollen und *möchten* stehen nie in Finalsätzen:
Ich spare Geld. Ich will das Monokular kaufen. → Ich spare Geld, um das Monokular zu kaufen.

Temporalsätze

Kapitel 9

Fragewörter	**Beispiel**
1. Wann? Wie lange? Geschehen im Hauptsatz **gleichzeitig** mit Nebensatz	*Fast immer **wenn** es Streit gab, hatte das mit organisatorischen Problemen zu tun.* **wenn:** wiederholter Vorgang in der Vergangenheit ***Als** die Reise für mich wirklich feststand, habe ich gleich drei Freunde gefragt.* **als:** einmaliger Vorgang in der Vergangenheit ***Während** ich für die Prüfungen gelernt habe, gab es für mich wenig Ablenkung, Freizeit und Spaß.* **während:** andauernder Vorgang ***Solange** ich nicht in die Schule musste, war ich einfach glücklich.* **solange:** gleichzeitiges Ende beider Vorgänge
Geschehen im Hauptsatz **nicht gleichzeitig** mit Nebensatz	***Nachdem** wir alle unsere Vorstellungen geäußert hatten, schien eine schnelle Einigung unmöglich zu sein.* ***Bevor** unsere Reisen losgingen, nervte ich meinen Vater ständig mit Fragen.*
2. Seit wann?	***Seitdem** ich wieder zu Hause bin, berichte ich täglich über meine Reiseerlebnisse.*
3. Bis wann?	***Bis** die Reise beginnen konnte, mussten einige Entscheidungen getroffen werden.*

Zeitenwechsel bei *nachdem*
Das Geschehen im Nebensatz mit *nachdem* passiert vor dem Geschehen im Hauptsatz. Im Haupt- und Nebensatz steht nicht dieselbe Zeitform.

Gegenwart:	*Nachdem wir alle unsere Vorstellungen geäußert haben,* *scheint eine schnelle Einigung unmöglich zu sein.*	Perfekt Präsens
Vergangenheit:	*Nachdem wir alle unsere Vorstellungen geäußert hatten,* *schien eine schnelle Einigung unmöglich zu sein.*	Plusquamperfekt Präteritum

Auswertung zum Test „Wohntyp", Kapitel 2, Auftakt, Aufgabe 2

Typ A: Du magst es grün und gemütlich.
Auf dem Land gefällt es dir am besten. Du magst die Natur und möchtest am liebsten in einem großen Haus mit Garten wohnen. Es stört dich überhaupt nicht, wenn du die Leute in der Nachbarschaft kennst. Du magst das sogar sehr, denn hier leben viele Freunde von dir, die dich schon lange kennen, mit denen du oft Kontakt hast, die dir helfen und mit denen du auch gerne feierst. Dass du längere Wege zur Schule oder in die nächste Stadt hast, findest du nicht so schlimm. Deine Freizeit verbringst du ja sowieso gerne in der Natur oder zu Hause oder mit Freunden aus deinem Ort. Ein Leben in der Großstadt wäre dir viel zu stressig.

Typ B: Du magst es bequem und übersichtlich.
Die Kleinstadt ist der ideale Wohnort für dich. Hier ist es nicht so hektisch und trotzdem hast du Kinos und Geschäfte in deiner Nähe. Du kannst eigentlich immer zu Fuß gehen oder mit dem Fahrrad fahren – alles ist schnell zu erreichen. Sollte der Weg doch einmal ein bisschen weiter sein, gibt es wenigstens einen Bus. Du magst es, durch die Stadt zu gehen und hier und da Leute zu treffen, die du kennst. Die Anonymität der Großstadt ist nichts für dich, aber auf dem Land ist es dir auch viel zu langweilig. Und wenn du doch mal Lust auf Abwechslung hast, dann kannst du ja am Wochenende einen Ausflug in die nächste Großstadt oder aufs Land machen.

Typ C: Du magst es turbulent und lebendig.
Du bist der geborene Großstadtmensch. Du liebst die Vielfalt und die Lebendigkeit der Stadt und fühlst dich erst so richtig wohl, wenn du mittendrin bist. In deiner Freizeit bist du immer dabei, wenn es neue Konzerte, Filme oder andere kulturelle Angebote gibt. Du bist offen, immer neue und interessante Leute kennenzulernen. Trends interessieren dich sehr und du probierst gerne Neues aus. Die Anonymität der Stadt macht dir nichts aus. Im Gegenteil – du genießt die Freiheit, nicht überall Leute zu treffen, die dich oder deine Familie kennen. Auf dem Land oder in einer Kleinstadt würdest du dich nur langweilen.

Mischtyp:
Ist dein Ergebnis nicht eindeutig? Dann lies alle drei Typbeschreibungen. Welche Aussagen passen zu dir?

Auswertung zum Test „Reisetypen", Kapitel 9, Auftakt

Zählt eure Punkte bei den Aussagen, die ihr angekreuzt habt, zusammen. Zu welcher Gruppe gehört ihr? Seid ihr mit euren Punkten an der Grenze zwischen zwei Gruppen, könnt ihr auch ein Mischtyp aus beiden Gruppen sein.

Bis 12 Punkte:
Keine Experimente, bitte. Ihr möchtet in aller Ruhe eure Ferien genießen. Dazu lasst ihr gerne andere den Urlaub planen. Eure Eltern, euer Verein oder andere Personen organisieren dann alles für euch. Und wenn ihr wieder an den gleichen Ort fahrt, ist das kein Problem für euch. Auf einer Reise könnt ihr auch schon einmal Heimweh bekommen. Manchmal bleibt ihr auch ganz gerne zu Hause. Ihr müsst nicht immer etwas Neues ausprobieren. Ihr findet es einfach schön, wenn ihr alles schon kennt oder ihr mit eurer Familie etwas zusammen macht. Und wenn ihr wegfahrt, dann kommt ihr auch gerne wieder nach Hause zurück.

13–17 Punkte:
Ihr möchtet Spaß im Urlaub. Ruhige Orte findet ihr ziemlich langweilig. Es darf gerne bunt und temperamentvoll zugehen und darum liebt ihr die „HotSpots" unter südlicher Sonne. Wenn ihr mit euren Eltern den Urlaub plant, dann wollt ihr an Orte, wo ihr tagsüber Energie am Strand tankt und andere Jugendliche trefft, mit denen ihr auch mal etwas unternehmen könnt. Ihr möchtet schön braun werden und etwas erleben. Mit so viel unbeschwertem Spaß könnte euer Urlaub ewig dauern. Ein dickes Kulturprogramm ist euch nicht so wichtig. Eine kurze Rundfahrt mit dem Bus und ein paar Fotos von den wichtigsten Sehenswürdigkeiten sind absolut ausreichend. Wenn eure Eltern ein Museum ansehen wollen, geht ihr lieber Eis essen.

18–25 Punkte:
Wenn ihr eine Reise macht, dann wollt ihr auch etwas über die Orte, die Menschen und die Kultur erfahren. Wenn ihr wisst, wohin die Reise geht, dann lest ihr auch schon mal ein Buch oder ein Reisemagazin, um euch zu informieren. Wenn eure Eltern, einen Plan machen, was sie alles besuchen wollen, dann seid ihr gerne mit dabei. Und wenn eure Eltern euch vorschlagen, doch mal eine Sprachreise für Jugendliche zu machen, dann sagt ihr auch nicht „Nein". Da ist dann alles von der Sprachschule organisiert und ihr freut euch schon auf die Gasteltern und das Programm, um Land und Leute kennenzulernen. Wozu lernt man sonst eine neue Sprache? Ihr wollt dann alles ausprobieren, kennenlernen und ansehen.

26–32 Punkte:
In euch schlägt das Herz eines Abenteurers. Ihr seid Individualisten, die das Fremde und Neue oder sogar das Überraschende reizt. Das Leben und der Aufenthalt in der Natur sind bei euch besonders beliebt. Das kann auf einer Reise in ein Jugendcamp im Ausland sein oder auch eine spontane Fahrradtour mit Zelt mit euren Eltern. Ihr habt Lust, euch zu bewegen. Oft fahrt ihr auch gerne mit eurem Sportverein weg. Ihr fahrt Fahrrad, Kanu oder Ski, ihr wandert, segelt oder schwimmt auch gerne. Mit Leuten ins Gespräch zu kommen, ist euch auch wichtig, weil ihr gerne neue Erfahrungen und Eindrücke sammelt. Am liebsten würdet ihr mal eine Tour durch eine exotische Region machen. Und wenn ihr aus den Ferien zurück seid, habt ihr immer viel zu erzählen und auch schon wieder ein bisschen Fernweh.

Lösungen zu Kapitel 6, Filmseiten, Aufgabe 1

1C; 2H; 3G; 4E; 5A; 6F; 7B; 8D

Vorlage für eigene Porträts einer Person

Name, Vorname(n)	
Nationalität	
geboren/gestorben am	
Beruf(e)	
bekannt für	
wichtige Lebensstationen	
Was sonst noch interessant ist (Filme, Engagement, Hobbys ...)	

Vorlage für eigene Porträts eines Unternehmens / einer Organisation

Name	
Hauptsitz	
gegründet am/in/von	
Tätigkeitsfeld(er)	
bekannt für	
wichtige Daten/Entwicklungen	
Was sonst noch interessant ist (Engagement, Sponsoren ...)	

Bild- und Textnachweis

S. 8 A wavebreakmedia – shutterstock.com; B bikeriderlondon – shutterstock.com; C Lapina – shutterstock.com
S. 9 D MJTH – shutterstock.com; E Dieter Mayr; F Bernd Thissen – dpa Picture-Alliance
S. 10 A Olga Danylenko – shutterstock.com; B WavebreakmediaMicro – Fotolia.com; C LVDESIGN – Fotolia.com
S. 12 oben: William Perugini – shutterstock.com; Mitte: nenetus – shutterstock.com; unten: Antonio Guillem – shutterstock.com
S. 14 oben: 1 maxutov – Fotolia.com; 2 Andreas Nadler – Fotolia.com; 3 Arne Bensiek / Badische Zeitung; Mitte: goldyrocks – Thinkstock; unten: Verena Streitferdt – Reisen mit Rollstuhl e.V.
S. 15 Jeanette Dietl – Fotolia.com
S. 16 Rabe: shutterstock.com; Hufeisen: iofoto – shutterstock.com; Billardkugel: tescha555 – shutterstock.com; Kleeblatt: Le Do – shutterstock.com; Schornsteinfeger: Reena – Fotolia.com; Katze: shutterstock.com; Hand der Fatima: Helen Schmitz; Sternschnuppe: clearviewstock – shutterstock.com; Winkekatze: J. Helgason – shutterstock.com; Drachen: Wasu Watcharadachaphong – shutterstock.com; Schweine: Elena Schweitzer – shutterstock.com; Spinne: Jacob Hamblin – shutterstock.com
S. 18 Alexander Raths – shutterstock.com
S. 19 Alexander Raths – shutterstock.com; Gedicht aus: „Du hast es mir angetan", © Ernst Ferstl
S. 20 oben: Jan Knoff – picture-alliance; unten: Ennio Leanza – picture-alliance; Interviewausschnitt aus „Meine Angst beim Fliegen wird immer größer" von Jonas Hermann auf FAZ.NET am 13.10.2015 © Alle Rechte vorbehalten. Frankfurter Allgemeine Zeitung GmbH, Frankfurt. Zur Verfügung gestellt vom Frankfurter Allgemeine Archiv
S. 22 Gartenzwerg TunedIn by Westend61 – shutterstock.com; „Deutschlandlabor: Mentalität" Lizenz durch Deutsche Welle / dw.com/deutschlernen – Alle Rechte vorbehalten. Definition des Begriffs „Mentalität" aus dem Großwörterbuch Deutsch als Fremdsprache © Langenscheidt Verlag, München
S. 23 „Deutschlandlabor: Mentalität" Lizenz durch Deutsche Welle / dw.com/deutschlernen – Alle Rechte vorbehalten.
S. 24 1 etfoto – Fotolia.com; 2 Tumar – shutterstock.com; 3 Eskimo71 – Fotolia.com
S. 25 4 traveldia – Fotolia.com; 5 WW Wohnwagon GmbH; 6 Margo – Fotolia.com
S. 26 von oben nach unten: Sergey Dzyuba – shutterstock.com; Piotr Marcinski – Thinkstock; tzahiV – Thinkstock
S. 27 oben: Andy Lidstone – shutterstock.com; unten: 1 R_Type – Thinkstock; 2 estt – Thinkstock; 3 koya79 – Thinkstock; 4 pink_cotton_candy – Thinkstock; 5 BonnieBC – shutterstock.com
S. 28 oben links: Joerg Lantelmè Foto Kreativ Kassel; oben rechts: ChiccoDodiFC – shutterstock.com; unten links: SpeedKingz – shutterstock.com; unten rechts: Caro Fotoagentur GmbH
S. 29 Nadine Carstens; Bericht aus: MediaCampus / FUNKE MEDIENGRUPPE
S. 30 1 Planetpix – Alamy; 2 Doris Stierner – Schmitterhof; 3 www.hotelsuites.nl
S. 31 von links nach rechts: Nathalie Bourreau – dpa Picture-Alliance; Waldseilgarten Höllschlucht GmbH & Co.KG; Gao Lin Hk – picture-alliance
S. 32 Diego Cervo – shutterstock.com; Textausschnitt aus www.planet-wissen.de. Originaltitel: Hotel Mama (17.09.2004), © Silke Rehren/ WDR (adaptiert)
S. 33 von links nach rechts: Creativemarc – Fotolia.com; Ahturner – shutterstock.com; LosRobsos – Fotolia.com
S. 34 Miguel Fernandez
S. 35 von oben nach unten: Dan Race – Fotolia.com; Peter Bernik – shutterstock.com; Olimpik – shutterstock.com
S. 36 oben: akg-images; Mitte: shutterstock.com; unten: akg-images / Jérôme da Cunha; Text „Wohnen im Märchenschloss auch im 21. Jahrhundert?" www.lueckundlocke.de
S. 38 Grafik: picture-alliance/dpa-infografik; unten: „Radfahrer gegen Autofahrer": Lizenz durch Deutsche Welle / dw.com/deutschlernen – Alle Rechte vorbehalten.
S. 39 oben: „Radfahrer gegen Autofahrer" Lizenz durch Deutsche Welle / dw.com/deutschlernen – Alle Rechte vorbehalten. Mitte: dpa picture-alliance; unten: „Radfahrer gegen Autofahrer" Lizenz durch Deutsche Welle / dw.com/deutschlernen – Alle Rechte vorbehalten.
S. 40 Nektarine: Natikka – Thinkstock; Federball: Grafner – Thinkstock; Spielekonsole: merznatalia – Thinkstock; Gummibärchen: killerbayer – Thinkstock; Bilderrahmen: NataLT – shutterstock.com; Bild mit Freunden: ViewApart – Thinkstock; Musiknoten: Yukchong Kwan – Thinkstock; Manga: Gil-Design – Thinkstock; Freundschaftsbändchen: mamadela – Thinkstock; Birnen: GooDween123 – Thinkstock; Geldbörse: ffolas – Thinkstock; Fußballschuhe: Comstock – Thinkstock; Wecker: Korvit – shutterstock.com; Schwimmbrille: IvonneW – Thinkstock; Kette: gavran333 – Thinkstock
S. 41 Lolli: RuthBlack – Thinkstock; Workout: Mendelex_photography – Thinkstock; Pflaumen: Maksym Narodenko – Thinkstock; Schokolade: Danny Smythe – shutterstock.com; Joghurt: Dudarev Mikhail – shutterstock.com; Konzertkarten: MicroStockHub – Thinkstock; Trauben: anna1311 – Thinkstock; Smartphone: gunnarAssmy – Thinkstock; Tischtennisschläger: WesAbrams – Thinkstock; Brot: BackyardProduction – Thinkstock; Ananas: Maksym Narodenko – Thinkstock
S. 42 1 ANCH – shutterstock.com; 2 infografick – shutterstock.com; 4 Danny Smythe – shutterstock.com; Texte: „Wissenswertes rund um die Schokolade". Aus: ÖKO-TEST Magazin 11/2005 (adaptiert, gekürzt)
S. 43 oben: Helen Schmitz; unten: Marina Lohrbach – Fotolia.com
S. 44 von oben nach unten: monticello – shutterstock.com; Aleph Studio – shutterstock.com; gcpics –shutterstock.com; Angela Kilimann
S. 45 oben: Bundesanstalt für Landwirtschaft und Ernährung; unten: Manuel Hilscher
S. 46 Sergey Furtaev – Fotolia.com
S. 48 oben links: Monkey Business Images – shutterstock.com; oben rechts: wavebreakmedia – shutterstock.com; Mitte: Willem Bosman – shutterstock.com; unten links: Pushish Images – unten rechts: XiXinXing – shutterstock.com
S. 49 mimagephotography – shutterstock.com
S. 50 1 Stock-Asso – shutterstock.com; 2 MANDY GODBEHEAR – shutterstock.com; 3 Iakov Filimonov – shutterstock.com; 4 g-stockstudio – shutterstock.com
S. 51 Picture-Factory – Fotolia.com
S. 52 Porträts: Lindt & Sprüngli AG; Schokoladenstückchen: Tim UR – shutterstock.com; Text (adaptiert und gekürzt): Chocoladefabriken Lindt & Sprüngli AG
S. 54/55 „Schmecken" Lizenz durch www.zdf-archive.com / ZDF Enterprises GmbH – Alle Rechte vorbehalten.
S. 56 1 Syda Productions – shutterstock.com;2 wassiliy – Fotolia.com; 3 Stephen Bonk – shutterstock.com; 4 Iryna Tiumentseva – shutterstock.com
S. 57 5 lightpoet – Fotolia.com; 6 Tom Lester – shutterstock.com; 7 Fotokostic – shutterstock.com
S. 58 dpa-infografik – picture-alliance
S. 60 1 Timmary – shutterstock.com; 2 Yeko Photo Studio – shutterstock.com; 3 Andre Bonn – shutterstock.com; 4 ragufeng – Fotolia.com; 5 Rovio Entertainment Ltd; 6 Jiri Vaclavek – shutterstock.com; unten: Pressmaster – shutterstock.com
S. 62 1 Helen Schmitz; 2 Marianne Mayer – Fotolia.com
S. 64 T+T Fotografie / Toni Suter + Tanja Dorendorf
S. 65 © 2013 Concorde Filmverleih GmbH, Tele München Fernseh GmbH + Co
S. 66 oben: T+T Fotografie / Toni Suter + Tanja Dorendorf; unten: Elovich – shutterstock.com
S. 67 Sophie Stieger
S. 68 von links nach rechts: Mike Frey – picture-alliance; Valeriy Melnikov – picture-alliance; BREUEL-BILD/ABB – picture-alliance
S. 70 oben: The Photos – Fotolia.com; Mitte: aprott – iStockphoto; unten: Peter Scholz – shutterstock.com
S. 71 „Funsport – Surfen auf der künstlichen Welle" Lizenz durch www.zdf-archive.com / ZDF Enterprises GmbH – Alle Rechte vorbehalten.
S. 72/73 Dieter Mayr
S. 74 1 Refluo – shutterstock.com; 2 stockthrone_com – shutterstock.com; 3 beboy – shutterstock.com; 4 Black Jack – shutterstock.com; 5 T-Kot – shutterstock.com
S. 74 unten von links nach rechts: Photographer Lili – shutterstock.com; Arina P Habich – shutterstock.com; BestPhotoStudio – shutterstock.com
S. 75 links: Andrey_Popov – shutterstock.com; rechts: Arina P Habich – shutterstock.com
S. 76 links von oben nach unten: Amazingmikael – shutterstock.com; MJTH – shutterstock.com; Savanevich Viktar – shutterstock.com; Monkey Business Images – shutterstock.com; rechts von oben nach unten: Nadino – shutterstock.com; Zurijeta – Thinkstock; wavebreakmedia – shutterstock.com; Ollyy – shutterstock.com
S. 80 Minerva Studio – shutterstock.com
S. 81 von oben nach unten: Yakobschuk Vasyl – shutterstock.com; JohnKwan – shutterstock.com; SusaZoom – shutterstock.com
S. 82 Konstantin Chagin – shutterstock.com
S. 83 lightpoet – shutterstock.com

S. 84 KateVogel – shutterstock.com; G. Hüther: Akademie für Potentialentfaltung; Text: Claudia Haase interviewt Prof. Dr. Gerald Hüther auf www.win-future.de

S. 86/87 „Hochbegabte Kinder" Lizenz durch www.zdf-archive.com / ZDF Enterprises GmbH – Alle Rechte vorbehalten.

S. 88 Skelett: Collage_Best – Thinkstock; Spind: etta Productions – Thinkstock; Besen: belchonock – Thinkstock; Ringe: Matte3D – Thinkstock; Tafelzirkel: Arnulf Betzold GmbH; Schlüsselbund: Ryan McVay – Thinkstock; Haarbürste: mamadela – Thinkstock; Werkzeug: Brand X Pictures –Thinkstock; Karton: MrIncredible – Thinkstock; Globus: moodboard – Thinkstock; USB-Stick: Grassetto – Thinkstock; Kopierer: Ryan McVay –Thinkstock

S. 89 Stühle: Oliver Klimek – Thinkstock; Handtuchspender: Voyagerix –Thinkstock; Turnschuh: melkerw – Thinkstock; Reagenzgläser: NikolayN – Thinkstock; Fahrräder: Axel Bueckert – Thinkstock; Trinkflasche: Grzegorz Petrykowski – Thinkstock; Schwarzes Brett: Jack Hollingsworth –Thinkstock; Ölkännchen (Werkzeug): s_tar2014 – Thinkstock; Abfalleimer: Nadezhda Bolotina – Thinkstock

S. 90 1 CebotariN – shutterstock.com; 2 ajr_images – Thinkstock; 3 sanek70974 – shutterstock.com; 4 Rohappy – shutterstock.com

S. 92 oben: Arina P Habich – shutterstock.com; unten: De Visu – shutterstock.com

S. 93 links: IhorZigor – shutterstock.com; rechts: Karin Hildebrand Lau – shutterstock.com

S. 94 Kzenon – Fotolia.com

S. 96 Christian Schwier – Fotolia.com

S. 98 oben: michaeljung – shutterstock.com; unten: michaeljayberlin – Fotolia.com

S. 99 von oben nach unten: Photographee.eu – shutterstock.com; hjalmeida – Thinkstock; Wavebreakmedia Ltd – Thinkstock

S. 100 oben links: © www.Jugend-gründet.de; oben rechts: Europäische Bewegung Deutschland e.V.;
unten links: Börsenverein des Deutschen Buchhandels Copyright Jan von Holleben – Frankfurt am Main; unten rechts: Andrea Falkner – Europäische Bewegung Deutschland e.V.

S. 102/103 „Deutsche Sprache – hippe Sprache?" Lizenz durch Deutsche Welle / dw.com/deutschlernen – Alle Rechte vorbehalten.

S. 104/105 Dieter Mayr

S. 106 1 Blend Images – shutterstock.com; 2 Andi Berger – shutterstock.com; 3 Rob Hainer – shutterstock.com; 4 CEFutcher – iStockphoto; 5 monkeybusinessimages –Thinkstock; 6 Dirk Ott – shutterstock.com

S. 107 links: Ableimages – Thinkstock; rechts: Jupiterimages – Thinkstock

S. 108 links: OGri – Thinkstock; Mitte: olkins – shutterstock.com; rechts: Who What When Where Why Wector – shutterstock.com

S. 109 DAJ – Thinkstock

S. 110 oben: Kekyalyaynen – shutterstock.com; Mitte: firo Sportphoto/ El-Saqqa – picture-alliance; unten: Purestock – Thinkstock

S. 112 © ARAVAIPA Verlag, Egg bei Zürich

S. 113 Funnycreature – Thinkstock

S. 114 John Lund/Sam Diephuis – Thinkstock

S. 116 oben: © ARAVAIPA Verlag, Egg bei Zürich; Mitte: Juerg Christandl – picture-alliance; unten: Erwin Elsner – picture-alliance

S. 112–115 Ausschnitte aus dem Roman „Aus den Augen voll im Sinn?" von Werner J. Egli © Aravaipa Verlag, Egg bei Zürich

S. 118 Rosa Stark und Christoph Wulf: „Komplimente machen – Freude schenken" Lizenz durch Deutsche Welle / dw.com/deutschlernen – Alle Rechte vorbehalten. Mitte: Kaesler Media – Fotolia.com; unten: michaelheim – shutterstock.com

S. 119 oben: „Komplimente machen – Freude schenken" Lizenz durch Deutsche Welle / dw.com/deutschlernen – Alle Rechte vorbehalten.
unten: Familie beim Essen: Monkey Business Images – shutterstock.com; Mädchen mit Kleid: Barabasa – shutterstock.com; Sieger: Sergey Novikov – shutterstock.com

S. 121 Cro: EINMAL UM DIE WELT
Musik: Carlo Waibel, Simon den Hartog, Dominic Lorberg, Gordian Scholz, Arne Schult, Michael Schürman; Text: Carlo Waibel © Affenpublishing / Universal Music Publishing GmbH und GHvC Musikverlag GbR

S. 122 1, 2 Atelier Holger Albrich; 3 PEARL.GmbH; 4 Copyright Bestron Nederland BV / Bestron Deutschland GMBH, BESTRON Nederland BV

S. 123 Andy Lidstone – shutterstock.com

S. 124 1 Dmitrijs Dmitrijevs – shutterstock.com; 2 M R – shutterstock.com; 3 dem10 – iStockphoto; unten von links nach rechts: Jacob Ammentorp Lund – Thinkstock; amazingmikael – Thinkstock; Joshua Rainey Photography – shutterstock.com

S. 125 designedbystrunck für das Eine Welt Netz NRW Moewe Westfalen

S. 126 tarasov_vl – Thinkstock

S. 128 links: lunamarina – Fotolia.com; rechts: Simon Dannhauer – Thinkstock

S. 129 A Blend Images – shutterstock.com; B YakobchukOlena – Thinkstock; C Ollyy – shutterstock.com; D zeremskimilan – Fotolia.com; E kittimages – Thinkstock; F style-photography – shutterstock.com; G Kochneva Tetyana – shutterstock.com

S. 130 Media Markt Deutschland: Media-Saturn-Holding GmbH; Lieferando: Takeaway.com yd. Yourdelivery GmbH; Ritter Sport: Alfred Ritter GmbH & Co. KG; Junghans Uhren: Uhrenfabrik Junghans GmbH & Co.KG; Schweizer Bauernverband: Schweizer Bauernverband SBV

S. 131 A Alaettin YILDIRIM – shutterstock.com; B Antonio Guillem – shutterstock.com; C Africa Studio – shutterstock.com; D Shaiith – shutterstock.com; E kurhan – shutterstock.com; F Dima Sidelnikov – shutterstock.com

S. 132 DaWanda GmbH; Textauszug aus „Ich kauf's mir lieber selbstgemacht" von Lisa Nienhaus, FAZ.NET vom 21.02.2011, © Alle Rechte vorbehalten. Frankfurter Allgemeine Zeitung GmbH, Frankfurt. Zur Verfügung gestellt vom Frankfurter Allgemeine Archiv

S. 134/135 „Generation Konsum?" Lizenz durch www.zdf-archive.com / ZDF Enterprises GmbH – Alle Rechte vorbehalten.

S. 136 1 stereostok – Thinkstock; 2 YanLev – shutterstock.com; 3 von links nach rechts: Elzbieta Sekowska – shutterstock.com; outdoorpixel – Fotolia.com; Danil Nevsky – shutterstock.com; Onidji – Fotolia.com; NDT – shutterstock.com; 4 Föhn: Aleksandr Ugorenkov – Fotolia.com; Buch: Ursula Poznanski Erebos © 2010 Loewe Verlag GmbH, Bindlach Umschlaggestaltung: Christian Keller; Kissen: GalapagosPhoto –shutterstock.com; Fußball: Alekss – Fotolia.com

S. 137 5 Syda Productions – shutterstock.com; 6 Charlie Edward – shutterstock.com; 7 Sportreisetasche: MP2 – Fotolia.com; Rucksack: by-studio – Fotolia.com; Koffer: Africa Studio –shutterstock.com; Seesack: BEAUTYofLIFE – Fotolia.com; 8 Alexander Tolstykh – shutterstock.com

S. 138 von oben nach unten: Jens Ottoson – shutterstock.com; West Coast Scapes – shutterstock.com; Luiz Rocha – shutterstock.com; Inc – shutterstock.com; CHEN WS – shutterstock.com

S. 140 oben von links nach rechts: Anne Prémel-Cabic – SEEDS; Bettina Schlüter – Dog Care Clinic e.V.; Udo Geilenbrügge, LVR-Amt für Bodendenkmalpflege im Rheinland; unten: Liviu Ionut Pantelimon – shutterstock.com

S. 141 durantelallera – shutterstock.com

S. 142 links: Primalux – Fotolia.com; rechts: William Perugini – shutterstock.com

S. 144 oben: armvector – shutterstock.com; oben links: Mapics – shutterstock.com; oben rechts: Oliver Hoffmann – shutterstock.com; unten links: Chupa – Fotolia.com; unten rechts: Sebastian Widmann – picture-alliance

S. 145 links: Fabian Wentzel – iStockphoto; rechts: franziskus46 – Fotolia.com

S. 146 oben: armvector – shutterstock.com; Syda Productions – Fotolia.com

S. 147 © Hamburg Dungeon

S. 148 oben links: Europa-Park GmbH & Co Mack KG; oben rechts: Sportbahnen Atzmännig AG; unten links: Time Travel in Vienna Betriebs GmbH

S. 150/151 „Erfurt Rendevouz in der Mitte Deutschlands", Erfurt Tourismus GmbH; Stadtplan: © ARTIFEX Computerkartographie Bartholomäus und Richter

S. 154 1 xiaorui – shutterstock.com; 2 Joy Tasa – shutterstock.com; 3 Mathisa – shutterstock.com

S. 156 1 Jeroen van den Broek – shutterstock.com; 2 waldru – shutterstock.com; 3 mrivserg – shutterstock.com; 4 nulinukas – shutterstock.com; 5 aktion tier – menschen für tiere e.V.; 6 anyaivanova – shutterstock.com

S. 158/159 von oben nach unten: Hessisches Ministerium für Umwelt, Klimaschutz, Landwirtschaft und Verbraucherschutz; Vielfalt – Fotolia.com; DaWanda GmbH; Florian Schreiber

S. 160 1 Gemenacom – shutterstock.com; 2 design36 – shutterstock.com; 3 Max Topchii – shutterstock.com; 4 Harald Riemann; 5 shutterstock.com

S. 163 Goldfaery – iStockphoto

S. 164 Bilder und Text (leicht gekürzt) aus http://www.andreas-kieling.de, © Andreas Kieling

S. 166/167 oben links: shutterstock.com, restl. Bilder: ZDF Reporter „Wildtiere in Berlin" Lizenz durch www.zdf-archive.com / ZDF Enterprises GmbH – Alle Rechte vorbehalten.

Quellennachweis zu den Videos und Audios

Kapitel	Filmname	Filmlänge	Quelle
Kapitel 1	Deutschlandlabor – Mentalität	4'40''	Lizenz durch Deutsche Welle / dw.com/deutschlernen – Alle Rechte vorbehalten.
Kapitel 2	Radfahrer gegen Autofahrer	3'21''	Lizenz durch Deutsche Welle / dw.com/deutschlernen – Alle Rechte vorbehalten.
Kapitel 3	Schmecken	2'41''	Lizenz durch www.zdf-archive.com / ZDF Enterprises GmbH – Alle Rechte vorbehalten.
Kapitel 4	Funsport – Surfen auf der künstlichen Welle	2'46''	Lizenz durch www.zdf-archive.com / ZDF Enterprises GmbH – Alle Rechte vorbehalten.
Kapitel 5	Hochbegabte Kinder	2'54''	Lizenz durch www.zdf-archive.com / ZDF Enterprises GmbH – Alle Rechte vorbehalten.
Kapitel 6	Deutsche Sprache – hippe Sprache?	4'28''	Lizenz durch Deutsche Welle / dw.com/deutschlernen – Alle Rechte vorbehalten. Filmmusik: „Schwindelig" © Freibank (Superstition / HFN Music); „I see a darkness" © BMG (REAL TIME / Breakin Beats); "From nowhere" © Universal (Universal / Deram); "Private Dancer" © Universal (CHICKS ON SPEED RECORDS); "Phoner to Arizona" © BMG (EMI / Capitol)
Kapitel 7	Komplimente machen – Freude schenken	4'03''	Lizenz durch Deutsche Welle, dw.com/deutschlernen – Alle Rechte vorbehalten. Filmmusik: „Wolke 4" © Polarbear (NEU GRÖNLAND) ; „Einmal um die Welt" © Universal (Groove Attack / GAP)
Kapitel 8	Generation Konsum	5'26''	Lizenz durch www.zdf-archive.com / ZDF Enterprises GmbH – Alle Rechte vorbehalten.
Kapitel 9	Erfurt – Rendezvous in der Mitte Deutschlands	10'40''	Tourismus GmbH Erfurt
Kapitel 10	Wildtiere in Berlin	6'47''	Lizenz durch www.zdf-archive.com / ZDF Enterprises GmbH – Alle Rechte vorbehalten.

Audiomaterialien
Sprecherinnen und Sprecher:
Ulrike Arnold, Tobias Baum, Farina Brock, Vincent Buccarello, Marco Diewald, Lionel Doleschel, Clara Gerlach, Raquel Conde Holtzmann, Walter von Hauff, Carlotta Immler, Lena Kluger, Sofia Lainović, Talia Perryman, Nina Pietschmann, Verena Rendtorff, Jakob Riedl, Marc Stachel, Florian Stierstorfer, Peter Veit

Texte:
Ausschnitte aus dem Roman „Aus den Augen voll im Sinn?" von Werner J. Egli © Aravaipa Verlag, Egg bei Zürich
Werbespot: Apollo-Optik Holding GmbH & Co.KG
Werbespot: Ne Tec Federation GbR
Werbespot: Staatliche Molkerei Weihenstephan GmbH & Co. KG
Werbespot: Tchibo GmbH

Lied:
„Einmal um die Welt" von Cro / Chimperator Production
„Können kann man lernen" Musik: Peter Herrmann, Text: Ute Koithan

Schnitt und Postproduktion: Christoph Tampe
Studio: Plan 1, München